점퍼 Jumper, 순간이동자 5권(完)

Jumper, The Teleporter 5

점퍼Jumper, 순간이동자5

발　행 | 2024년 03월 26일
저　자 | 장성우(살생금지)
펴낸이 | 장성우
펴낸곳 | 인생은 인쇄다
출판사등록 | 2023.7.17.(2023-000037호)
이메일 | jsooooosj@naver.com

ISBN | 979-11-93868-12-6(04810) / 979-11-93868-13-3 (세트)

jsooooosj.upaper.kr
© 장성우(살생금지) 2024
본 책은 저작자의 지적 재산으로서 무단 전재와 복제를 금합니다.

점퍼Jumper, 순간이동자 5권(完)

장성우(살생금지) 현대 판타지 소설

목차

1.겨울 이야기

마이클은 자신이 밀쳐졌고, 텔레포트로 이동했다는 사실을 인지했다. 그리고 보통 그렇게 되면 자신이 위치하는 곳은 텔레포터인 유진의 근처가 된다.

그렇다면 그가 있어야 할 곳은 추락하던 헬기의 내부일텐데, 그가 머릿속으로 상상하던 것과는 다른 감각에 이상함을 느낀다.

고요한 주변의 환경은 적잖이 바람이 불어오는 정원처럼도 느껴진다. 그리고 말소리로 다른 누군가의 기척을 확신했다.

"뭤."

김민서는 역장을 발휘하고 있었고, 재머로서의 능력대로 텔레포트를 저지했다. 김민서가 JE2를구사하고 있는 동안에 그의 반경 수 km를 도착지로 삼는 모든 점프는 그의 곁으로 강제 조정된다.

송일우는 윤민혁과의 대치 이후에 잠시 바닥에 내려앉아 있었다. 아까 도착했던 옥상 정원에서 잠시간 사태를 지켜보는 그들이었고, 추락하는 헬기를 두고 과연 저곳에 돌입해야 하는가를 고민하던 상황이었다.

송일우와 김민서는 몇 걸음인가 떨어져 있었고, 옥상 정원의 한 켠에서 사태를 관망하는 중이었다. 김민서는 조성된 풀밭 따위에 엉덩이를 대고 앉아 있다가, 갑작스럽게 누군가가 나타나자 헛바람을 삼킨 참이었다.

익숙한 인형이었다. 그들이 '부머'라고 부르고 있는 흉악한 테러리스트의 외형이었다. 30대 후반에서 40대 초반 정도. 검은 머리를 한 서양인, 보통 체격의 남성

멀끔한 스타일의 사이코였다. 먼저 반응한 건 송일우다. 그는 거리가 다소 떨어져 있었고, 상대가 점퍼라면 온전하게 제압할 수 있다는 확신이 없었으므로 먼저 들고 있던 총을 들었다.

탄창에는 몇 발인가가 남아 있었다. 그는 잠시 걸려있는 총을 재장전을 하며 준비를 마치고 조준을 했다. 근거리에서의 소총 사격이라면 빗맞추는 것이 더 어려운 수준이었다. 송일우에게 있어서는 말이다.

견착 후 상대의 팔 께를 노렸다. 통째로 관통하지 않고, 빗겨 맞춘다면 사망률이 그냥 쏴대는 것보다는 줄어들 것이다.

송일우가 침착하게 조준하고 한 발을 쏘았다.

그 잠깐의 시간 동안, 유진 쿠퍼가 그 자리에 도착했다. 후욱, 하는 바람이 부는 것과 같은 소리는 점퍼의 등장을 알린다.

유진이 김민서의 근처, 공교롭게도 마이클과 송일우가 바라보는 일직선상 사이에 나타났다. 소총의 탄환이 지나가는 거리에 방패막이로 서기 좋은 자리였다.

송일우가 행동을 멈추지 않고 방아쇠를 당겼다. 탕! 하고 해머로 쇠를 때리는 듯한 폭음과 함께 탄환이 발사되었다.

유진과 마이클 역시 몸체에는 방탄 플레이트를 받치고 있었다. 다만 사지에 맞더라도, 소총 탄환은 제대로 맞으면 쇼크로 움직임이 멎고 운이 나쁘면 그대로 죽을 수도 있는 충격이었다.

"억."

수학적으로, 짜맞추기라도 한 것처럼 둘은 일직선으로 서 있었다. 그리고 유진의 팔께를 지나간 탄환이 그대로 회전을 멈추지 않고 뒤에 서 있던 마이클의 팔까지 맞추었다.

시끄러운 비명보다는, 숨이 들이켜지는 짧은 신음과 함께 유진과 마이클이 충격으로 다리에 힘이 풀렸다.

다만 육신에 비해 정신력은 그나마 강력한 부분이 있었다. 유진은 그 쇼크와 패닉으로 엎어져도 이상하지 않은 상황에서도 초인적인 집중력을 발휘해서 도약을 했다.

자신에 대한 것은 아니었고, 바로 근처에 있는 마이클을 다른 곳으로 보내는 일이었다.

"잡아!"

송일우가 외치면서 한 발을 더 쏘았다. 탕! 앞에 선 유진의 어깨즈음을 향해서였고, 마침 방탄복의 플레이트가 삽입되어 있는 지점이 맞았다.

강력한 저지력에 유진의 몸이 뒤로 밀려났다. 넘어지던 와중에 뒤로 밀려 유진이 엎어졌다. 그러나 점프가 멈추어지지는 않았다. 바로 앞에 있던 민서가 재빠른 잽이나 스트레이트로 턱이라도 갈겨서 블랙 아웃을 만든다면 막을 수 있을지 모른다.

그러나 김민서의 민첩성보다는 유진의 정신력과 그로 인한 점프 발동이 더 빨랐다.

타격을 입고 쉽사리 움직이지 못하는 마이클의 모습이 점프로 인해 사라졌다. 유진은 정원에 널브러진 채로, 아찔한 정신을 가다듬었다.

이제는 자신이 도망갈 차례였다.

그러나 김민서도 영 움직이지 못하는 종류의 인간은 아니었다. 나름대로 급전개의 상황 속에서 자신이 해야 할 일을 생각하다가, 송일우의 말을 듣고 움직이기 시작한다.

그가 재빠르게 자리에서 일어서며 그 광성을 이용해 그대로 달려나갔다. 바로 앞에 있는 이까지 닿기까지 오랜 시간이 걸리지 않았다. 한 두 걸음 만에 팔 다리를 휘저으면 닿도록 다가간 김민서는,

그대로 달려가서 달음박질 하는 발 그대로 엎어진 유진의 턱주가리 부근을 걷어차버렸다.

파-악. 하고. 살벌한 타격음과 함께 턱이 흔들린 유진은 그대로 정신을 잃었다. 아무데로나 원거리를 찾아 점프를 시도하려 떠올리던 머릿속의 생각이 사라지며, 점프를 발동하지도 않았는데 생긴 블랙 아웃과 함께 그의 기억이 끊어졌다.

"후우우……."

급작스러운 상황에 냅다 사람에게 발길질을 한 민서는 잠깐의 흥분감을 가라앉히며 숨을 골랐다.

주변은 여전히 소란스러웠다. 헬기 한 대가 비행음을 내며 날고 있었다. 여기저기서 고함을 지르는 소리가 울리는 것도 같았다. 빌딩 내부의 인원들이나, 다소 먼 곳으로부터 오는 소리였다.

뒤늦게 다가오는 기동 병력들의 차량 소리나, 사이렌 따위의 울림도 들렸다.

아찔한 겨울 밤이었다. 민서는 송일우를 쳐다 봤다.

송일우는 소총의 견착을 내리며 자연스럽게 민서에게 엄지를 치켜세워 주었다. 척! 하고 효과음이라도 붙여야 할 것처럼 절도 있는 동작이었다.

두 사람이 힘없게 웃었다.

*

헬기에 내장된 폭탄은 폭발물 처리반등이 점퍼의 도움을 받아 원거리를 이동해 와서 제거되었다.

뇌관이 사라지고 완전히 해체된 재료들은 고스란히 점퍼 조직의 물자 창고로 이동해 보관된다.

리시버는 조종수를 기절시킨 다음에, 조종간을 붙들고 안착하지 못한채 상공을 떠돌다가 옆에 있던 동양계 용병에게 권총의 총구를 통한 타협을 극적으로 이루어냈다. 그는 헬기의 조종법을 알고 있는 사내였고, 자신의 목숨과 안전을 위해서 리시버에게 협력하는 선택을 했다.

인근 빌딩의 옥상 중 그나마 착륙이 가능한 공간에 내려 앉은 그들은 침착하게 움직였다. 리시버는 들고 다니는 수갑을 이용해 용병의 움직임을 제한했고, 무장을 해제시킨 뒤 움직였다.

홍인수는 아래에서 상황을 지켜보다가, 헬기가 방향을 트는 것을 목격하고 외부에서 움직이고 있었다. 빌딩 내부에서 노심초사 하고 있는 인원들의 대피 따위에 손을 거들었고, 얼마 지나지 않아 상황이 더 이상 진전되지 않고 소강상태에 접어들었다가, 곧이어 악의적인 움직임을 보이는 이들이 모두 사라졌음을 깨달았다.

뼈아픈 결말이었다. 상당 수의 부상자들이 생겼고, 어마어마한 재산적 피해를 얻은 국가 운영상의 재난 사태였다.

서울 도심 한복판이 이렇게 되었다면, 복구에만도 적잖은 비용이 들것이며 경제적 행정적 중심지인 도시의 도로를 재건하는 동안 빚어질 여러가지 차질과 문제들이 앞을 캄캄하게 했다.

그럼에도, 발빠른 점퍼 조직의 대응으로 보다 많은 피해와 사상자들로 이어지지 않았음이 천만 다행이었다.

문제의 발단 역시 점프 능력을 이용한 것이었으나, 그 해결 역시 점퍼들에 의해 마무리 된 경향이 있었다.

한국 정부에 있어서 점프 조직은 큰 도의적 부채감을 지운 단체가 될 정도였다.

테러는 확실히 국가적인 재난이었지만, 돌이킬 수 없는 상처로까지 이어지지는 않았다. 점퍼 조직의 요원들이 재빨리 움직여서 다량의 JE가 단시간 내에 유입되어 이용된 결과였다.

일시적으로 세계 각지의 다른 환경에서 점퍼 요원들이 투입되어야 할 상황들이 도움을 받지 못했지만, 어쩔 수 없는 일이었다.

결과적으로 계획의 중심자였던 마이클이 사라졌고, 그의 수족이었던 유진이 의식을 잃고 잡히는 것으로 테러는 멎었다.

윤민혁은 감옥에서 나와 계획에 동참했다가 자취를 감췄지만, 기본적으로 점퍼들에 대한 취급은, 드러나는 소란을 일으키지 않는다면 무리해서 적극적으로 추적하지는 않는 정도였다.

만일 그가 새로운 야욕을 꾸미며 두각을 드러내지 않는다면 조용히 살 수 있을 확률이 높았다.

운이 나쁘게도, 점퍼 조직의 활동 범위에 들어와 마주치고 우연하게 잡힐 수는 있었지만.

상황이 소강되자 김민서와 송일우가 본부로 통신을 걸고 보고를 올렸다. 상향 보고와 동시에 각 요원들에게 사태 파악에 대한 하향 보고로 정보 전파가 되었고, 빠르게 조직의 움직임도 마무리가 되었다.

*

불에 타고 있는 헬기가 있었다. 연료에 불이 붙어 타오른 불길이 헬기의 다양한 구성 재료들을 태워 먹으며 따뜻한 불길과 빛을 밝히고 있다.

메리는 콘크리트 더미들 사이에 자신이 저지른 헬기 추락으로 불타고 있는 캠프 파이어를 보면서 볼을 긁적였다.

"음……."

너무 과격했나. 겨울 밤, 크리스마스를 조금 앞 둔 토요일. 17일의 저녁, 후방 전력들이 현장에 도착하며 거리의 통제와 정리를 위해 분주하게 움직였다.

*

"여."

18일은, 주일이었다.

그러니까, 개신교도들의 의미로 말이다. 일요일의 다른 말이었다. Lord's day. 예수 그리스도의 부활을 기억하며 정한 날이었다.

보통 크리스쳔들은 이 날을 정해 매주 예배를 드리고, 한국에는 여러 곳의 교회에서 예배가 드려지고 있었다.

김수정은, 개신교도로서 주일에는 다니고 있는 교회에 나가 예배를 드린다.

그리고 김민서는, 개신교도는 아니었지만 그녀를 보러 온 참이었다.

김민서는 어딘가 먼 곳을 바라보는 듯한 아찔한 눈빛으로 나타났다. 수정은 거의 다 와 간다는 메세지에 교회 건물의 정문 부근 도로에서 기다리고 있었고, 말처럼 얼마 지나지 않아 다가온 김민서의 모습을 보고 반갑게 인사를 하려다 헛웃음을 흘렸다.

"저런."

수정은 은근히, 장난이 심한 편이었다. 김민서는 퀭한 눈을 피곤하다는 듯이 손가락으로 누르며 정신을 차리곤 인사를 했다.

"안녕. 좋은 날이네. 주님이 부활하신 날이지. 난 죽은 건 아니지만 죽을 뻔하다 살아 돌아오긴 했어."

그는 웬일로 그럴싸한 코트같은 걸 입고 있었다. 평소에 전혀 챙겨입고 다니지 않았지만, 쓰는 데도 없이 쌓아두던 저금으로 최근에 산 모양이었다.

감색의 코트에 안에는 제법 차려 입었다는 듯이 셔츠도 입고 있었다. 머리칼은 여전히 아무 데서나 자른 듯 적당한 기장의 더벅머리였지만.

지난 밤, 저녁의 일이 끝나고 민서는 수정에게 짧게 연락을 했다. 짧다고 해도, 30여 분 정도의 시간이었다.

일단 사건이 마무리되고 유진의 신병이 인도되었다. 국적이 다양한 테러리스트의 잔당들은 국제 형사 기구를 비롯해 다양한 기관들의 협조로 본국으로 송환되거나, 한국에 임시로 구류되었다.

텔레포터로서 신변을 구속하기에 가장 까다롭고 위험한 부류의 점퍼인 유진이었으나 마이클에 대한 정보를 알고 있는 주요한 인물이었기에 조직의 기지가 아닌 다른 장소에 지어진 특수 건물에 구류하고 치료 후 신문을 진행할 예정이었다.

민서는 재머로서 텔레포터의 구속에 주요한 인적 자원이었으나, 전 날 상황 현장에서 직접 뛰고 교전을 벌였던 이들은 일시적으로 신변 구속을 위한 대기 임무에서 배제되었다.

각 요원들의 피로도를 고려한 일이었다. 잠깐의 여가 시간이 난 민서는 일단 사태가 일단락되었다는 생각에 마음을 편히 먹고 최근에 여러 번 무시했던 수정의 연락에 답신을 했다.

간밤에 짧다면 짧은 대화 속에서 민서는 여러가지 이야기를 했다. 수정 역시, 뉴스로 전해 들은 서울의 사태와 민서의 처지에 대해서 짐작한 바를 물었고, 그 역시 솔직하게 대답을 했다.

이런저런 이야기를 하다가, 어쩌다 보니 만나서 이야기를 하자는 쪽으로 결론이 났다.

민서는 그녀를 보기 위해 성북구에 있는 어느 침례교회를 찾았다.

도심에 있는 분위기가 좋은 건물이었다. 외관은 크리스마스를 준비하는지 이런저런 장식들이 붙어 있었고, 동네 분위기도 따뜻해 보인다.

"용케 시간 맞춰서 왔네."

수정은 지난 밤의 사건들을 보지는 못했으나 짐작하며 이야기했다.

민서는 고개를 절레절레 저었다.

"간밤에 뒤처리까지 하고 오느라, 죽은 듯이 잠깐 졸았다가 일어났어. 내가 어떻게 일어난건지 모르겠다. 거의 하나님이 도우신 듯."

민서는 교회를 다닌 적이 없었고 크리스쳔이 아니었지만 그 배경적인 지식들은 깨나 알았다. 어쨌거나, 수정과도 예전부터 친구였으며 그 주변에도 그런 이들이 많았으니.

시간은 조금 늦은 아침이었다. 오전 9시 정도. 그가 격한 경험을 겪고 새벽에 간신히 잠들은 것을 생각하면, 웬일로 저절로 눈이 떠지지 않았다면 도저히 만나지 못했을 테다.

아무튼, 민서는 피곤한 기색을 물리치며 말했다.

"음. 들어갈까. 안내해 줘."
"그래야지."

수정이 적잖이 밝게 웃었다. 겨울철에 어울리는 두꺼운 스커트에 수정 역시 코트를 입고 있었다. 어깨 즈음까지 닿는 단발머리가 그녀의 기분에 따라 발랄하게 흔들렸다.

"점심도 여기서 먹는 거야?"

민서가 저벅저벅, 걸어 들어가며 물었다. 수정이 말했다.

"음. 보통은? 나가서 먹어도 되고. 오늘은 너 왔으니까 밖에서 먹을까."

"아니 뭐. 다 같이 먹으면 좋지. 그리고 너랑 수다만 떨면 뭐 먹든 다 좋아."

수정이 몇 걸음 걸어가다가 팔꿈치로 민서의 옆구리를 쿡 찍었다. 키 차이가 절묘해서, 힘이 잘 들어가지 않는 급소에 딱 닿게 된다.

"억."

오전, 서울.

겨울, 아침의 밝은 햇빛과 새하얗도록 그에 물들어 비추어지는 주변이다. 기온은 어느새 뚝 떨어져서 코트를 다소 여미게 되고, 챙겨 입는다고 입은 코트가 귀까지 덮어주지는 않아서 다소 시린 날씨였다.

몇 사람인가, 일찍 교회를 찾은 주민들의 모습에 오며 가며 인사를 하고 또 정답게 같이 걸어 들어가는 길이다. 간 밤의 귀 따가운 총성이나 폭음이 어울리지 않을 만큼 평안한 한 때라고 민서는 느꼈다.

MAIN

***

마이클 샌더스.

그는 메마른 모래 구덩이에서 몸을 비틀었다. 유진은 급박한 와중에, 아무 곳으로나 그를 옮겼다. 그가 떨어진 곳은 열사의 사막이었다.

중동 지방, 그 어딘가 사람이 오지 않는 광야였다. 마이클은 그곳에서 자신의 죽음을 생각했다. 비척거리며, 피가 흐르는 팔뚝을 붙잡으며 걷는다.

사람의 몸은 영화에서처럼 초인적인 능력을 가지고 있지는 않았다. 팔뚝에 약간 빗맞은 총상을 입은 것만으로도, 사실은 중상이다.

마이클은 머리가 어질거리는 와중에 자신의 옷가지를 찢어서 낑낑대며 붕대처럼 지혈을 했다. 마치 터져나간 것처럼 엉망이 되어 있는 상처 부위를 보니 아찔한 마음이 든다.

살아남을 수 있을 것인가.

그는 방향도 모르는 사막에서, 무엇도 가지지 못한 채 어딘가를 향해서 일단 무작정 걸었다.

유진이 당했다면 그의 계획의 대부분이 날아간 것이나 다름 없었다.

무엇 하나 남지 않은 처량한 남자가, 목숨이 다하기 전에 물을 얻을 수 있을 것인가 하는 여정을 시작했다.

***

겨울철에 찬 바람을 쐬고 있었다. 매섭게 불어 닥쳐오는 것이 풍속이 제법 빨라 눈을 뜨기가 힘들었다.

동남아의 겨울도 겨울이었다. 그리고 고도가 높아지며 속력이 붙는다면 그 공기에 제법 한기가 이는 것은 어딜 가나 마찬가지였고.

민서는 비행기의 콕핏에 등을 기대고 붙어 있었다.

투명한 유리창 너머. 콕핏의 외벽에 등을 붙이고 몸을 뒤로 뉘인 채였고, 그리 빠른 속도로 날지 않는 민간의 경비행기라 하더라도 제법 아찔한 모양새였다.

어느 동남아 지방의 휴양지에서 즐길 법한 이동 수단이었으나 이런 식의 경험을 상정하고 만들어진 것은 분명 아닐 테였다.

청명한 푸른 하늘과 구름이 그를 반긴다.

사실 반기는 지는 잘 모르겠다. 선명한 구름 빛과 푸른 하늘이 조화를 이루고, 선연하게 만물을 조색하는 태양 빛이 대지를 비추지만 까딱하면, 목숨을 잃는 것은 달라지지 않는 현실이었다.

갑자기 김민서가 돌아버리고서 자해를 시도하고 있는 상황은 아니었다. 그도 정상적인 감각을 갖고 있었고, 오히려 남들보다 겁은 많은 편이었다.

그러나 최길우와 함께 겪은 대공전 훈련(줄 없이 번지점프)는 그에게서 일반적인 감각을 다소 앗아갔다.

지금도, 그에게는 쥐뿔 만큼의 특수 능력도 없었지만 점퍼가 함께한다는 믿음만으로 이러고 있었다.

사실 정말 믿음만으로 이어져 있지는 않았다.

허리춤에 단단하게 연결되어 달라붙은 검은 끈이 있었다. 복잡다단한 구조로 이루어진 구명끈은 민서의 허리와 등, 그리고 허벅다리 정도를 얽혀서 매고 있었으며 신뢰할만한 강도로 붙잡고 있었다. 위험한 상황에서 끈은 늘 어디로 이어져 있느냐가 중요할 텐데, 그것은 다소 돌아서 콕핏의 상부에 의자를 설치해두고 앉아 있는 어느 정신 나간 스릴 중독자의 허리춤으로 이어져 있었다.

보통 이런 짓거리를 해댈만한 인간들은, 점퍼가 아니라면 뇌하수체에 문제라도 있는 양반들일 테였다. 민서는 점퍼는 아니었으나 점퍼의 곁에 있는 인간이었고, 그와 끈을 대고 있는 이는 점퍼였다.

다만 점퍼라고 해도, 다양한 상황에서 물리적 충격에 완벽하게 내성이 있는 것은 아니었다. 단순히 순간이동을 할 수 있고, 공중에서 추락하는 사태 중에 얼마든지 목숨을 부지할 수 있다 뿐이었지 까딱 잘못하면 목숨을 잃는 몸뚱이가 남들과 다른 점은 없었다.

고속 비행 따위는 인간이 원래 맨 몸으로 할 게 못되는 일이었다.

그럴싸한 점프 수트를 껴입고서, 민서는 신호를 기다리고 있다.

창공이 푸르름을 아는 건 굳이 이런 시도를 하지 않아도 얼마든지 알 수 있는 것이건만.

간단한 묘기나, 기예 같은 것이었다. 지금 하고 있는 것은. 김민서가 발휘하는 JE2로 이루어진 역장은 겨울에 접어들고, 강렬한 스트레스를 받는 사건을 지나면서 급작스럽게 강해졌다.

점퍼들이 사용하는 인터페이스가 정신력과 뇌파와 관련되어 있다는 점에서, 민서가 발휘하는 힘 역시 그런 종류의 것이었다.

어떤 사건의 경험과, 내면적인 고찰이나 깨달음, 혹은 변화에서 비롯되는 정신 상태의 움직임은 그가 다루는 JE2에 크나큰 영향을 주는 것일지도 모른다.

어쩌면, '평안한' 혹은 '멍 때리는' 상태로 묘사할 수 있는 그 키 포인트가 반대 급부의 상황을 겪으면서 더욱 강해졌는지도 모른다.

무거운 웨이트 벨트를 차고 같은 동작을 수행하다가 풀고 나면, 훨씬 강한 근력과 안정성으로 동일한 동작을 해낼 수 있는 것처럼.

대규모 전쟁과도 같은 체험을 할 수 있었던 상황 속에서 재밍을 해낸다는 과정이 그의 능력을 성장시켰을 수도 있었다.

12월 17일의 사건을 겪으면서 그의 능력 범위는 하루가 다르게, 폭발적으로 늘어났고 급기야 수십 km에 이르는 구역을 재머로서 커버할 수 있었다.

그리고 반경 그 정도의 거리라면, 이미 대단위 도시나 마찬가지인 넓이이다.

점차 그가 거대한 능력 역장을 소유하면서 간단한 묘기를 해보기로 한 것이다.

재머로서 적대적인 점퍼들의 습격을 방지하고 운용을 방해할 수도 있었지만, 구체적인 좌표 계산의 복잡함을 빼고서 곧바로 민서가 있는 장소에 도약을 할 수 있다는 점도 있었다.

점프 유도 장치나 마찬가지였다. 민서가 고속으로 복잡하게 움직일 때, 다른 이들은 해당 범위 안쪽 아무 곳으로나 도약을 하면 민서의 곁으로 이동하게 된다.

간단한 실증 사례를 남겨두면 언제고 실제 상황 중에 써먹을지 모른다. 그런 이유만으로 이런 모습으로 있는 것이었다.

비교적 저속으로 항속 운행을 한다지만 비행기는 비행기였고, 높은 고도는 고도였다. 민서는 이마께에 잠깐 올려둔 고글을 배짱도 좋게 내려 썼다. 점점 점퍼 조직과 함께하면 할수록 정상적인 위기 감각이 마비되는 것도 같았다.

고글로 바람을 가리자 아까보다는 조금 더, 시야가 확보되었다. 미친듯이 불어 제끼는 맞바람에 몸뚱이는 콕핏의 벽면에 딱 달라붙어 몸통을 움직이기 힘들었다.

민서는 적당한 시점에서 대 자로 벌린 팔의 오른손으로 엄지를 키여 올렸다. 콕핏 안쪽에서 조종수가 핸드 사인을 보고 고개를 끄덕였다.

딱히 행동을 하는데 있어 민서가 결정권자인 것은 아니었지만, 적어도 가장 약자로서 그의 의견을 존중해주어야 할 필요는 있었다. 다음 시퀀스의 동작을 수행하는데 있어, 민서가 제대로 인지를 하고 준비된 상태에서 움직여야지 최소한의 안전성을 보장할 수 있을 테였다.

조종수가 조금 뒤에 여유를 두고, 경비행기의 상부에 철제 의자를 박아놓고 앉아 있는 사내에게 사인sign을 보냈다. 그가 끼고 있는 헬멧 내부의 무전기로써였다.

사내, 조직의 점퍼는 그 신호에 얼마 있지 않아 자신의 가슴팍을 투박하게 치듯이 눌렀다. 자켓 내부에 둔 무전기의 버튼을 누른 것이다. 곧바로 조종수에게 신호가 갔고, 그는 그에 맞추어 천천히 조종간을 조작했다.

부드럽게 조종간을 잡아당기자 비행기의 머리가 상부를 향했다. 상공으로 고도를 높이는 방향으로 오르기 시작한 비행기가 먼 곡선을 그리면서 크게 선회한다.

비행기의 방향이 위를 향할수록, 콕핏 전면부에 몸을 붙이고 있는 민서가 받는 중력이 세졌다.

태양을 향해서 이윽고 곧게 선 비행기는 거기서 멈추지 않고, 몸체를 뒤집기 시작했다. 마치 롤러코스터처럼. 완전히 뒤집어질 즈음해서, 조종수는 경비행기의 동력 시스템을 종료했다. 추진력을 잃어버린 비행기는 그대로 관성을 갖고 허공을 유영했다.

활공을 하듯한 느긋한 움직임으로 180도 뒤집어진 비행기가 하늘을 날았고, 관성에 따라 속도가 느려지는 만큼, 몸체에 붙어 있던 두 사람의 몸이 서서히 떨어져 나왔다.

속력이 줄어들고, 수직 방향의 마찰 계수가 줄어들어 두 사람의 몸이 떨어졌다. 상부의 의자에 앉아 있던 양반부터 아래로 떨어진다. 그리고 그와 같이, 줄에 엮여 있는 민서의 몸도 같이 낙하한다.

자유낙하였다.

낙하산도 없이 하는 것만 제외하고는, 꽤나 해볼만한 일이다.

저 넓은 평야와 멀리로 보이는 수평선이 그들을 반긴다.

땅이 그들을 끌어당기고 있었고, 지구의 품에 안긴다고 해도 좋을만큼 시원한 해방감이다.

아무런 장비도 없는 활강과도 비슷한 추락은 그런 멋이 있었다.

그렇기 때문에, 사람들이 스카이 다이빙을 하는지도 모른다.

물론 낙하산과 전문가의 도움은 반드시 있어야만 한다.

김민서는 아찔함을 느꼈다. 나름대로 대공전에 대한 대비를 한다고, 최길우에게 걷어 차여져서 수십 번이 넘도록, 세 자리 숫자가 되도록 끝 없는 번지점프를 했지만 몸에서부터 움찔하는 감각은 어쩔 수 없는 본능이었다.

그런 아찔함을 느끼면서 어디가 위고 아래인가도 구분이 안될만한 해방감 속에서 내려 앉는 중이다.

중력 가속도는 제법 빠른 속도로 붙어서 금새 무언가에 닿으면 안되는 속력이 되고야 만다.

그 즈음에 후욱, 하고 어딘가에서부터 작은 바람이 속삭이듯한 감각이 느껴졌다. 실제 바람은 죽어라고 낙하하는 민서의 온 몸을 향해 마주하며 쳐오고 있었다.

JE의 작용에 따른 특이한 감각이었다.

누군가, 가 점프를 근처에 해왔고 그것이 민서가 유지하는 재밍 영역에 의해 이곳까지 끌려온 것이다.

민서는 고개를 돌려서 그들의 인형을 제대로 확인할 여유도 없었다. 그저 묶인 끈을 중심으로 나풀거리고, 또 빙글뱅글 돌면서 추락을 할 뿐이었지.

휘이이, 휘이이. 하고 또 작은 바람이 부는 것 같은 생경한 효과음이 귓전에 들린다.

마찬가지로 점프의 전조음들이었다. 민서가 추락하는, 그러나 일정한 저항감을 가지고 미약한 양력을 형성해서 대류 사이를 가로지르는 포물선의 궤적에 따라 점점이 누군가의 인형이 나타났다.

마치 민서가 움직이면서 한 사람 한 사람을 허공에 흩뿌리는 것과도 같았다.

헨젤과 그레텔에서 과자 조각을 그들의 경로에 맞추어 뿌리듯이.

혹은 비둘기 먹이라도 점점이 이어서 주듯이 말이다.

곧이어 점퍼들도 멀리서 봤을 때, 그 궤적의 선상에 위치하다가 차례로 차례로 아래로 낙하하며 제각기의 추락선을 그렸다.

그러나 그들의 추락은 그리 오래 가지 않았다. 제각각, 어느 정도 가속도를 받기 시작하는 지점에서 허공에서 사라졌다.

그들 모두가 점퍼들이었기 때문이다. 그리고 민서의 재밍 영역 내부로 이동을 한다면 어차피 마찬가지였기에, 이러한 묘기에서 벗어나기 위해서는 아주 먼 곳으로 이동해야 했다.

반경 수십 키로미터의 넓이는 그야말로 대도시의 범주였다.

민서와 사내의 사이 좋은 추락이 계속해서 이어졌다.

그리고 어느새, 멀리로만 보이던 지면의 지형들이 점점 더 눈에 들어오며 추락이라는 게 보다 현실감있게 느껴지기 시작할 무렵,

인근에 산이 있다면 그 산들의 꼭대기 정도는 될 고도 즈음. 사내는 자신의 허리춤에 있는 끈을 잡아당겼다. 어차피 피차 발판 없는 추락을 하고 있는 와중에 서로의 거리가 점차 가까워졌다.

이제 그야말로 위험하다는 신호가 슬슬 생길 무렵이다.

간신히 사내의 손길이 민서의 몸께에 닿았다. 민서는, 사실 극한의 공포와 유지해야만 하는 평정심 사이에서 지독한 번민의 기로에 서 있었다.

그 와중에 재밍 영역을 유지하고 있다는 점에서, 어떤 면에선 초인적인 정신력의 영역에 도달했는 지도 모른다.

사내는, 민서가 그 손끝에 닿자마자 시동걸던 점프가 바로 발동되어 동시에 같이 모습을 감추었다.

깜

깜하게 시야가 가로막힌다.

지면까지 고도가 그리 많이 남지 않은 시점에서 민서는 온 몸으로 받던 가속도와 중력, 맞바람이 멎는 것을 느꼈다.

그리고 다시 눈을 떴을 때, 그는 언제 그랬냐는 듯 멀쩡하게 평야의 한 가운데에 서 있었다.

심지어 그가 떨어져 내린 궤적으로, 몇 명인가가 남아서 같이 떨어지고 있었다. 얼마 지나지 않아, 몇 초만에 그들 역시 모두 모습을 감춘다. 한 두 명은 민서와 사내가 있는 곳으로 다가오기도 했다.

민서가, 오랜 시간만에 입을 열었다. 거의 오늘 처음 여는 것처럼도 느껴진다.

"……뒤지는 줄 알았네."

사내가 씨익 웃었다. 그는 조직의 베테랑 점퍼였고, 코드 네임은 없었다. 은퇴에 가까운 위치에 있는 자였다.

사내가 씨익 웃었다. 그는 조직의 베테랑 점퍼였고, 코드 네임은 없었다. 은퇴에 가까운 위치에 있는 자였다. 예전에는 '쉴더'로서 활동을 했었고, 야가미 소우타가 어느 정도 실전 경력과 능력을 갖추자 별명을 넘겨주고 뒤로 물러난 사내였다.

점퍼 조직의 점퍼 요원 총원 23명에 들어가 있는 인물이었으며, 이름은 제라드 칼뱅이었다. 프랑스인으로, 헬멧을 벗으면 풍성한 곱슬 머리가 나오는 인물이었다. 40대 초중반 무렵의 남자였다.

제라드가 헬멧을 벗으며 말했다.

"안 뒤졌으니 여긴 이 세상이로군. 삶에 대한 감사가 좀 늘어나지 않나?”

민서는 입을 헤, 벌리고 그를 쳐다보다 답했다.

“확실히 가만히 서 있을 수 있다는 것도 신이 주신 축복같습니다.”

어지간하면 무슨 말을 하더라도 그게 왠 헛소리요, 라고 대답하고 싶은 심정이었으나 제라드는 왜인지 가만 들어보면 진심이 묻어나는 말을 하는 사내였다.

민서는 고개를 주억거리며 그가 했던 말을 곱씹어보고, 동의하게 되었다.

제라드가 다가와 민서의 등을 두드렸다.

*

어수선한 분위기였다.

시장 바닥같은.

싫다는 의미는 아니었고. 나름대로 목가적인 분위기마저 풍겼다. 초원도 기르는 식육동물도 찾아볼 수는 없었지만. 그냥 비유적으로 그렇다는 말이었다. 한가롭고, 평화로운 분위기.

울타리 내부에 잘 쌓아둔 어떤 관계성 같은 것들이 풍성하게 꾸며지고 또 자라나서 행복한 한 때와 교제를 누리는 그런 시간이라는 이야기였다.

민서는 점퍼 조직의 기지 내에 있었다. 본부 건물. 본부 건물은 지하에 위치해 있었고, 그 정확한 좌표는 조직 내의 상급 기밀이라 조직 내를 이동해야 하는 점퍼 요원들 외에는 아무도 알지 못했다.

물론 기지 자체를 건축하고 투자에 관여한 이들이야 알고 있겠다마는. 환풍구를 제외하고는 밀실이나 다름 없는 지하 기지였고, 기본적인 출입 시스템은 점퍼들의 점프 뿐이었다.

기지 내 비점퍼 요원들의 퇴근과 출근 역시 점퍼들이 단체 도약을 통해서 관리하고 있었다. 물론 매일 하는 것은 아니었고, 수 개월 단위로 기지 내 인원들이 전부 교체되는 식이었다.

기지에 비상 사태가 발생해서 무너질 위기에 처한다면, 그럴 때 사용할 비상구 정도는 만들어 두었겠으나 평소에 사용하는 공간은 아니었다.

대부분의 기지를 알고 있는 사람들 내에서, 기지의 위치는 지구상 어딘가에 위치한 오지라는 것이 대개의 인식이었다.

어쨌든 그런 지하 기지의 구조는 제법 깔끔하고 또 넓었다. 얼마만한 자본이 투입된 것인지, 고층 빌딩을 층별로 다소 쪼개서 지하에 잘 분배를 해둔 것과 같은 넓이나 구조였다.

대형 종합 병원 정도의 넓이도 되는 듯했다.

기지 내에서 많은 시간들을 보내는 요원들은 좋던 싫던 그 자리에서 정이 들 수 밖에 없었다. 먹고, 또 자고. 일하고. 많은 일들을 하고 또 살아가는 삶의 터전이었으니.

그래서 가끔 이런 이벤트도 있다.

크리스마스라던가, 대절기나 세계적인 기념일이 다가오면 다같이 파티라도 열어 한 때의 분위기를 즐기는 편이었다.

나름대로 세계 각국에서 다양한 인종과 민족들이 모여 있는 장소였고, 개성들도 제각각이었다.

그러나 적당한 날을 구실 삼아서 문화나 삶의 배경과는 상관없이 기쁨을 나눌 수 있다는 게 모든 이들의 소망을 만족시켰다.

크리스마스 파티는 이브날로 일정이 잡혔다. 점퍼 조직, 기지 내에서는 나름대로 대대적인 행사였고 대부분의 인원들이 참여한다. 어쩔 수 없이 외부 임무를 맡고 뛰고 있는 이들이 아니라면 말이다.

가능하다면 바깥에서 제각각 친구나, 가족 혹은 연인들을 대동하기도 한다. 자주 있는 행사는 아니었으므로, 하루만은 특별 취급이었다.

대회의실, 이라고 불리는 장소가 있었다. 기지의 C동에 위치한 넓은 방으로, 얼핏 공터라고 말해도 좋을 정도로 아무 가구도 없이 텅 빈 공간만 있는 실내였다.

주로 활동적인 훈련을 하는 훈련실들보다도 조금 더 크다.

기지 내 다수 인원들이 모여서 대회의를 해야 할 때 사용하는 장소였고, 이런 날에는 파티의 분위기를 위해서 쓰이기도 한다.

어느덧 이전부터 야금야금, 각자의 사람들이 꾸며 놓은 실내가 제법 크리스마스 분위기를 풍겼다. 기지 내 창고 어딘가에 일 년동안 처박혀 있던 트리를 꺼내서 청소를 하고, 장식을 치장한다.

여기저기 모아 두었던 파티 용품들을 꺼내고 또 인테리어 가구들을 하나 둘 씩 모아두고.

파티를 위해서 테이블을 설치하고, 자리를 깔고. 단상에도 적당한 붉은 색 카펫 따위를 깔아 분위기를 돋운다.

그리고 당일이 되어 각종 요리와 케이크 따위들을 늘어놓으면, 지금의 상황이 되는 것이다.

조명도 어느샌가 손을 대었는지 포근한 연말을 연출하기 좋은 약간은 붉고 따뜻한 기가 도는 빛깔의 색이었다.

점퍼 요원들을 비롯해서 각자 사정이 허락하는 한, 부르고 싶은 지인들 역시 함께 참여해서 파티를 즐기고 있었다. 점퍼 요원들은 대부분 가족 중 한 두명, 친구, 혹은 아내나 연인 같은 이들도 데려온다.

민서는 개중에서 수정을 초대했다. 그녀 역시 지난 많은 시간 동안 자신의 일을 알려준 민서 덕분에 내부 사정에 대해서 아예 문외한은 아니었다.

말할 수 없는 내용들 외에는 모두 말한 터였으므로, 심지어 조직 내의 여러 인원들에 대해 친숙하기까지 한 상태였다.

개중에는 아무래도, 민서에게 있어서 많은 영향을 미치는 홍인수가 포함되어 있었다.

"수정 양."

홍인수는 대개의 경우 늘 정장을 빼입고 다니는 편이었다. 특수한 경우가 아니라면, 그게 일상복인 양 입고 다니는 사람이었다. 오늘도 역시 훤칠한 키에 단정하게 차려입고서 다가오는 그의 모습은 멋들어진 모델처럼도 보인다.

"앗."

수정은 가볍게 탄성처럼 헛소리를 내뱉었다. 이야기로 자주 듣던 사람이기도 했고, 심지어 그녀의 기억 속에 있었던 사람인 탓이다. 그녀는 삶에서 점퍼를 마주치고, 뉴스로나마 사건을 접하면서 지난날의 암시가 모두 풀린지 오래였다. 반복되는 강한 자극과 뚜렷한 인식 속에서 최면과 암시는 그다지 힘을 발휘하지 못한다. 그리고 또한 그녀가 그것을 사실로서 받아들이기로 했기 때문일 것이다. 사실 민서가 아니었다면, 그렇게까지 사실적으로 받아들일 필요가 없는 일이었으나. 그녀의 가장 친한 친구가 얽혀 있기 때문에 현실로서 받아들일 수 밖에 없었다.

"이야기는 많이 들었습니다. 민서 군의 여자친구라고. 아무쪼록 늘 다치지 않도록 제가 잘 보호하고 있으니까 걱정은 하지 마세요. …어색할텐데, 오늘은 와줘서 고맙습니다. 편하게 즐기다 가시고요."

이런저런 말들을 늘어놓으며 인사를 건네곤 사라졌다. 이야기의 와중에 이것저것 걸리는 사실들이 있었지만 그다지 신경쓰지 않기로 했다. 여자인 친구는 맞다. 아직 여자친구는 아니었고.

홍인수는 손에 잔 하나를 들고 여기저기를 기웃거리며 인사들을 해댔다. 조직의 중추로서, 많은 사람들을 살피는 건 어쩌면 필여적인 일인지도 몰랐다. 단순한 현장 요원을 벗어나서 수뇌부의 자리에서 조직을 이끌기 위해서는, 인간 관계 역시 핵심적인 일이었다. 결국 조직 내부의 인원들에 대한 유대감을 쌓고 인원 관리를 해야만 조직이 돌아갈 수 있는 것이었으니.

점퍼 조직같은, 이런 소규모의 조직이라면 더욱 그러하다. 조직 자체의 규모는 방대한 편이었으나 그 핵심 인물들의 숫자는 적었다. 중소 기업 정도라고 해도 될 정도로 말이다.

평소에는 잘 마주치기 어려운 사람들까지 볼 수 있는 자리였어서 민서로서는 나름대로 행복한 자리였다. 그간 약 일 년 동안, 정확히 말하면 수개월동안 자주 함께 했던 이들과는 어느새 어색함이 사라질 정도의 기간이었지만 몇몇과는 나눈 대화의 수가 손에 꼽을 정도였다. 기왕이면, 자신이 어떤 조직에 몸을 담고 있다면 그 자리에 있는 모든 이들과 친밀하게 지내는 편이 마음 쓰일 일도 적고 평안한 경우였다. 민서는 그런 성격이었다.

홍인수가 가벼운 안부 인사를 전하고 가자 수정은 버릇처럼 팔꿈치의 날을 세워서 민서의 옆구리를 가격했다. 슬슬 버릇이 되어가는 것 같았다. 타격의 각도가 갈수록 날카로워지고 있었다. 민서는 슬쩍 위기감을 느끼면서 말했다.

"그… 갈수록 엘보가 날카로워지고 있는데 맞는 겁니까. 기분이 안 좋을 때마다 이러면 한쪽 갈비뼈가 다 사라지겠는데."

민서가 맞은 자리를 쓰다듬으면서 옆 테이블의 주스 잔 하나에 다가가 집어 들었다. 수정은 베이지 색과 노란 색이 섞인 밝은 톤의 원피스를 정갈하게 입고 있었다. 그녀가 말한다.

"기분이 안 좋은 건 아니었어."
"…그럼?"
"그냥 답답해서 그러지. 그나저나, 괜찮아 보이는데. 사람들도 다들 좋아 보이고. 따뜻한 분위기네. 나도 이런 회사에서 일하고 싶다."

그녀가 적당히 말을 돌리자 민서 역시 돌아가는 화제에 따라갔다.

"어, 좋은 곳이야. 다들 유대감도 각별하고. 거친 일을 하다 보니까 그렇게 됐는지. 게다가 돈도 많이 나오지. 하지만 더럽게 무섭긴 해."

민서는 마지막 말은 중얼거리듯 흐렸다. 익숙해지고 싶다고 익숙해질 수 있는 일은 아니었다. 고공에서 아무런 안전장치도 없이 떨어지고, 총탄이 빗발치는 현장에서 몸을 웅크리는 일들은 말이다.

그런 건 익숙해지면서 하는 것이 아니었다.

평생, 그 하나하나 매번 해야 할 이유와 당위성을 깨닫고 그저 해나갈 뿐이다. 관성적으로 한다면 도저히 해나갈 수 없는 일들이었다. 누군가를 위해서. 그래, 그런 목적성이라도 좀 필요할 지도 몰랐다. 민서에게는. 점퍼 조직이 하고 있는 대부분의 일들은 위기의 상황에 처한 많은 사람들을 위해서 움직이는 임무였다. 남들에 비해 특수한 능력과 조건을 갖고 있기에, 얼핏 난해해 보이는 상황 속으로 들어가서 무언가를 갖고 여유롭게 빠져 나온다.

그것이 순간이동자들의 일이었다.

"돈이 많이 나오는 건 좋은데. 만약 오래 다닌다면, 나 좀 먹여 살려 주라."

수정이 장난스럽게 말했다. 민서는 먹던 주스를 울컥하고 다시 토해낸 다음에 다시 마셨다.

"어… 만약 네가 백수에 갈 곳도 없다면 외면하진 않겠지 내가 설마."

수정은 그 정도면 만족스럽다는 듯이 민서의 등을 쿡쿡 찔렀다.

"좋아. 든든한 보험 하나는 얻었구만. 맘 놓고 힘내서 취업 활동 할 수 있겠는데."

민서는 애써 딴 곳을 보며 주스를 홀짝였다. 다른 곳에서는, 한형석이 조직의 남자 요원들을 돌아다니면서 큰 딸의 혼처를 구해보기 위해 시도하고 있었다. 야가미는 아무래도 사이가 돈독해보였고, 홍인수는 괜찮은 녀석이었으나 별로 관심이 없어 보였다. 커맨더는 최길우에게 다가가 어깨 동무를 하며 인생 이야기를 길게 풀어나가기 시작했다.

*

유진 쿠퍼는, 약 일주일 간의 신문 기간을 보내고 새롭게 지어진 조직의 감옥에 수감되었다.

다량의 희생자들을 만들어낸 테러 계획의 주동자나 같은 인물이었고, 그 사상과 능력이 극히 위험하다는 판단에서였다. 조직에서 테러의 본체로 점찍었던 마이클은 놓쳤으나, 테러 행위의 결국 핵심이었던 점프 능력은 모두 유진으로부터 비롯되었다는 점에서 내려진 처사였다.

유진은 그만의 특제 감옥에 갇히게 되었다. 텔레포터라는 능력은 상당히 다루기 까다로운 것이었고, 구속하기에도 난이도가 높은 종류의 능력이었다. 광활한 공간, 이라고까지 느껴지는 밀실이었다.

별달리 최첨단의 소재나 기기로 내부를 채운 것도 아니었고, 단순하게 거대한 빈 공간을 단단하게 만들어둔 것에 불과했다. 그 내부에서 유진은 바깥으로 벗어날 수 없었고, 모든 의식주를 해결해야 했다. 최소한의 인권을 위해서 내부 cctv는 없었으나, 그의 생체 데이터는 관리실에서 모니터링이 되고 있었다. 그가 지나치게 동요를 하거나 긴장을 하면 곧바로 알아챌 수 있었다.

내부에는 통신 장치가 있어서 필요한 것이 있다면 그가 관리실과 연락을 취할 수 있었으나, 때때로는 관리실 쪽에서 무단으로 음성을 도청할 수도 있었다.

어지간한 운동장 수준의 넓이의 공간이었다. 하나의 독채처럼 따로 떨어진 공간은 대양의 어딘가에 있는 깨나 규모가 큰 무인도에 위치한 것이었다.

시간이 얼마 지나지 않아 시설을 완벽하게 지을 수 없었고, 적당한 가설 건물들로 채워진 신설 감옥이었다.

유진을 제어하기 위해서 항상 일정량 이상의 화력이 필요했다. 그는 마음만 먹으면 자신이 공간을 벗어나지 않고도 원거리에서 타인을 불러들일 수 있는 텔레포터였으니까. 타인이 내부의 좌표를 알지 못할 때도 다른 공간에 있는 점퍼를 이용할 수 있다는 뜻이었다. 물론 사전에 계획되지 않고 거대한 지구 상에서 정해진 인물과 정확한 교감을 하는 것은 불가능에 가까운 일이겠지만.

아무런 외부와 접할 수 있는 통신 매체도 두지 않고, 단색으로 지루하게 채색된 공간 내부에서 유진은 홀로 긴 시간을 보낸다. 점퍼 감옥 특유의 구속구가 그의 손 발에 채워져 있었다.

유진은, 마침내 자신의 삶에 대해 길게 생각할 수 있는 시간이 생긴 것처럼 그 자리에 누워서 오래도록 사색을 시작했다.

***

메리 포핀스는 겨울, 크리스마스 당일에 임무를 위해 야외를 걷고 있었다.

그녀는 썩 기분이 좋지는 않았다. 크리스마스에, 일이라니. 물론 점퍼 조직의 특성 상 시기를 가릴 수 없다는 건 절감하고 있었다. 늘 염두에 두고 있는 사실이었고. 세상 어느 곳에서도 의도한대로 사고가 나지는 않는다. 그 시기나 사정을 정할 수 없이 터져 나오는 것이 사건이고 사고였으므로, 그런 것들에 대처하기 위해 움직이는 점퍼들 역시 날짜를 가리지 않고 움직여야만 한다.

돌아가면서 점퍼 인원들이 교대로 임무들을 맡게 되고, 각자 자신들이 해낼 수 있는 영역의 일처리들을 맡는다. 메리 포핀스는 제한되어 있는 전투 요원들 중 하나였고, 동시에 점퍼였다. 장르로 따지자면 화끈함에 가까운 일들을 맡기 위해서 움직이는 일이 잦은 여인이었다.

170이 넘는 훤칠한 키에, 모델같은 체격을 한 그녀였다. 여자치고는 하드한 트레이닝을 해서 건강미에 가까운 몸을 갖고 있었다. 선수들과 같이 발달된 실전적인 근육이 있었고, 어지간한 남자들은 물리적으로 겨루어서 그녀와 이길 거라는 보장이 없었다. 거기에 실전 감각과 다 년간의 트레이닝으로 갈고 닦아진 기술적 기능미를 더한다면, 대부분의 사람들은 그녀를 정면에서는 막아설 수 없었고.

추운 날씨. 미국 대도시의 번화가 시내를 걷고 있는 그녀는 두터운 가죽 재킷을 입고 있었다. 바지는 비교적 통이 넓어 움직이기 편한 겨울철 청바지를 입고 있었고. 재킷 안에는 셔츠와 몇 겹의 내복을 껴입고 있었다.

그런 옷가지들 사이에는 점퍼 조직에서 제공하는 방탄 피복을 끼워 둔 상태였고. 어떤 지면이든 밟고 뛰어다닐 수 있을만큼 밑창이 두터운 검은 등산화 따위의 신발을 신고 있다.

그녀의 사지에는 브레이슬릿처럼 생겨 있는 검은 띠가 안쪽에 채워져 있었는데, 현대 기술로서는 파악하기 어려운 기술 장치로 전기 신호를 이용해서 체내의 근력을 100%이상 활용할 수 있게 해주는 물건이었다. 타고난 완력과 거친 트레이닝으로 유지하고 있는 피지컬에, 그녀가 가진 타격적 센스에 더해 장치를 사용한다면 두 팔 두 다리를 가진 사람 중에서 그녀를 물리적으로 제압할 수 있는 존재는 거의 없다고 해도 좋았다.

그녀가 이런저런 장비들을 착용한 뒤 움직이고 있는 이유는 말한 바 임무 때문이었다.

남미에서 소탕된 거대한 카르텔들의 공백의 낌새를 눈치 챈 타국의 범죄 조직들이 마약 시장을 위해서 움직이고 있다는 정보가 접수된 탓이다. 점퍼 조직은 세계 각국의 다양한 단체들과 연을 맺고 있었고, 여러가지 루트를 통해서 정보들을 얻게 된다. 각국의 치안 조직들이 살피고 있는 범죄 조직들의 동태에 관한 것은 가장 먼저 정리가 되어 점퍼 조직에게 들어오는 편이었다. 가장 기민하게, 또한 강력하게 대처할 수 있는 기관 중 한 개였으니까. 거리와 시간의 제약을 거의 뛰어넘으면서까지 말이다.

크리스마스에 맞추어서 회동을 가진다는 이야기를 들어 그녀가 부지런하게 움직이고 있는 중이었다. 하필, 크리스마스라니. 낭만도 도의도 없는 녀석들이었다. 조직적으로 다른 사람들의 시선이 흐려진 시점을 노린다는 점에 있어서 용의주도할 지는 모르겠지만.

그녀가 하려는 건 단순한 경고였다. 어차피 점퍼 조직이 세계의 모든 악한들을 처리하고 물리칠 수는 없었다. 고작해야 사람의 손으로 움직이는 일이었으니. 그러나, 무엇보다 효과적으로 움직일 수는 있었다. 때로는 생각하지 못한 방법으로. 갑자기 들이밀어지는 목 아래의 비수처럼 굴어볼 수는 있었다. 함부로 그런 생각들을 하지 말라는 식으로 말이다.

그녀는 가볍게 저녁을 먹고 움직이고 있었다. 거리의 야경이 소란스럽기도 하지만, 아름답기도 하다. 크리스마스는 모든 사람들이

들뜨게 될만한 날이었다. 세계에서 가장 많은 성도들을 보유하고 또 영향력이 있는 종교 중 하나의 성일이기도 했고, 현재 전 세계 문화와 역사의 근간이 된 서방 주도 문화의 본질이기도 했으니.

야경을 꾸미는 요란한 불빛들. 크리스마스 느낌을 내는 건물에 걸쳐진 여러가지 장식들. 시끄러울 정도로 빛을 뿜어내는 네온사인들. 왁자지껄, 떠들고 또 소회를 즐기는 겨울 철의 연인들이나 친구들. 어딘가에서 파티가 벌어지고 있고, 음식들을 나누고 또 수다를 떠는 주민들. 식구들.

경적을 울리면서 도로를 매우는 차들. 그런 한가롭고 일상적인 사회의 풍경들은 때때로 메리에게 어떤, 일종의 감동을 주고는 했다. 그녀가 사회의 끝자락에서 무언가를 위해 싸우는 입장에서였을지 모른다. 일반적인 사회의 모습과는 다소 동떨어진, 극한의 환경에서 일을 하고 있기 때문에. 그러나 그 모든 행동들이 결국 이런 안온한 일상을 위해서였기에. 그것들이 잘 지켜져서 사람들이 큰 걱정 없이 일상을 지나가고 있는 광경들을 보면, 겨울철이라 그래서인지, 남다른 소회에 그녀 혼자 젖어 잠시 여러가지 상념들로 시간을 보내게 된다.

물론 겨울 철의 한기와, 그런 상념과, 착용한 장비들로 느껴지는 현실감이 따로 놀지는 않았다. 그녀는 여전히 목적지를 향해서 걷고 있었다. 소란스러운 사람들이 메워진 거리를 지나, 도시의 뒷골

목으로 걸어 들어간다. 더 깊은 골목과 골목 사이로 들어가고, 다소 시간이 걸리더라도 더 걷게 되면 대로변과는 차이가 있는 분위기가 있는 지역이 나온다.

인적이 드문 곳. 언제 어느 때라도 말이다. 이런 곳은 대강 어떤 조직의 폭력배들, 갱들이 구역을 정해서 밤이면 으스대는 곳들이기도 하다. 우습게 으스댄다고 표현하지만, 일반적인 사람이라면 외딴 시간에는 결코 들어가서는 안되는 곳들이다. 어지간해서는 다른 시간대에도 마찬가지일 것이고.

일반적으로 여성 혼자 그런 골목에, 밤에 들어서는 일은 영화에서나 묘사되지만 현실의 경우라면 웃기 어려운 상황으로 번질 수도 있었다.

다만 메리는 재킷 안쪽 홀더에 걸어 둔 권총을 매만지며 움직였다. 그리고, 골목의 공터에 들어가서 미리 준비해 둔 물건을 챙긴다. 그녀가 걷고 있는 골목을 지나 폐허처럼 어두컴컴한 건물이 있었다. 사람이 살 것 같지 않은 곳이었는데, 건물의 주위로는 여러 갈래길들이 있다. 메리는 곧장 눈 앞에 보이는 폐건물에 돌입하지 않고 옆으로 새어서 작고 오래된 주택의 현관을 열었다.

키도 걸려 있지 않았지만, 그저 버려진 건물인지 쉽게 문이 열린다. 내부는 깜깜했고 불빛 하나 없는 먼지 구덩이였지만 현관을 들어서서 멀지 않은 곳에는 이 삼일 전에 챙겨 둔 장비 꾸러미가 있었다. 질긴 가죽 가방 하나를 구석에 던져 둔 것이었는데, 메리는 불빛도 없는 실내의 구석에서 그것을 찾아 지퍼를 열었다.

흔히 총격전이 벌어질 때 쓰고는 하는 투명한 헬멧을 꺼내들고, 내부에서 탄약만 여러 개를 챙겼다. 그리 많은 종류가 필요하지는 않다. 장갑 역시도, 그녀가 끼고 있는 것에서 다소 두터운 종류로 바꾸어 끼고. 타격 부위에 잘 구부러지는 쇠판 따위가 알맞게 구조적으로 들어 있어서 파괴력을 극대화 시키는 물건이었다. 겉보기에는 보온 장갑이었으나, 건틀렛이나 파워 너클이라고 봐도 좋았다. 메리가 자주 사용하는 조직의 장비와 같이 사용한다면 콘크리트에도 구멍을 낼 수 있었다.

그녀는 그것과, 마지막으로 작은 봉처럼 생긴 물건을 쥐었다. 손아귀에 감아 쥐면, 약 3-5센티 미터 정도 튀어나오는 물건이었다. 그 아래와 위 부분에는 툭 튀어나온 돌기같은 부위가 있었고, 그 부위의 겉면에는 검게 칠해진 금속이 붙어 있었다. 다이아몬드였다. 잘 사용한다면, 대부분의 물건들을 부수는데 용이했다. 그녀가 자주 사용해서 손 안에 가지고 놀기 좋은 물건이었고, 달인처럼 사용하곤 하는 도구였다.

그녀는 적당히 준비를 마치고, 마지막으로 가죽 더플백 내부에서 손바닥에 들어오는 플라스틱 점착 폭탄 몇 개를 더 챙긴 뒤 건물을 나섰다.

사람들이 없고, 가로등마저 부서져서 여기저기 검은 구역이 있는 뒷거리는 쓸쓸하고 또 한산하다. 메리는 크리스마스에 이런 분위기의 장소에서 시간을 보내는 것이 마음에 들지 않았다. 그리고 그렇게 만든 이들에게 다소 화끈한 경고를 하게 될 것 같았다.

몇 개의 계단을 올라서 현관에 닿는, 다 낡아 빠진 폐 주택을 그녀는 나섰다. 바로 몇십 미터 앞에 있는 다소 거대한 주택, 혹은 폐허처럼 보이는 건물로 들어간다. 정원이 있고, 현관문이 있지만 닫혀 있지도 않았다. 부식되어 다 낡아빠진 현관은 출입자를 막아서지 않았다. 그 저택 내부에 있는 인물들이 들어선다면 적극적으로 막아서기는 할 것이다. 맨 손으로는 아니었고, 다량의 총알로써 말이다.

어딘가 음산한 분위기의 건물로 그녀는 저벅저벅, 들어갔다. 힘없이 구부러지고 제 역할을 못하는 쇠 철문도 슬쩍 민다. 끼이익. 저항감은 없으나 소리는 요란했다. 아마 저택 내부에 있는 조직의 말단들이 누군가의 침입을 아는 일에 써먹는 소음일 것이다. 계속해서 사용을 하면서 일부러 기름칠을 하지 않은 걸 보면 말이다.

정원은 오래도록 꾸미지 않아서 잡초들이 무슨 숲이라고 과장스럽게 표현해도 좋을 정도로 자라 있었고, 여러 가정에서 나오는 폐

기물이나 자재들이 널브러져 있었다. 돌 블럭 따위가 깨지고 공사 용품들도 있었고. 그녀는 여기 저기를 살피면서 걸어 들어간다. 사실 내부로 바로 점프를 해서 돌입하는 것도 방법이었으나. 그녀는 완전무장 상태였고, 고작 몇 명을 상대로 서두를 이유는 없었다.

메리가 정원을 걸어 들어가 폐허처럼 보이는 건물, 주택의 현관에 다다랐다. 의외로 망가지지 않고 제 기능을 하고 있는 목재 문이었다. 메리는 손에 들고 있던 점착 폭탄을 몇 개 던졌다. 다섯 개 중 세 개였다. 손아귀에 들어갈 만큼 작고 네모난 물건들이 가벼운 스냅으로 던져지자 목재 문에 달라 붙었다. 메리는 몇 걸음인가 옆으로 떨어지고, 자신의 주머니에 있는 통신기를 조작했다.

그녀가 사용하는 부품들은 그녀의 통신기와 연결되어 있었다. 단순한 조작으로 기능한다.

쾅!

생각보다는 그리 요란스럽지 않은 폭음과 함께 연기가 났다. 목재 문의 일부가 박살이 나고 그 내부가 드러났다. 잠금 장치가 사라진 것이나 마찬가지여서, 그녀는 흩날리는 먼지와 목재의 부스러기를 휘휘 저으며 다가가 쿡, 발로 문을 밀었다. 힘없이 문이 안쪽으로 밀려 열렸다.

폐건물의 현관은 쇠로 된 정문과 달리 기름칠이 되어 있었는지 소음이 크지는 않았다. 폭탄이 쓰여진 시점에서 이미 소음을 신경 쓸 상황은 아니었으나.

"후우."

메리는 가볍게 숨을 토해내면서 몸의 긴장을 풀어냈다. 그리고 홀더에서 권총을 들었고, 작은 라이트 하나를 주머니에서 꺼내들어 조준선을 비추었다. 처음에 돌입한 실내는 어둠이었고, 아무도 그녀를 맞이하지 않았다. 내부에 인원들이 없는 것은 아니었다. 갑작스럽게 어떤 망설임도 없이 저벅저벅 거리를 좁히는 괴인 때문에 겁에 질리거나, 무언가 이상함을 느꼈을 지도 모른다.

그녀는 먼 거리까지 시야를 확보해주는 백색광의 라이트를 여기저기 비추며 저택 내부를 살폈다. 이 층으로 통하는 계단이 있어 그 쪽으로 향한다. 그녀가 걸음을 걸을 때마다 삐걱, 삐걱하고 다 낡아 빠진 목재 바닥이 소음을 냈다. 그녀가 여기저기 난간이 부서져 있는 계단을 오를 때 즈음이었다. 계단은 양쪽이 넓게 개방되어 있는 종류였다. 대 저택의 중앙 계단처럼 말이다. 탕!

어딘가에서 총성이 울렸고, 메리의 어깨 부근에 다가와 맞았다. 그녀는 발사된 각도로 몸이 비틀렸지만, 그것만으로 큰 충격을 입지는 않았다.

외부에 입고 있던 재킷에는 흔적이 남았지만, 그 안쪽에 바로 덧대어 입은 상의부터 뚫리지 않았다. 충격량은 있었지만 그렇게 크지는 않았다. 그녀는, 일단 곧바로 점프를 시도했다.

그리 오래 걸리지 않아 계산을 끝내고 도약을 한다. 한 두 번의 시도만에 인기척을 용케 잡아냈다.

다음 번의 총성이 울리기 전에 그녀의 모습이 사라졌다. 갑자기 눈 앞에서 사라지는 광경은 바라보는 이들의 이성을 마비시키기에 충분한 일이었다.

아무런 소음도 들리지 않는 어둠 속의 저택이었으나 그 내부의 그림자 안에 숨어 있는 이들은 충분히 동요를 했다. 점퍼와 마주치는 건 흔하게 할 수 있는 일은 아니었다.

점퍼를 아는 일조차 말이다.

점프의 전후 과정에는 한 순간 시각을 잃는 텀이 있었지만 어차피 실내는 어둠 뿐이었다. 그리고 청각이나 촉각 따위의 감각은 여전하다.

그녀는 2층으로 이어지는 계단 위, 난간에 몸을 숨기고 있는 한 사내의 뒤로 이동을 했다. 총알이 발사된 위치를 짐작해서 몇 번인가 점프를 시도하고 취소하며 해당 위치에 무엇이 있는지 알아본 다음의 일이었다.

그녀는 이동하자마자 팔을 뻗어 상대를 더듬어 거리를 쟀다. 그리고 가볍게 주먹을 한 번 쥐었다가 다시 한 번 더 연속해서 반쯤 쥐고 풀었다. 간단한 동작이었으나 그녀가 착용하고 있는 첨단 이상의 기기의 작동으로 이어지는 시퀀스의 일부였다.

그녀가 오른 손을 뒤쪽으로 가볍게 당겨 감아 쥐었고, 보이지는 않으나 옷의 안쪽에 있는 검은 팔찌 같은 것이 어깨 아래 상완에서 기능했다. 기계만을 볼 수 있다면 가벼운 불빛이 빛난다.

외부적으론, 그녀의 근육들이 순식간에 탄력을 얻으면서 일반적으로 낼 수 없는 수치의 힘을 발휘한다.

일직선으로, 그녀의 주먹이 뻗었다.

뻐-억.

살벌한 타격음이 거의 동시라고 해도 좋을만한 연속성으로 났다. 기계의 전기 신호에 순차적으로 번개처럼 내질러진 주먹이 상대의 옆머리 즈음을 가격했다.

사람의 피륙에서 나면 안 될 것 같은 소리가 났고, 그대로 상대는 기절했다.

다른 부분의 뼈였다면 아마 반드시 부러졌으리라.

머리가 길게 밀리면서 타격을 받았고, 중간에 난간의 벽에 끼어서 양쪽으로 충격을 받았다가 밀려나서 뒤로 빠져나갔다. 메리의 쥔 주먹은 그대로 직진해서 낡은 난간의 목재를 바숴놓았다. 콰직! 하고 그대로 뚫린 난간 벽에 그녀는 익숙하다는 듯 뒤로 잡아 뽑는다.

저택의 내부는 어두웠고, 정보가 적었다. 그녀는 2층 복도 쪽도 마찬가지로 불빛이 없다는 걸 알고 3층으로 올라가기로 했다.

철컥, 하고 꺼내든 자동 권총의 윗몸을 뒤로 당기며 장전을 마치면서.

*

복도에는 사람이 적었다. 3층으로 올라가니 그나마 복도에서 은은한 불빛이 보였다. 바깥 정면에서 보이지 않는 안쪽 방의 문틈새에서 새어 나오는 빛이었다.

저택 내부를 지키는 인원들은 거침없이 다가오는 그녀의 모습에 안쪽으로 소식을 전하기 위해 들어갔고, 2층 부근에 몇 명인가 남아 견제를 하려다 순간이동을 이용하는 그녀의 모습에 다시 패닉에 빠졌다.

그녀는 급할 것 없다는 듯이 천천히 걸어 들어가 불빛이 새어 나오는 방으로 향했다.

철컥, 하는 소리가 먼저 들렸다. 그녀는 그것이 총의 조작음이라는 걸 느꼈다. 그리고 반사적으로 그녀 역시 대응해서 움직였다.

손에 들고 약간 앞으로 긴장해서 뻗은 채 사격을 준비하는 권총의 총구가 앞으로 겨누어졌고, 그녀는 암중에서 소리가 들려왔다고 생각되는 방향에 여러 차례 넓게 사격을 가했다.

탕! 타, 타탕! 하고 귀 따가운 총성과 화약 냄새가 피어 올랐다. 그 여러 발의 총성 가운데 상대방이 쏜 것도 있었다. 상대방은 사격 솜씨가 그다지 좋지 못한 건지 혹은 정면에서 총알이 날아오는 상황에 몸이 굳은 것인지 애먼 복도의 한 구석을 납탄으로 갉았다.

메리가 쏜 총알 중 하나가 상대의 몸 어딘가를 스친 듯 했다.

아악! 비명 소리가 들렸으나, 소리로 들어 보건데 그리 심각한 부상은 아니었다. 그녀는 곧바로 앞으로 달려 나갔다.

소리가 들린 곳은 그리 먼 곳도 아니었다. 어두컴컴한 복도 끝. 고작 해야 십 수미터 정도 떨어진 뒤였다. 그녀는 원래도 스프린트에는 제법 능력이 뛰어난 편이었으나, 그녀가 착용하고 있는 기기는 그녀의 운동 능력을 배가 시킨다.

단순히 주먹을 내지르고 무언가를 찰 때도 쓰이지만, 주력에도 보탬이 된다. 달리기 전 발바닥을 빠르게 두 번, 툭툭 친 그녀의 걸음이 순식간에 앞으로 그녀를 데리고 나갔다.

쾅! 하는 소리와 함께 두 번째 걸음부터 강한 소리가 바닥을 차더니 폭발적인 속도로 뻗는다. 쿵쿵쿵, 하고 굉음같은 질주음과 함께 금세 복도의 끝에 닿았다. 그녀는 손에 든 라이트를 비추며 주변을 훑었고, 어깨 부근에 총알이 스쳐 주저앉은 한 깡마른 사내를 발견했다.

그녀는 조직 범죄자들을 상대하면서 사정을 봐줄 만큼 여유로운 편은 아니었다. 그대로 달려 나가면서 주력에 사용한 다리 힘을 그대로 실어 상대의 복부를 걷어찼다.

타격에 있어서는, 천부적이라 해도 좋을만큼 센스가 뛰어난 그녀였다. 다양한 종류의 타격점을 효율적으로 때리고 임팩트를 주는 일은 숨을 쉬는 것처럼 자연스럽다. 빠르게 발끝으로 찍어 차는 발차기에 상대는 심지어 몸이 들려서 뒤로 붕 떠서 굴렀다.

늑골 몇 개 정도는 확실하게 박살이 났을 듯한 발차기였다.

"후."

그녀는 짧게 숨을 뱉으면서 동작을 멈추었고, 라이트로 주변을 살폈다. 더 이상 소리는 들리지 않았다.

생각보다 좀스러운 놈들이라고 생각하면서, 다시 불빛이 비치는 방으로 향한다.

그녀가 걸음을 걸어 방문 앞에 다다를 때까지 별다른 방해가 없었다. 그녀는 방문에 슬쩍 손을 가져다 대면서 내부의 진동과 소리를 느껴 보았다. 의외로, 허름한 폐저택이었으나 그녀가 선 방 만큼은 제대로 수리라도 해둔 건지 문의 무게감이 묵직하게 느껴졌다. 방음 처리도 온전하게 되고 있는 건지 소리도 잘 들리지 않았다.

소음이 들리지 않고 눈으로 볼 수 없대도 JE를 사용하면 어느 정도 파악할 수 있는 것들이 있었다.

그녀가 잠시 눈을 감고 집중해서 점프를 시도한다. 시도 후 취소. 시도 후 취소. 여러 번의 시행은 점프의 과정을 점퍼에게 전달하며 정보를 준다. 해당하는 위치가 빈 공간인가, 점프가 가능한 공간인가.

정확히 그녀의 몸이 차지할만큼의 공간. 신체 만큼의 부피와 면적을 다른 감각기관을 사용하지 않고도 알 수 있었다. 해당하는 물질의 외곽선까지도.

그녀는 몇 번 대략적인 점프 시도를 통해서 내부에 여러 사람이 있다는 걸 확인했다. 사실 이것으로 확인하지 않더라도 알 수는 있었지만. 그래도 정확한 위치를 한 번 본다는 건 의미가 있는 일이었다.

그녀는 급할 것 없이 내부를 샅샅이 살폈다.

그녀의 신체 부피에 비해서는 광활한 공간이었고, 여러 사람들이 움직일 수 있기 때문에 아주 화질이 낮은 작은 카메라로 거대한 공간을 관찰하는 것이나 마찬가지인 일이었다. 그러나 아주 일부의 저해상도라고 하더라도, 상황과 조건에 관계 없이 내부의 시각 정보를 알 수 있는 방법이 있다는 것만으로도 점퍼들에게는 치트키와 같은 능력이 부가적으로 있는 셈이었다.

그녀는 몇 번의 시도, 시간으로 치면 약 15초 정도 그 자리에서 있었다. 내부에서 급박한 움직임은 없었다. 그녀는 자동 권총의 장전을 확인하고, 도약을 시도했다.

*

검은 복도.

어두운 그림자 내부에서 그녀가 사라졌다.

시각적으로 보면 무언가 일렁이는 것 같은 느낌이 있었고, 두터운 목재 문 안쪽에서 변화가 일어났다.

마치 파티회장처럼 꾸며진 방이었다. 나름대로 미국 뉴욕, 대도시의 밤거리에서 깨나 힘을 쓰는 범죄 조직들의 격이라도 나타내는 것인지 인테리어에 힘을 쏟은 모습이었다. 클래식하고, 엔틱한 풍의 인테리어들을 배치해두고 내부의 광경은 외관과는 전혀 달리 힘을 쏟아 청소를 하고 또 멋들어진 장식들 따위를 가져다 둔 채다.

주광색의 조명이 유리관에 부딪혀서 반짝거리면서 내부를 비추고 있었고, 길다란 회장에 어울리는 테이블이 설치되어 있다. 묵직한 갈색의 원목 테이블 위에는 촛대들이 늘어서 있었고, 저들끼리 크리스마스 분위기라도 냈는지 칠면조 구이같은 음식들이 있었다.

긴 원목 테이블의 양 옆에는 여러 명의 사내들과, 한 두 명 정도의 여인이 늘어져 앉아 있었다. 어딘가 긴장을 하는 듯한 모습이었고, 금방 들려온 침입자에 대한 소식이 더 이상 갱신되지 않자 그네들은 불안해하고 있는 와중이었다.

제각기, 추위에 대비해서 외투 따위들을 걸친 모습이다. 이 저택은 나름대로 쓰고 있는 장소 정도는 화려하게 치장을 해두고 꾸며놓은 채였으나, 그 외의 기능들은 여전히 꽝이었다. 난방도 당연히 제대로 이루어지지 않았다. 온열기 따위들을 다소 배치하고 이 방 주위로만 단열을 위해 애를 썼으나 실내에서도 외투가 필요했다.

편안하게 앉아 오래도록 쉬고, 또 정말로 파티를 즐기기 위한 방은 아니었으니 상관 없었다. 뉴욕 시 전역에서 뒷거리의 보스들이 모여서 대담을 나누는 장소였지. 그들의 모임, 회동과 또 이야기는 사실 그 자체만으로 은근한 긴장감을 유발하는 것이었다. 누군가를 속일 생각이 가득하고 또 누군가에게 속아왔고, 또 어떤 이들을 직접 뒤통수 쳐서 살아온 그들의 삶은 쉴 수 있는 것과는 거리가 멀었다.

이렇게 앉아서 팀처럼 목표와 계획에 대해 나눈다고 해도 은연중에는 서로에 대한 불신이 고개를 짓쳐들고야 마는 것이다.

그런 상황에서 갑작스럽게 나타난 돌발적인 침입자는 그들의 긴장감에 불을 지폈다.

"후우우… 레이는 연락이 없나."

긴 테이블의 상석에 앉은 사내가 불안감을 억누르듯 다소 떨리는 목소리로 입을 열었다. 어딘가에서 본다면 뒷거리의 패거리와는 전혀 거리가 먼 남자였다. 뉴욕 어딘가, 화이트 칼라의 전문직 사무원이라고 해도 믿을만큼 단정한 스타일의 백인이다. 실제로 그는 양식에 맞게 튀지도 않는 평범한 톤의 양복을 차려입고 있었다.

30대 후반 정도로 보이는 금발의 남성이었는데, 샤프하게 생긴 외모와는 달리 실제로 하고 있는 일은 터프하기 그지 없는 인간이었다. 인간 백정 찰스. 라는 별명이 있는 뉴욕 번화가의 제왕이었다. 단정한 차림새와 비견되는 무자비한 성격으로 수 많은 시체들을 치워내며 다른 조직들에 비해서도 우위인 집단의 보스 자리에 올라설 수 있었다.

찰스가 찾는 이는 '레이'로, 그가 이 모임에 대동하여 데려 온 부하 중 한 명이었다. 그리고 2층에서 메리를 저격하다가 정신을 잃고 쓰러져 있는 젊은 남성의 이름이었고. 그 사내도 나름대로는 제법 잘 싸우고, 잘 움직이는 사내였고 어디를 데려가도 신뢰할만 한 전투원이었지만, 상식을 뛰어 넘는 점퍼의 움직임은 일반적인 상상의 궤도 바깥에 있는 것이었다.

1초 뒤에 뒤통수에서 날아오는 파괴적인 스트레이트를 피할 도리가 없었다.

그가 숨을 몰아쉬면서 말을 했으나 좌중의 반응은 다소 느린 편이었다. 그들이 살가운 대화를 하는 사이가 아니었던 탓이기도 하고.

"…아무런 연락이 없습니다."

찰스의 말에 그의 곁으로 다가와서 조용하게 이야기하는 다른 부하가 있었다. 검은 수트 차림에 옷 매무새의 한켠이 불룩 튀어나오고 움직임이 어색한 것이 권총이라도 품에 넣고 다니는 듯한 모양새였다. 나름대로 범죄 조직 중에서 특수 요원이라도 흉내내고 있는 듯했다. 테이블의 중간에 앉은, 파티 드레스를 차려 입은 여성이 입을 열었다. 물론 외투에는 두터운 털 코트를 걸치고 있었다. 머리를 허벅지까지 길게 늘어뜨린 미녀였다. 이런 곳이 아니라, 연예계에라도 있어야 할 것 같은 모습이다.

범죄 조직 보스의 정부였다가, 치밀한 계획으로 조직 전체를 먹어버린 독한 여인이었다. 뒷세계에서 '소피'의 별명은 '스파이더 spider'였다. 화려한 외모와 달리 지독한 속내 때문에 남자들은 그녀와 관계되기를 두려워 한다.

"별 것 아닌 일이겠죠. 설마 한 명이서 뉴욕 경찰들도 묵인하는 이 곳에 처들어 올리가……."

그녀가 거기까지 말한 순간이었다. 그녀의 말이 재앙을 불러 들인 건 아니었다. 단순한 우연이었지.

후욱, 하고 점퍼들에게는 익숙한 전조음이 들렸다.

그건 점퍼들과 싸워본 적이 있는 이들에게는 날카롭게까지 들리는 소리다. 시끄러운 전장 속에서도, 심장 한 구석을 서늘하게 만드는 예고였으니.

언제 어디에서부터 날아들지 모르는 순간이동자의 습격은 일반적인 전장의 상식을 따르는 모든 병사들에게 항거할 수 없는 악몽과도 비슷한 것이었다.

메리 포핀스는, 그런 악몽을 갖고 범죄 조직의 수장들이 모여있는 파티장에 나타났다.

탕!

그녀는 나타나자마자 망설이지 않고 방아쇠를 우선 당겼다.

넓은 사각형 공간 가운데 즈음에 길고 거대한 테이블이 있었고, 그 벽면에는 몇 명인가 부하들이 서 있었다. 문에서 가장 먼 곳, 안쪽 벽 근처에 나타난 메리는 그대로 권총을 들어 방아쇠를 당겼고, 타타탕! 몇 발인가 연속적으로 날아간 총탄이 자리에 앉아 있던 이들의 다리 정도를 맞추었다.

실내에서 총탄을 막을 수 있는 방탄 재질의 물건은 거의 없었다. 그리고 테이블이고 의자고, 관통해서 날아가 사람들의 다리를 꿰뚫은 총탄에 보스들이 비명을 질렀다. 아아악! 몇 명인가는 소리를 질렀고, 총탄에 맞은 이들은 그 자리에 주저 앉았다. 다소 담이 세고 긴장을 강하게 유지하던 이들은 반응하기까지 했다.

그래도 준치라고, 전장에서 기습에 대응하는 정도로는 움직일 수 있는 모양이었다. 그러나 메리는 전혀 봐 줄 생각이 없었다.

그녀는 자신이 파악한 대로 사람들의 위치를 그렸다.

그리고 그 좌표대로 한 치의 망설임도 없이 조준 사격들을 해냈고. 탕! 자리에 서 있던 부하들 중 하나가 총을 꺼내들고 대응 사격을 했고, 한 발인가가 메리의 옆구리를 가격했다. 단단히 그녀의 몸체를 감싸고 있는 내부의 방탄 피복이 뚫지는 못했다. 약간의 타격을 입었지만, 그녀는 터프한 편이었다. 방탄 피복 내부에 그녀의 몸을 감싼 옷도 제법 재질이 투박하고 두꺼운 것이었고.

그 즈음 그녀는 시야를 회복했다. 그리고 달려들었다. 때로 근거리에서, 다른 점퍼들과는 달리 그녀는 직접 두 발로 뛰는 것이 더 임팩트가 강하고 쓸만할 때가 많았다. 그녀가, '브레이커'였기 때문이다.

파괴적인 물리력을 전장에서 발휘하는 특수한 유닛. 때로 그녀의 타격은 어지간한 권총보다 강력하다.

몇 걸음이 채 되지 않는 거리를 순식간에, 발로 좁혔다. 양 발을 가볍게 두 번 두드리는 것으로 시퀀스가 시작된다.

쾅, 쾅, 쾅하고 지면을 두드리는 발자국 소리가 인상적이었고, 그 소리가 점차 다가옴을 느끼는 이들에게는 공포스러운 일면이었다.

바닥을 부술듯이 밟고 터져 나가는 도약 후에 그녀가 그대로 몸을 틀어서 옆차기를 했다. 날듯이 몸이 움직여서 인간 백정, 슬레이어 찰스의 옆구리를 정확히 걷어찼다. 찰스는 총성이 울린 순간부터 황급히 자리에서 일어나 거리를 벌리려 했으나, 그녀가 훨씬 빨랐다.

찰스는 엉거주춤 피하려던 자세에서 그녀의 발차기를 맞았고, 거짓말처럼 멀리 날아갔다. 그야말로 거짓말처럼.

지나가는 말같은 짐승에게 채였다고 보는 게 더 정확한 표현이었다. 그는 몸이 붕 떠서 수 미터 정도를 뒤로 빠르게 밀려났다. 한쪽 갈비뼈가 뭉텅이로 아작이 났고, 장기들도 강한 충격에 정상이 아닐 테였다.

"아아악!"

그 광경에 지독한 비현실적인 감각을 느끼면서 누군가 총을 쐈다. 탕, 타탕! 그녀는 전신 방탄 소재로 몸을 감싼 터라 총알이 뚫지는 못한다. 어느 정도 충격량이 전해지긴 한다. 누적되면 그녀로서도 몸에 데미지가 쌓인다.

메리는 그대로 빠르게 몸을 굽히며 앞으로 달려나갔다. 여전한 각력으로 두 세 걸음만에 토끼 떼들처럼 각자의 방향으로 움직이려던 보스들 중 한 명의 옆구리를 어퍼 컷으로 갈겼다.

쿠욱, 하고 송곳으로 자신의 옆구리를 찌르는 느낌이었다. 제법 체격이 커다란 민머리의 사내는 말이다. 그리고 그렇게 틀린 비유도 아니었다. 철판이 덧대어진 장갑 너머로 메리의 근육들이 폭발적으로 움직여 물리력을 전달했다.

사내는 어퍼컷으로 살짝 몸이 들렸다. 그리고 그대로 밀려나듯이 아래로 넘어지며 굴렀고, 정신이 아득해지는 걸 느꼈다.

메리는 넘어지는 사내의 옆으로 빙 돌아 회전하는 몸의 관성 그대로 채찍처럼 다리를 뻗어 앞에 있는 사내를 걷어찼다. 두터운 작업화가 충격을 전달했고, 발날에 일차적으로 등을 맞은 다른 사내는 순간적으로 숨이 쉬어지지 않는 걸 느끼며 그대로 테이블을 넘어 굴러갔다. 메리는 그대로 총을 다시 꺼내들어 일일이 조준사격을 하기 시작했다.

탕. 탕. 탕. 탕. 탕!

침착하게 위치와 조준선을 바꿔가며 움직이는 수 명의 사람들의 팔이나 다리를 맞추어 무력화시켰다. 몇 발인가는 문으로 다가서려는 사람들을 향한 견제의 사격도 있었다.

사람들이 지르는 비명으로 실내가 아수라장이 되었고, 그나마 이성을 유지하는 이들은 권총 따위를 꺼내들어 그녀를 겨누었다. 그러나 각 조직의 보스들이 쓰러지고 패닉에 이르는 상황에서 함부로 사격을 할 수도 없었다. 그녀로서는 달가운 상황이었다. 그녀는 침착하게, 십 수 발의 탄창을 다 비우고 다음 탄창으로 갈아 끼웠다.

어차피 상대의 탄환이 먹혀들지 않는 시점에서 정당하게 균형이 성립되는 게임은 아니었다. 몇 명이 있던, 시간이 필요할 뿐이었다.

메리는 멀리 떨어지는 이들은 총으로, 가까이 있는 이들은 단순하게 다가가서 다리나 팔을 이용해서 제압을 해냈다.

그녀가 파티장의 소란을 끝까지 잠재우기까지, 그리 긴 시간이 걸리지는 않았다.

실내 파티장의 한구석, 찰스는 블랙아웃 되기 직전에 잠깐 생각했다. 이건 혹시 꿈일까. 눈을 감았다 뜨면, 다시 그가 위세를 부리며 뒷골목을 주름잡는 현실이 다가오는 것일까.

탕, 타탕! 연속적으로 울리는 총성이 그의 바람을 부정하는 듯했다.

***

민서는 카페에 있었다. 미국에 있는 곳이었다. 전 세계적으로 수만 개의 지점을 두고 있는 가장 유명한 프랜차이즈였다. 가격이 비싸고, 오래도록 시간을 보낼 수 있도록 잘 되어 있는 곳이다.

뉴욕 번화가. 시내의 늘어선 건물들의 1층 한구석에 있는 작은 매장이었다. 가격은 3, 4달러 정도면 먹을 수 있는 수준. 비싸다고 생각되는 프랜차이즈였는데 오히려 한국에서의 가격이 더 비싸다는 것이 참 아이러니였다.

그는 창가 자리에 앉아서 사람들이 지나가는 것을 주욱 보고 있었다. 시간은 낮 즈음. 이미 추위가 덮쳐온 뉴욕 역시 한파로 사람들이 옷을 여미고 다니고 있다. 어딜 가나 사람들이 사는 모습은 그다지 다르지 않다. 한숨 내어 쉬고, 자신이 있는 자리에서 잠깐 여유를 갖고 주변을 돌아보면 말이다.

인종이 다르게 생겼다고, 무슨 외계인은 아니었다. 문화나 관습이 다르다고, 영 이해 못할 인종들도 아니었다. 인간의 보편적인 가치와 상식 자체는 어디를 가나 달라지지 않는 면이 있었다. 다름은 있되, 결국은 이 좁아터진 지구촌 안의 인간들일 뿐이다.

결국 이해하고 공감할 수 없다면 세계적인 문화 작품들도 범인류적인 인기를 누리지 못했을 것이고, 성립조차 되지 못했을 것이다.

다른 사람들을 수용하고 받아들일 준비가 되어 있는가.

결국 중요한 것은 그런 것일지 모르겠다.

아직 눈이 내리지는 않았다. 12월 말. 민서는 뉴욕에 있었다.

점퍼들과 같이 있다보면 편리한 점들이 많이 있었다. 여권도 필요 없었고, 비행기를 오랜 시간 기다려서 타고 수 시간이나 비행을 위해 앉아 있을 필요도 없다. 그저 원하는 곳의 좌표를 머릿속에 떠올리고, 능력을 발휘하는 점퍼의 곁에만 서 있으면 된다.

물론 그들도 일정이 있고 바쁨이 있는 이들이지만, 이런 가외적인 소득을 얻을 수 있는 것이다.

그는 옌과 홍인수가 정기적으로 대도시들을 시찰하며 점퍼들의 움직임을 점검하는, 레이더로서의 임무에 잠시 따라온 참이었다.

특별히, 적대적인 점퍼들과의 전투가 있다거나- 혹은 좌표를 잡기 아주 어려운 특수한 위치에 그가 있어서 물리적인 점프 유도장치로 쓰일 일이 있다거나 하지 않는다면 필수적으로 참여해야 할 임무가 많은 편은 아니었다.

물론 그 외에도, 단순히 인간 김민서로서 조직을 위해 헌신할 수 있는 일들은 많이 있었지만. 오늘은 연속적으로 이어지는 훈련이나, 실전의 피로도를 감안해서 잠시 주어진 휴일과도 같았다. 민서는 그런 시간을 이용해서 잠시 홍인수를 따라온 참이었고.

물론 재머로서 이렇게 가만히 자리를 지키고 앉아 있는 것만 하더라도 그들의 탐색 임무에 일조를 하고 있는 것이기는 하다.

거리는 크리스마스도 지난 시간이었지만 아직 철거하지 않은 흔적들이 남아 있었다. 민간 기업이든, 혹은 공적인 대규모 크리스마스 파티나 이벤트의 흔적이든 게으르게 일정들을 마무리하는 자들이 있게 마련이었다.

꼭 나쁘다는 건 아니고. 사람들이 일할 때에 나름의 일정의 유동성은 있어서 나쁠 것 없는 일이다. 악의적으로 조직의 목표를 방해하는 게으름으로까지 이어진다면 효율을 갉아먹는 악습이 되겠지만.

그가 쥐고 있는 건 뜨거운 아메리카노의 잔이었다. 손바닥으로 전해지는 액체의 열기가 그의 몸을 녹인다. 커피숍 매장 안은 나름대로 난방을 잘하고 있었지만, 그는 창가에 앉아 있었고 이따금씩 열리고 닫히는 문틈 새로 바깥의 한기가 그에게까지 새어오는 자리이다.

약간은 위치가 높은 의자에 앉아서 한 발을 공중에서 휘두르며 그는 평온한 시간을 보냈다. 이러고 있는 와중에도 홍인수와 옌은 도시의 다른 외곽들을 주욱 돌고 있었다.

그의 재밍 영역이 기하급수적으로 늘어난 이후부터, 사실 이렇게 가만히 있는 것만으로도 대도시에 대한 대 점퍼 감시를 지속하고 있는 일이기는 하다.

옌이 구태여 번거롭게 도약을 반복하면서 훑을 수 있는 위치보다 훨씬 방대한 영역을 그가 커버할 수 있었으니. 어쨌거나, 뉴욕시에 점퍼가 있거나 이쪽으로 도약을 해온다면 그가 커피를 마시고 있는 이 자리 바로 옆에 나타나게 될 것이었다.

그리고, 그런 점퍼가 나타난다면 그가 상대해야 할 테다. 지난 수 개월간의 거친 고련과 다양한 현장 경험들은 그를 어느새 얼추, 요원다운 테가 나는 사내로 바꾸었다.

적어도 초인적인 힘을 가졌다거나- 하는 비상식적인 인물이 아니라면 대화를 하며 시간을 끌어볼 수는 있었다. 그리고 아주 잠깐의 시간이라면 홍인수에게 연락을 해서 그가 이곳으로 올 테고.

후릅.

민서가 뜨거운 아메리카노를 후후 불면서, 마신다.

그리고 그의 귀가 들이키는 액체에 대한 소리로 먹먹하니 잠식이 될 때에 이명처럼 어떤 소리가 들렸다. 휘이이. 바람이 부는 것 같은 소리. 누가 가깝지 않은 자리에서 휘파람을 부는 것 같은 소리.

민서는 자기도 모르게 슬쩍, 고개를 옆으로 돌려서 바라보았다.

그 자리에 아까까지는 전혀 있지도 않던 인물이 서 있었다.

민머리. 굵직한 팔과 다리. 두터운 가죽 재킷과 작업용 면바지. 선글라스를 끼고 있는 중년의 동양인 사내.

윤민혁이었다.

민서는 끔벅, 눈을 한 번 크게 감았다가 떴다.

공교롭게도, 윤민혁 역시 비슷한 심정이었는지 선글라스 아래에서 눈을 크게 감았다가 뜬다.

서로 인지가 곧바로 되지 않는 상황이었다. 한 번에 다양한 정보가 밀려 들어오게 되면 뇌는 개연성을 찾기 위한 여정을 시작한다.

그리고 김민서는 곧바로, 커피를 마시던 한 손을 주머니에 가져다 넣었다. 그리고 패딩 점퍼 주머니의 안에 있는 통신기의 외부 버튼을 눌러 조작한다. 버튼을 한 번 누르기만 하면 근처에 있는 팀원, 점퍼, 곧 홍인수에게 신호가 가게 세팅되어 있는 물건이었다.

김민서가 팔을 아래로 내려 주머니에서 무언가를 누르는 동안, 윤민혁은 차마 이 상황에 대한 인지를 바르게 하지 못했다. 그리고, 당혹스러움을 느꼈다.

자리에서 먼저 입을 연 건 민서였다.

"밥은 먹고 다니십니까."
"……. 잘 먹고 다닌다네."

그리고 그 말이 마지막이었다. 윤민혁은 곧장 어딘가로 사라졌다. 다시금 민서의 앞에 나타나지 않은 걸 보면, 아예 영영 거리가 먼 곳을 도약지로 삼아 점프한 모양이었다. 민서가 지난 겨울의 교전 이후에 막대한 범위를 능력의 영향력 아래에 두고 있게 된 것을 몰랐던 듯했다.

어느 2000년대 영화의 명장면이나 명대사와 같은 헛소리를 민서가 읊었고, 그는 차마 윤민혁에게 어떤 제압 시도를 하지 못했다. 정면에서의 전투 능력도 그가 압도적인 편이었고, 그는 점퍼였으나 추적 도약이나 그런 시도를 할 수는 없었다.

주머니 속에 있는 교신기의 버튼을 누르는 게 그가 할 수 있는 최선의 시도였고, 홍인수가 원거리에서 통신기의 신호에 반응했다.

윤민혁이 스타벅스에서 사라진 후 얼마 지나지 않아서 홍인수가 나타난다.

그는, 스타벅스 매장의 구석 즈음에 나타나더니 김민서를 향해 다가왔다.

그러나 교신기의 신호를 받고 바로 점프를 해서, 오기까지 십여 초 이상의 시간이 흘렀다. 홍인수가 있던 현장에서 바로 움직이기 어려운 문제가 있었던 모양이었다. 아슬아슬한 시간 차로, 윤민혁이 사용한 점프의 잔향을 찾아 추적하기가 애매했다.

민서는 동그랗게 떴던 눈 그대로 홍인수를 바라보며 말했다.

"어, 그 놈이었습니다. 탈옥한 사람. 윤민혁, 리더. 겁나게 잘 싸우는 점퍼."

"자네를 전혀 생각하지 않고 점프를 사용하다가 우연히 걸렸나 보군."

홍인수가 아쉽다는 듯한 표정으로 이야기했다.

이런 일도 있는 법이었다. 소드 마스터는 아쉬움을 털어내면서 이야기했다.

"도시 외곽 쪽으로 움직이다가, 갑작스럽게 추돌 사고가 일어났어. 우리 근처에서 교통사고가 일어나고 교량의 난간 쪽으로 차량이 떨어질 것 같길래 그걸 처리하고 있었는데… 운 한 번 더럽게 고약하구만."

정말로 타이밍이 고약했다. 별다른 일이 없다면 바로 통신에 반응해서 올 수 있었을텐데.

그러나 윤민혁이라는 존재가, 그리 사회에서 일을 저지를 것 같지는 않다는 점에서 의외로 홍인수는 깔끔하게 마음을 접었다. 이미 여러 번 점퍼 조직에게 데인 전과가 있는 그 인물은 지나치게 눈에 띄는 짓은 저지르지 않을 것이다.

눈에 보이지 않는 곳에서 어떤 일을 할 지는 모르겠지만. 점프 능력이 사용되지 않는다면 점퍼 조직이 필요 이상으로 집착을 할 이유는 없었다. 해당하는 일은 관할 치안 조직이 담당할 일이었지.

“뭐… 어쩔 수 없는 거겠지. 일단 알겠습니다. 마저 돌고 오죠. 인원 더 차출하기도 뭐하고. 고생하십시오.”

“네 뭐.”

고생이랄 것 까지야. 민서가 하는 일은 그저 앉아서 아메리카노를 홀짝일 뿐이었다. 그가 잔을 슬쩍 들어 올리며 손짓으로 인사하자 홍인수는 스타벅스 매장의 화장실 쪽으로 사라졌다. 문을 닫고, 그의 모습이 보이지는 않았으나 곧바로 점프를 해서 이동했으리라.

민서는 잠시 놀랐던 심장을 진정시키며 다시 뜨거운 커피를 마셨다.

*

“점점 느는데?”

왓슨 박사의 말이었다.

스위스의 연구소. JE를 여전히 직접적으로 확인할 수 있는 방법은 없었다. 그는 대도시의 거대한 권역을 3D 매핑으로 보고 있었다. 연구소에 있는 디스플레이로 확인할 수 있었는데, 두 세명의 점퍼들이 동원되어서 JE2의 효과 지역을 측정중이다.

윌리엄 왓슨. 키가 크고 풍채가 좋은 박사는 흰 가운을 걸치고 안경을 콧잔등에 둔 채 커피를 마시면서 현장 상황을 살피고 있다.

그가 마지막으로 민서의 상황을 측정했던 것이 반경 7km대였는데, 지금은 50km가 넘어가고 있었다. 민서는 여전히 베른 외곽에 있는 연구소 내부에 앉아서 집중 중이다.

이전처럼 눈을 감고, 일부러 일정한 정신 상태를 유지하기 위해서 집중을 할 필요는 없었으나 원활한 실험을 위해서 일단 똑같은 환경 아래에서 시작을 한다.

뇌파 검사로 측정하는 '일정한 정신상태', 평안하다거나 멍 때린다고 할 수 있는 민서의 상태를 알리는 음악이 여전히 흘러나오고 있었다. 예수 인간의 소망과 기쁨, 이라는 오래된 클래식 곡이다. 바흐의 곡조.

평안하고 안정감 있는 바흐의 선율이 오케스트라의 솜씨로 살아나 녹음된 것이 재생되고 있었다. 박사는 바흐를 좋아하는 편이었다. 여러가지 소란스러운 것들에 치이다 보면, 결국 안정적이고 보편적인 곡조를 연주하는 노래에 마음이 가게 마련이었다. 삶이란 것이.

이전에는 분 단위로 진입하는 것이 목표였으나, 이제는 아주 안정적으로 곡조 전체가 연주가 되도록 집중이 끊어지지 않고 있었다. 몇십 분, 이 아니라 시간 단위의 집중도 안정적으로 이루어낸다.

이미 예전에 홍인수를 자신의 집으로 오착륙하게 만들었을 만큼의 범위는 커버하고 있는 셈이었다.

베른 외곽에서 시작되는 거대한 원의 외곽을 따라 몇 명의 점퍼들이 나누어서 이동을 하고 있었다. 순서대로, '반경 51km지점입니다.'라고 스피커를 통해 그들이 말하는 소리가 들렸다. 그리고 도약을 했을 때, 거기가 JE2의 범위 내라면 이렇게 된다.

민서는 여전히 하얀 색 타일들로 이루어진 실험실 중앙에 의자 하나를 가져다 두고 앉아 있었다. 여러가지 패치들 따위를 몸에 붙여서 신체 데이터가 유리벽 너머의 실험실로 전송이 된다. 몸의 긴장을 풀고 적당히 앉아 있는데, 후욱 하는 소리와 함께 점퍼가 나타난다.

야가미 소우타의 모습이었다. 쉴더. 윌리엄 왓슨 박사가 통신기로 말했다.

"3km씩 해보지. 생각보다 더 넓을 수 있겠어."

야가미가 고개를 끄덕였다. 다른 곳에서 실험에 참여 중인 점퍼의 목소리가 실험실 내부 스피커에 울린다.

'알겠습니다. 54km지점 이동합니다.'

짧은 말과 함께 그가 원거리에서 도약을 했을 것이고, 마찬가지로 민서의 JE2 효과의 권역 내부였으므로 흰 사각형의 실험실 내부로 이동이 되었다.

왓슨이 우스갯소리로 이야기했다.

"생각보다 재머의 능력이 강력하군. 점퍼들을 모두 지배하는 날도 멀지 않겠는데."

스미스smith. 송경태, 라는 이름의 키가 작은 동안의 한국인 남성이 곁에 있었다. 그는 웃기지 않는다는 듯 말을 받았다.

"어… 정말 그럴 것 같아서 좀 무서운데요."

그들의 대화소리가 들렸지만, 민서는 크게 복잡한 생각은 하지 않았다.

*

연말이 지나고 신년이 왔다. 1월 1일. 23년의 첫 날이었다. 김민서로서는 24살의 첫 날이 시작되었다.

눈이 소복이 쌓여 있는 곳이 많았다. 그는 홍인수와 대담을 하고 있었다. 한국에서의 일이었다. 조직이 소유하고 있는 어느 고층 빌딩의 라운지였다. 이런 일이 익숙하지 않아 민서로서는 어색하지만, 서버가 있어서 일일이 메뉴를 설명하고 마실 것을 가져다주고, 편의를 봐주고 있었다.

홍인수는 익숙하다는 듯이 그에게 주는 따스한 녹차 라떼를 마시면서 이야기했다.

"어…."

홍인수는 녹차 라떼를 한모금 마시더니 멋쩍게 입을 열었다. 그리고 다시 닫고는 한 동안 뜸을 들였다. 민서는 그를 처다보고 있다.

"뭐부터 말해야 할까요. 일단, 당신 능력이 경이롭다는 점에 대해서 찬사를 해야 할까요."
"경이라굽쇼."

경이라면 그의 고등학교 동창인 박경이라고 있었다. 물론 그 얘기는 아닐 것이다.

홍인수는 고개를 끄덕였다.

"당신이 발휘하는 재머로서의 능력의 영역이 기존의 예상을 훨씬 뛰어넘는 추세로 발전하고 있습니다. 반경 50km만 하더라도 사실 조직의 업무를 상당 부분 덜 수 있을 수준의 범위인데. 230km라니."

반경 230km.

고난을 겪을수록, 민서가 발휘하는 재머로서의 능력 범위는 기하급수적으로 발전했다. 두드리면 단련이 되는 철처럼.

어쩌면 홍인수는 이 시간 김민서를 더욱 험한 현장에서 굴릴 생각을 구체적으로 짜고 있을 지도 모른다.

민서로서 그리 달가운 아이디어는 아니었다.

어쨌든 반경 230키로미터는 한반도의 상당 부분을 차지할 수 있을만큼 방대한 넓이였다. 한반도 중부 지역에 위치한다면 반도의 절반 이상이 범위에 들어가리라.

남한만을 계산한다면 전역이 범위에 위치할 테였고.

반도의 일부, 대한민국에서 움직이는 점퍼들의 활동을 전부 체크할 수 있다면 그것만으로도 조직의 걱정과 염려, 리스크를 대폭 줄이는 일이었다. 그가 시기별로 돌아다니며 각지의 대도시들을 커버하기만 하더라도 자연적으로 발생하여 활동하는 개인적인 점퍼들을 확인하고 정보망 아래에 넣어둘 수 있을 테니까.

점퍼를 대하는 것에 있어서 가장 어려운 점이 최초의 발견이었다. 어느 정도 능력에 연차가 쌓이고 나이를 먹어가며 사회에서 두각을 나타내지 않는 이상, 소규모로 이동하는 점퍼들을 발견하기란 거의 불가능에 가까운 것이었으니.

이전까지 온갖 탐문 수사와 수색, 정보망을 이용해서 어떻게든 그러모은 것 자체가 대단한 확률을 뚫은 인고의 결과였다.

점퍼 조직, 그리고 그와 연계된 대단위의 단체들의 관점에서도 막대한 비용을 줄여줄 수 있는 능력이기도 하다. 온갖 재래식의 수사 수색, 정보망을 사용하는 인력과 비용을 아낄 수 있을테니.

쩝.

홍인수가 입맛을 다시며 용건을 꺼냈다.

"중국 한 번 다녀오시죠. 여태까지 인력도 부족하고, 공안의 협조도 부족하고… 너무 방대한 넓이라서 중국 대륙에 대한 탐색은 제대로 이루어진 적이 없었습니다. 레이더가 커버하기에도 지나친 공간이었고… 다만 민서 씨가 하면 한 번 훑을 수는 있을 것 같네요."

중국이라. 김민서는 몸을 슬쩍 뒤로 젖히며 미간을 찌푸렸다. 잘 알지 못하는 공간으로 가서 있어야 한다면, 머릿속이 복잡해지게 마련이었다.

"중국이라. 얼마나요?"
"그다지. 그냥 길게 있을 일은 아닙니다. 전에 옌과 내가 대도시를 시간별로 한 번씩만 돌아본 것처럼. 그냥 전역을 한 번 훑는 데에 의의를 두고 움직이면 될 것 같습니다. 하루에 한개 포인트로 잡고… 약 한 달 정도면 될 것 같은데요."
"오호."
"뭐, 체류비는 조직에서 얼추 대줄 겁니다. 가외적인 소비야 당신이 알아서 하는 거겠지만."

민서는 대강 고개를 끄덕였다. 잘 알지 못하는 일이었지만, 조직에서 모두 알아서 해준다는데. 가벼운 여행처럼 생각하면 될 일이다.

"뭐 전해주는 통신기로 바로바로 연락 하시고요. 조직에서 1명씩 교대로 계속 대기할 겁니다. 저번처럼 일이 터졌을 때 사고가 안 나도록. 이미 중국 쪽이랑도 말이 조금 되어는 있는데… 그쪽이 세세한 현장에서 어떻게 나올지 알 수가 없군요. 웬만하면 그냥 조용히 다니십시오."

톡톡, 그가 상의의 가슴께를 두드리면서 말했다.

"지급받는 글록도 잘 챙기시고요."

자동권총의 이름이었다.

"쓸 일이 없는 게 가장 좋을 거긴 합니다만. 아무튼 고생하십시오. 중국 음식은 좀 좋아합니까?"

민서가 떨떠름하게 고개를 끄덕였다.

"많이 경험해본 적은 없는데……. 이 참에 친해져 보죠."

홍인수가 달가운 말을 들었다는 듯이 고개를 끄덕였다.

“뭐라도 먹고 가겠습니까? 여기는 음식도 제법 맛있는데.”

그 말에, 민서는 메뉴를 찾아 고급 해산물이 잔뜩 들어가서- 영 경험해보지 못한 수준의 짬뽕을 한 그릇 먹고 그 날의 이야기를 마쳤다.

*

중국 어느 변두리.

새해의 분위기는 떠들썩한 편이었다.

신년이 시작되고, 신정을 맞이해서 마을에서 대대적인 잔치를 하고 연회를 벌인다. 민서는 동네에서 그런 잔치에 참여를 하지는 않았지만, 그래도 집구석에서 분위기를 느끼고는 있었다.

눈이 마을 어귀에 내려 소복이 쌓여 있었다. 변두리, 산골짜기의 시골 마을이라 그럴싸한 편의적 시설이라고는 찾아볼 수가 없는 장소였다.

나름대로 깔끔하고, 단출하게 꾸며진 단층 짜리 단독 가구였다. 그가 머물고 있는 곳은. 특색이라곤 없이 회백색으로 칠해진 작은 건물 내에 갖출만한 것들은 대부분 갖추어져 있었고, 수도가 통하지 않아서 근처의 계곡에서 주기적으로 물을 떠 와야 했다. 그나마 다행인 것은 그가 한 거처에서 머무는 게 하루 정도에 불과해서, 그리 오랜 시간 이곳에서의 불편함에 익숙해져야 할 필요는 없는 점이었다.

오래된 가구들 위에 조용히 내려 앉은 먼지 따위들을 집 안에 있는 천에 적당히 물을 묻혀 닦아내고, 침낭 따위를 펴서 잠자리에 들고 일어난다.

새하얗게 부서지는 햇살은 겨울의 아침과 낮을 조용히 밝히고 있었고, 그런 하늘의 색깔과는 대비되도록 마을 주민들의 소란스러운 잔소리가 들려온다.

사부작사부작, 작은 집 안에서 요깃거리를 준비해서 간단하게 때우고, 청소를 하고, 소일거리를 보고, 집 주위를 둘러보며 산책을 하다가 책을 읽는 동안 바깥에서는 그들만의 일거리가 진행되고 있었다.

대단찮은 일들을 하는 것 같지는 않았다. 풍습대로 무슨 연극이나 악기를 연주하는 것도 같았고. 기본적으로 그런 일들은 길게 이어지지 않고 곧이어 떠들썩하게 아저씨나, 아줌마들이 떠들고 술을 즐기면서 음식을 나누는 것 같다.

민서는 외부인이었으므로, 선뜻 그 안에 끼기도 뭐했다. 며칠이고 그 자리에 머무는 것도 아니었고. 고작 하루다.

술을 좋아하는 편은 아니었으나, 그것과는 별개로 무언가를 나누면서 정답게 수다를 떠는 저런 장면에서 부러움이나 그리움을 느끼는 지도 모른다.

얼마 되지도 않은 콘크리트 벽의 두께와 창문 너머로 들리는 사람들의 소란이 즐겁다.

민서는 몸이 굳지 않도록, 매일 해야 하는 맨몸 운동으로 적당히 근육을 풀어주면서 그들의 소음을 배경 삼아 하루를 보냈다.

뭐가 그리 즐거운지. 다행히도 어떤 오해의 골짜기나 불쾌한 소란 없이 하루종일 농담 소리나, 유쾌한 고함 따위만이 오가면서 늦은 밤까지 마을의 잔치가 계속되었다.

물론 중국어를 알아 듣지는 못했지만. 그들의 말투가 그랬다는 이야기다.

*

시골 지방에서 하루를 보낸 적도 있다. 그리고, 도시에서 하루를 보낸 때도 있었다. 중국은 개발된 곳과 낙후된 지역의 격차가 유달리 심한 나라들 중 하나였다. 여러가지 정책적, 지도적 문제점으로 개발과 발전에 난항을 겪은 중국이라는 나라는- 현대에 들어서면서 자본주의를 받아들이고 개발이 진척되면서 몇몇 대도시들을 가졌지만 그런 도시화에서 배제가 된 산간 지방에서의 삶은 어느 도상국의 빈민가나 다름이 없는 자연 친화적인 환경들이었다.

중국 전역을 돌아다니고 있는 민서는 그런 격차와 변화의 과정을 전적으로 체감할 수 있었다. 애초에 거대한 넓이의 대륙은 온전하게, 세밀한 정도로 고도 발전을 이루기에는 많은 무리가 있는 땅덩이이기도 했다.

아마 한 세대가 더 지나도 그 땅덩이 전역이 다른 소규모의 선진국들과 같이 조밀한 도시화를 이루기에는 무리가 있을 것이다.

선제적으로 개발되어서, 공산주의를 표방하나 자본주의적 실제 논리로서 결국 중국을 지탱하고 있는 어느 대도시.

겨울임에도 불구하고 날씨가 그다지 춥지 않은- 근처의 황야로부터 모래 먼지 따위가 많이 불어오는 어느 도시였다. 민서가 있는 곳은.

너비가 큰 대로가 여러 군데 있었고, 시가지가 복잡하게 중앙부를 이루며 다소 외곽으로 빠지면 한산한 주택가가 나오는 곳이었다.

민서가 머무르는 주택은 점퍼 조직에서 종종 이용하는 거처인 듯, 이런저런 생활용품들이 잘 구비 되어 있었고 심지어 지하 대피소도 내부에 있었다. 역시 단독 주택이었고, 부엌의 식탁 아래 카펫에 가려져 있는 지하 출입구를 열어 들어가면 한참은 먹으면서 버틸 수 있는 비상 식량들 따위가 있다.

민서는 주택의 내부를 이곳저곳 구경하고, 하루라는 시간동안 머물게 될 도시를 잠깐 둘러보았다. 사람들은 그리 많지 않았다. 세계적 포털 사이트에서 제공하는 매핑 정보를 찾아보니 근처에는 강도 흐르고 있다고 한다.

몇몇 중국의 시민들을 지나가며 거리에서 보고는 했지만 말을 걸 일도, 걸릴 일도 없었다. 수상쩍게 주변을 돌아다니다 보면 공안들에게 괜한 의심을 사서 신문을 당할 수도 있었기에, 민서는 최대한 어색한 티를 감추며 주머니에 손을 찔러 놓고 자연스레 걸었다.

그 나름대로는 불편하거나 길을 잘 모른다는 티를 내지 않도록 자연스러움을 가장하며 연기를 하기까지 했으나 잘 통했는 지는 의문이다. 홍인수가 말하길, 중국의 공안과 정부 조직에도 어느 정도 말은 되어 있다고 했으나.

이토록 방대한 넓이의 땅을 다스리는 행정 조직들이 과연 제대로 일원화가 이루어졌을 지는 의문이었다. 도중에 정보 교환에서 오류가 생긴다고 해도 즉시 연락이 이루어지고 수정이 되는 지도 의문이었고.

그저 현장에서 돌아다니는 치안 조직의 말단에게 잘못 걸려서, 수상한 낌새를 보인다면 설명할 틈도 없이 피곤해지고 마는 것이다.

적당히 인적이 드문 길들을 골라서 조용조용히 다니다가, 길을 따라 걷다 보니 어느 시장가의 어귀에 닿아서 과실 종류를 한 바구니 사와서 다시 집으로 돌아왔다.

그가 머무는 곳은 도시였으나 번화가는 아니었다. 괜한 소란을 만들어봤자 불법 입국자의 신분으로 체류하고 있는 것이라 문제가 생길 여지가 있었고, 주택가의 변두리에서 또 하루를 보내었다.

결국 일과는 대개 비슷했다. 집 주변의 광경과 상황을 살피는 짧은 산책, 그리고 조직에서 준비해 준 숙소의 점검과 요깃거리를 챙긴 뒤 독서나 실내 운동. 어느새부터 게임은 그다지 재미있지가 않았다. 원래도 그렇게 취미가 있는 편은 아니었으나, 점퍼 조직에 들어서서 실제로 총격전이 일어나는 상황 속에 처하게 되자 왜인지 전투를 하는 게임의 광경에서 정말로, 그다지 재미를 느낄 수 없게 되었다.

그가 현실에서의 트라우마를 극복하지 못했기에 그럴 지 모른다.

읽고 있는 책은 '헤아려 본 슬픔'이었다. 영미권의 세계적 작가인 C.S 루이스의 여러 명저 중 한 권이었다.

어딘가, 마음이 차분해지는 경향이 있었다. 그의 책들은.

민서는 어지간히 시달리면서 해댔던 운동의 기억을 떠올리면서 나름대로 몸을 달굴 정도로 혹사시키고, 샤워를 하고, 옷을 갈아입고, 매번 다른 포인트로 이동을 할 때마다 챙겨다 주는 음식으로 끼니를 때우고, 책을 보며 천천히 잠에 들었다.

*

잠에 든 민서를 반기는 것은 부스럭거리는 소리였다.

'오 맙소사.'

민서는 제법 극적이고, 상투적인 탄사를 속으로 뱉어냈다. 탄사라지만 즐거움의 소리는 아니었다. 중세 연극 풍의 감탄사가 튀어나온 것은 상식적으로 잘 이해할 수 없는 상황에 대한 반대급부였다.

한밤중. 그의 집에서 날만 한 소리는 아무것도 없었다. 바깥에서 어떤 소란이나, 들고양이 따위의 것이 부스럭거리지만 않는다면. 애초에 문을 잠가두고 어떤 손님도 맞이할 일이 없는 시점에서 인기척이 들린다는 것은 불법적인 침입자를 의미했다.

그는 불을 끈 실내의 침대에서 참담함을 느끼면서 표정을 구겼다.

손바닥으로 눈매를 감싸면서 잠깐 끓어 오르려 하는 스트레스를 한 차례 누르고, 천천히 자신의 누운 상태에서의 소지품을 확인했다. 그는 곧바로 어디로도 뛰어나갈 수 있는 평상복을 입고 있었다. 바지의 오른 주머니에는 점퍼 조직의 요원에게 신호를 보낼 수 있는 통신기가 있었고, 베개의 밑에는 글록 자동권총이 있었다.

세계 권총계의 새로운 표준을 제시한 글로벌 기업의 스탠다드

모델이었다. 그런 세세한 정보 따위는 사실 알 바는 아니었지만. 중요한 건 그가 그 물건에 제법 손이 익은 상태였고, 언제든 자연스럽게 장전을 마치고 상대에게 겨눈 뒤 방아쇠를 당길 수 있다는 점이었다.

민서는 조용히, 소리를 내지 않고 손을 움직여 권총을 쥐었다. 조심스레 동작을 분절하고 최소화 시켜서 소음을 줄인다.

잠결에 밝은 귀가 들어버리고 만 인기척은 그것이 그의 착각이 아니었다는 듯이 지속적으로 이어지고 있었다. 끼익, 끼익. 약간은 닳아서 기름칠이 필요할 것 같은 마룻바닥의 나무판들이 서로 이음새가 비틀리면서 소리를 낸다. 사람이 천천히 걷는 정도의 박자였다, 정확하게.

상대가 누구인지는 알 수 없었지만, 이 멀리 떨어진 낯선 중국 땅에서 그의 친구와 해후를 나눌만한 일은 그리 경우의 수가 많지 않으리라.

민서는 슬쩍 상체를 일으켰다. 주머니에 있는 통신기를 조작해서, 외부에 달린 버튼 하나를 누른다. 조직으로의 발신은 최대한 간단한 동작으로 수행 가능하도록 모드를 설정해 두었다.

그리고 슬며시, 끼익 거리는 외부의 소리에 맞추어서 조금씩 움직여 하체를 침대 아래에 두었다. 다소 두터운 이불을 모아서 그 내부에서 글록의 장전을 천천히 마친다. 끼릭, 덜컥. 플라스틱 몸체가 움직이면서 약간의 소음이 난다.

문 바깥의 상대가 무언가 알아차렸을 테인가. 어쨌든 민서는 해야 할 일을 할 뿐이다.

중국에서의 임무를 수행하는 동안 잠시 씻을 때를 제외하고는 방탄 피복을 벗어두는 적이 없었다. 언제 어떤 일이 생길지 모르므로.

아마 상대가 별다른 무기가 없는 일반적인 사람이라면 민서가 위기에 처할 일은 그리 없을 테였다. 날카로운 무언가를 들고 있다면, 그가 뼈저리게 익혀 온 사격술로 상대를 해봐야 할 것이고. 만에 하나 총기류를 가져온 인종이라면 방탄 피복을 믿고 머리 부위의 사격만을 피하도록 노력해봐야 할 것이었다.

그리고 물론 그런 노력들에 앞서 점퍼의 조직원이 이곳에 와준다면 더욱 다행이었고. 민서는 숨을 죽인 채 방문 안에 있었다. 그리고 계속해서 들려오는 발걸음 소리에 맞추어 자리에서 일어난다. 조금씩 조금씩, 움직여서 침대에서 벗어나 문을 열고 들어오면 바로 시야에 닿지 않도록 구석의 벽면에 달라붙는다.

강제로 몸에 박아 넣듯이 배운 근접 교전 시의 사격 준비 자세를 취하면서, 숨을 몰아쉬며 벽에 천천히 등을 기대었다.

상대가 만약 점퍼이고, 용의주도하며, 전투에 능한 데다가 총도 갖고 있는 상태라면 물론 한 번에 목숨을 잃을 수도 있는 상태였다. JE를 응용하면 눈에 보이지 않는 곳의 시각 정보를 얻는 것이 가능하다. 모든 점퍼들이 가능한 기예는 아니었지만, 만약 그렇다면.

민서는 천천히 숨을 가다듬었다. 스으으읍.

철컥, 하고 방문의 손잡이가 돌아간다. 그리고, 후욱, 하는 바람 소리와 같은 것이 실내에서 들려왔다. 외풍이 새어 들어오는 건 아니었다. 점퍼가 이곳으로 이동하는 기척이었지. 그가 있는 침실 내부로의 도약이었다. 민서는 그 자리를 쳐다보지도 않았느나 통신기의 발신을 수신해서 다가 온 조직의 점퍼인 것을 알았다. 든든한 일이다, 아군의 증원이라는 건.

그러나 눈을 떼지 않고 돌아가는 손잡이를 바라본다. 벌컥, 하면서 문이 서서히 경첩을 울리면서 열렸다. 실내는 등을 키지 않은 어두움 속이었지만 창가로 비치는 달빛이나 별빛, 혹은 도시의 불빛 따위 미약한 광원들이 그림자나 외곽선, 희미한 모습을 바라볼 수 있게끔 만들었다.

민서는 그대로 총을 겨누었다. 상대는, 일순 바라봤을 때 손에 아무것도 든 것이 없었다. 방문을 열고 들어오는 이는 보통 체격의 사내였다. 아마 동양인처럼 보인다. 그는 침착하게 방 안에 들어왔고, 민서는 그가 양손에 아무것도 가지고 있는 게 없다고 확인되자, 총을 쏘았다.

탕!

망설임은 없었다. 플라스틱으로 만들어진 방아쇠에 검지를 걸고 침착하게 당기면 될 뿐이니. 곧게 편 팔이 살짝 뒤로 밀리며 반동이 왔다. 그가, 총을 쏜 자리가 물론 상대의 몸은 아니었다. 저항할 만한 수단이 별로 없다고 생각되자 실시한 위협 사격이었다. 총성이 도시의 주택가를 시끄럽게 울렸다. 벽면에 파고들어갔고, 일순 상대의 움직임이 굳었다.

민서는 그 시점에 이미 총을 아래로 두고 달려든다. 방아쇠에서는 손가락을 뺀 상태였고, 팔을 들어 올리며 자세를 잡고 달리는 기세 그대로 프론트 킥으로 상대의 명치를 찍으며 뒤로 밀었다.

쿵, 하는 소리와 함께 발길질에 밀린 상대가 뒤로 나동그라졌다. 민서는 그대로 거실 바깥으로 따라 나선다. 뒤에 나타난 점퍼 역시 그에게 거리를 좁혔다. 나타난 조직의 점퍼는 베르나르라는 이름의 프랑스인 여성이었다. 곱게 기른 블론드 헤어가 잘 어울리는 여성으로, 갈색의 카우보이 재킷을 입고 있었다.

나름대로 체격이 있는 그녀는 고도의 트레이닝을 통과한 전투요원 중 한명이었고, 곧바로 상황을 인지하고 다가선다.

민서는 거실에 나서면서 벽면을 더듬어 불을 켜는 스위치를 찾아 눌렀다. 달칵, 하는 소리와 함께 실내가 밝아졌다. 미셸이 좁은 방문을 나와 민서의 곁에 선다. 명치를 정확하게 얻어 맞아 바닥을 구르면서 정신을 차리지 못하고 있는 사내는, 중국인이었다.

별다른 반항을 하지 못하는 모습이다. 민서는 그 모습에 약간의 어색함이나 이상함을 느끼면서도, 괴한을 일단 제압하기 위해 근처로 다가갔다. 남성은 사지와 몸통을 웅크린다. 함정이라고 보기에는 지나치게 힘이 없고 어색한 모습이었다. 갑자기 날붙이를 꺼내들 가능성도 있었으니, 민서는 거칠게 다루기로 했다.

그대로 웅크린 상대의 뒤통수 쪽으로 다가가 허리와 옆구리 쪽을 발로 거세게 누르며 엎드리게 만들었다. 체중을 실으면서 무릎으로 상대의 몸을 제압하며 양 팔꿈치를 세워 어깨를 누르며 낮게 다가갔고, 곧이어 물 흐르듯한 동작으로 상대의 등을 안듯이 다가가 팔을 끼워 넣었다. 바닥과, 억지로 누워 있는 상대의 목 사이의 공간에 말이다.

가볍게 백 초크의 준비 동작을 마친 민서가 목덜미를 조르며 이야기했다.

"당신, 어디에서 왔어. 누구야?"

한국말이 통할 확률은 아무래도 희박했기에, 민서는 영어로 말했다. 가급적이면 중국어로 소통을 하고 싶었으나 그가 할 수 있는 말이 없었다. 상대는 몇 번인가 웅얼거리면서 말을 하려는 듯했으나, 제대로 들리지 않는다.

민서는 알아듣지 못할 소리를 하는 사내의 목덜미를 쥔 팔에 조금 더 힘을 주었고, 상대가 필사적으로 그의 팔을 긁고 있었다.

"마지막으로 묻지. 당신 누구야?"

상대는 영어를 모르는 건지, 대답할 생각이 없는 건지 도저히 알아들을 수 없는 발음의 말로 웅얼거린다. 그러나 곁에서 그 모습을 지켜보던 미셸이 입을 열었다. 그녀는 눈매가 예쁘게 휘어진 미인이었다.

"어……. 강도인 것 같은데요. 재머. 아무래도…. 점퍼랑은 관련이 없는 것 같습니다."

상대가 뱉었던 건 중국말인 모양이다. 미셸은 중국어에도 능통했고, 웅얼거리듯 하는 말도 알아 들었다.

"……어?"

그 말을 들으면서도 민서의 팔에는 힘이 풀리지 않았다. 그대로 조금 더 상대의 목을 조였고, 곧이어 그의 사지 육신이 추욱 늘어지면서 기절을 하는게 느껴졌다.

"……어?"

민서는 갑자기 아닌 밤중에, 강도를 잡게 되어서 당혹스러운 표정으로 멍청한 소리만 뱉었다.

***

중국에서의 일정은 이후로도 계속되었다.

제압당한 강도는 미셸이 알아서 잘 인도를 해주었다. 점퍼 조직의 전투 요원으로서 이곳 저곳을 돌아다니기 위해서 다양한 단체의 협력과 지원을 받고 있는 처지였고, 그 지원에는 신분 또한 포함이 되었다.

흔하게 조직원들이 받아서 다니는 신분 중 하나는 국제 경찰 기구에 소속된 형사의 것이었다. 그러나 중국 변두리에서 말단을 붙잡고 복잡한 이야기를 하기도 뭐한 일이라서, 미셸은 제압 당한 강도의 신변을 구속해서 직접 단체 도약으로 이동해 이야기가 통하는 상부 조직과 직접 연락을 취하고 일처리를 마쳤다.

그 과정에서 민서가 하는 일은 많지 않았다.

그는 그저 이후로도, 여태 몇 주간 그래 왔듯이 남은 시간 동안 포인트 지점들을 돌아 다니면서 시간을 보낼 뿐이다. 각 거처에서 하루씩. 총 한달 여의 시간 동안 중국 대륙 전역을 여행하는 것은 민서에게도 나름대로 신선한 경험이었다.

중국의 기후는 내륙 지방으로 들어가 건조하고 먼지가 많다. 지방에 따라 다르지만 겨울철에 한국보다 더 지독한 추위를 보이는 곳도 있었고, 남부에는 그래도 견딜만한 추위의 기온을 유지하는 지방들도 많았다.

전체적으로 산야 지방, 드넓은 평지와 다양한 자연 관경들이 펼쳐진 대륙 전역의 구석구석을 돌아보지는 못했으나, 적어도 그가 거처로 삼는 곳들 주변의 광경은 구경이 가능했다.

그가 머무르는 곳에는 베이징 등의 대도시들도 있었지만 아예 산간 산악 지방의 시골 마을도 있었으므로, 자연의 모습은 원없이 구경할 수 있었다.

중국 사람들은 순박한 이들이 많았다. 거칠고 넓은 대지. 차마다 사람이 끌어안을 수 없는 자연 속에서 살아가는 이들은, 때로는 서로간의 유대를 상실하기도 하지만 어느 시골 지방에서는 도리어 더 따스한 정감을 유지하고 살아가는 이들도 있었다.

유물론적 사고에서 시작된 정치 체제와 사상들, 그리고 그로부터 비롯되는 사회적 제도와 분위기 자체가 그러잖아도 하나로 모이기 어려운 거대한 땅덩이와 수 없이 많은 사람들 사이의 이물질로 끼어들어 분리 작용을 가속화 시키는 지도 모른다.

도시로 들어가보면, 조금 무기질적인 면이 있었다. 급격하게 진행된 현대화와 그것을 따라가지 못한 다른 보편적인 계층과 세대간의 괴리. 그리고 중국 정부와 그들이 다루고 있는 사상도 인간적인 사회 안전망을 목표로 달려가는 이야기와는 거리가 멀었다.

유토피아에서 살고자 해서 만들어냈던 유물론의 극단은 결국 물질주의를 말하고, 그것에서 벗어나는 인격과 비물질적인 가치들을 말살할 따름이다.

중국인들의 풍토 역시 다소 그럴지 몰랐다. 같은 극동 아시아의 삼국, 일본이나 한국에 비해서도 조금 더 거친 면들이 있었다. 굳이 표방하자면 남성주의적이라 해야 할 것이다.

남성성이나 남성미는 세계의 절반을 차지할만큼, 중요한 요소지만 그것밖에 없다면 사람의 삶이나 사회는 각박해지게 마련이다.

치고 나가는 돌파력과 과감함, 때로는 말이 안되어 보이는 상황에서조차 직진을 하는 강인함은 세상의 조류와 시대의 흐름을 뚫으며 한 세대가 살아가는데 반드시 필요한 야성이었지만, 그렇게 치고 나가면서 주변을 전혀 돌보지 않고 도리어 무시한다면 그것은 남성성의 문제라기보다 그저 이웃에 대한 비정한 무관심일 것이다.

여성성이란 곧 연결과 안정, 끊임없는 커뮤니케이션인데 반면, 남성성은 다소 분리가 될지언정 거시적인 목표를 향해 눈에 보이지 않는 곳으로까지 달려 나갈 줄 아는 과감성과 도전 정신이었다.

사람이 사람이니만큼, 과감한 도전 정신 역시 보금자리에서의 보살핌과 이해가 없이는 나올 수 없는 것도 사실이었다.

결국 어떤 사회와 시대가 안정적으로 살아가며 사람들을 서로 도닥여주며, 거친 시간의 흐름을 이겨내고 다음 세대로 나아가기 위해서는 두 가지 면이 그야말로 충분하고 풍부하게, 적절히 필요했다.

이 말은 곧, 타인에 대한 용납과 이해라는 말과도 같다.

남성과 여성이 다른 존재이며, 타인과 개인이 서로 다른 존재이나 본질적인 보편성의 논리에서 벗어나는 존재는 있을 수 없었다. 모두가 지성이 있고, 눈이 있으며, 희귀한 병환이나 유전적 문제가 아니라면 사지가 함께 달려 있다. 그보다도 더욱 변하지 않는 보편성의 논리는, 자신이 받고 싶은 그 따스한 위로와 사랑은 이 세계 어떤 시대의 누구에게 가더라도 받음직하고 또 줄만한 무언가였다.

사람은 생각보다 오묘하게 지어져 있다.

이 세상에 대해서 관찰하고 파악하는 과학자들의 선두에 서는 석학들이 대부분 유신론을 선택하고, 신의 조형 솜씨에 감탄을 하고 마는 것처럼.

하나의 사람이라는 것도 평생에 평생을 더하고, 그것에 억겁을 반복해도 우리의 머리로는 도저히 다 알 수 없고 인지할 수 없을 만한 신비가 담겨 있는 것이었다.

아무튼 그런 면에서, '중국'이라는 사회는 거대한 분리와 단절 속에서 살아가는 상처 입은 짐승과 같았다.

거대한 들짐승, 세상에 있어본 적 없는 규모의 어마어마한 코끼리가 몇 번이나 살점이 떨어져 나가고 베이고 넘어졌다가 간신히 숨만 붙어서 고개를 떨구며 걸음을 계속하는 것처럼.

편집증적으로 하나의 힘을 주장하며 패권주의를 주창하지만, 결국 근본적인 인격성에 대한 논의를 처음부터 다시 하지 않는다면, 그들의 길에 그럴듯한 청사진이라 할 만한 건 존재할 수 없을 테였다.

자신의 상처를 돌보는 것.

국민과 백성을 돌보고 사람답게 살게 하는 것에 관심이 없다면,

무정한 희생만으로 그저 끝장을 보려는 성격의 정치라면, 결국 그런 패권이 도래하는 시대는 세계적인 종말에 한 걸음 다가가는 것에 불과할 테였다.

이타성을 배우지 못한다면 중국의 수뇌부는 결국 지구촌에서 괴멸의 길을 걷게 될 테였다.

비단 중국만의 일은 아니었고, 한국 역시 돌보아야 할 스스로의 몸집이 있는 것은 마찬가지였다.

작은 땅덩이에서 옹기종기 살아가는 그들, 약 수천만 명의 집단이 세대와 계층, 온갖 것들로 갈기갈기 찢기어져서 결국 분열하고 만다면, 다음 세대나 그 다음 세대조차도 그 존속과 안전을 마냥 낙관적으로 볼 수 없는 상황이었다.

세계는 거대한 개인주의와, 무관심의 굴레 속에서 점차 분열하고 있었다. 점점 더는 아닐지언정, 진정한 의미로의 협력이 지속되지 못한다면 어차피 패여 있는 골에 따라서 점점 멀어질 테다.

그것이 '글로벌'시대의 흐름이고, 온갖 창작물에서 현대 이후를 그려내며 상상하는 개인과 개인이 동떨어진 우주 시대의 정서라면 세계의 미래도 흐린 청사진 속의 불투명한 것일 테다.

그런 점에서, 국가와 국가 사이의 이해 관계를 다소 초월해서 활동할 수 있는 점퍼 집단은 고무적인 역할을 할 수 있는 집단이었다.

초국가적인, 초능력자 집단이었으니.

민서는 중국을 돌아다니며 혼자 이런 저런 생각들을 했다.

처음 맛보는 음식들을 먹었다. 기름지고 위생 상태조차 알 수 없는 음식들도 많이 있었지만, 탈이 나지는 않았다.

차를 많이 마셨고, 아주 가끔은 시골에서 이웃의 집에 먼저 다가가 인사를 하고 밥을 같이 먹기도 했다.

부족한 살림에 곡물이나 과일 따위들을 내어 주는 인심에는 눈물을 찔끔 흘릴 뻔도 했다. 시골에서의 정서나 할머니의 주름진 손 따위는 민족을 초월한 감성이 있는 것이었다.

그에게도 할머니에 대한 추억이 있었으니 말이다.

겨울에서, 산간 지방의 추위는 나름대로 혹독했다. 온열 기구들을 구비하고 핫팩을 여러개 까고 침낭에 파고들어 잠을 청했다.

도시에서는 휴대폰 어플만 있다면 배달조차 되어서 지내기가 편리했다. 발전한 곳은 서울에서의 삶과 그리 큰 차이를 느끼지도 못했다.

한달 여 여러 지방을 집 근처에나마 돌아다니며 여정을 마쳤고, 그 가운데 두 명의 사람을 더 만났다.

더 만났다는 이야기는, 강도를 제외하고 그들이 찾으려 목적했던 '점퍼'를 만났다는 이야기이다.

렌 시우와 쑨 핑이었다. 한 명은 이제 중학생 정도 나이의 어린이였고, 한 명은 백발이 성성한 노년의 할아버지였다.

어느 산간 지방의 시골 마을에서 자신의 능력을 각성한 렌 시우는 집안일을 돕고, 마을의 소일거리를 하는 데에 점프를 사용하고는 하는 듯했다.

처음에는 민서를 만나서 많이 놀랐던 것 같지만, 그가 최대한 적의가 없음을 표현하며 먹을 것까지 주며 친근하게 굴었고, 곧이어 조직에서 도약해 온 점퍼가 중국어로 그들의 대화를 통역해주었다.

점퍼들을 발견하고는, 그들의 위치를 파악해두는 것이 조직의 일이었다.

소년이 어디에 사는지, 어떤 이름이고 나이인지, 대략적인 정보들을 수집하고나서 간략한 이야기를 전했다.

그들과 같은 이들이 조직을 이루고 있고, 세계 각지에서 여러가지 일들을 하고 있노라고.

점프 능력은 그만의 것은 아니었고, 사회 상식을 벗어난 범죄를 저지른다면 그들이 찾아 갈 것이라는 이야기도. 그리고 언제든, 의사에 따라서 조직에 참여할 수 있음을 이야기했다.

이런 식으로 미약한 끈을 만들어서 서서히 관계성을 진전시켜 나가는 것이 보편적인 회유의 방법이었다.

머리를 짧게 깎고서, 지저분한 흙먼지 따위를 곧잘 묻히고 웃는 사내 아이였던 렌은 그들의 말에 신기하다는 듯 환한 웃음을 지어 보였다.

제대로 알아들은 건지는 모르겠으나, 민서가 건네 준 레토르트 도시락과 과자는 일단 맛이 좋았던 모양이다.

어린 아이의 기억에 강렬한 인상을 심어주는 것도 중요한 일이다.

그들은 렌 시우에게 충분한 이야기를 전하고 보냈고, 다른 한 명 역시 어딘가의 시골 지방에서 찾아냈다.

한국 정도 넓이의 땅덩이조차, 완벽한 도시화를 이루기에는 요원한 일이었다.

하물며 중국 땅이라면 더욱 그럴 것이다.

물조차 제한적으로 구해지고 사용해야 하는 척박한 지대들도 이 시대에 얼마든지 있었다. 한참이나 낙후된 제 3세계와 그리 크게 다르지 않은 지방들도 아직까지 더러, 혹은 굉장히 많이 있었다.

쑨 핑은 아주 오래된 점퍼였다. 그의 나이가 83세라고 했으니.

보통 사춘기 즈음에 자신의 능력을 각성한다는 점을 생각해보면 그가 남들과 다른 능력을 갖고 이 세상에서 살아온 세월이 참으로 남다르다.

조직의 어떤 점퍼와 비교해도 견줄 수 없는 세월을 혼자서 보내온 것이다.

쑨 핑은 전쟁을 겪은 세대였고, 인세의 질박함을 제대로 아는 자였다.

그다지 튀지도 않고, 어떤 일을 저지르지도 않고. 청년기를 지난 이후부터는 점프 능력 자체를 그리 적극적으로 유용한 것 같지도 않았다. 무탈함을 추구하는 건 차라리 노년의 지혜라 할만했다.

그는 찾는 이들이 적은 어느 시골 지방에서 무던하게 살아가고 있었고, 민서와 만난 것도 다소의 우연이 겹친 일이었다.

가끔 도시 지방으로 마을 사람들을 위해서 장을 보고 오는데 능력을 사용하는 듯했다. 그조차 매일 있는 일은 아니었고, 날짜와 시간을 정해서 일주일에 한 번 정도. 마을 사람들 중 믿을만한 장정 한 둘을 데리고 이동하는 일이었고, 민서가 머무르는 그 날이 그가 움직이는 날짜와 겹치지 않았더라면 만날 리가 없는 일이었다.

마을에서 도시까지의 거리가 민서가 발휘하는 재밍 영역의 거리보다 넓지는 않았다. 어느 산간 지방에서 출발한 도약자, 와 그가 함께 움직인 두 명의 장정은 난데 없이 작게 지어진 산장 내부로 옮겨졌다.

그 안은 단출하게 꾸며져 있었으나 제법 깔끔하고, 또 민서가 하루를 지내기에 충분한 물자들은 구비해 둔 목재 산장이었다.

투박한 인테리어에 목재 가구들이 여럿 있고 나무 땔감을 태워 안을 덮히는 벽난로가 있는 곳이었다.

민서가 벽난로에 땔감을 집어넣어 불을 피우고, 몇 번을 익숙하지 않게 불쏘시개로 뒤적거리다가 간신히 안정이 된 다음 쉬고 있을 때였다.

그들이 만난 순간이.

민서는 갑자기 들이닥친 이들에 대해 놀랐고, 그들 역시 적잖이 놀라움을 느꼈다.

쑨 핑에게 이야기를 듣고 이동을 하던 장정들도 나름 다양한 상황들에 대처가 가능한 담이 센 자들이었으나 손을 떨면서 민서를 마주했다.

짧은 시간이 지나고, 쑨 핑이 영어를 할 수 있었기에 간신히 짧은 의사소통을 전한 밈ㄴ서가 조직원을 불렀고, 중국어의 통역을 통해 짧지 않은 이야기들을 나눌 수 있었다.

어딘가 온화한 눈빛을 지닌 노년의 사내, 쑨 핑은 결국 마을에 머무르기로 했다. 애초에 점퍼 조직으로의 회유가 목적이 아닌 파악이 주된 목적이었으므로, 조직의 목표에도 부합되는 일이었다.

점퍼가 문제가 아니라, 그 인격이 믿을만한 이들이 필요했다. 쑨 핑은 별다른 사고를 치지 않고 여태까지 처럼 시골에서 조용히 지내기로 했고, 그것은 어찌보면 점퍼 조직이 가장 바라는 형태의 마무리이기도 했다.

노년 답지 않은 생기가 띄는 눈빛을 한 쑨 핑과의 이런저런 인생 얘기를 마치고, 그들이 헤어졌다.

점퍼들을 만난 포인트와, 민간에 존재하는 점퍼들이 살아가는 위치에 대한 정보는 조직에게로 넘어갔다.

한 시대에 점퍼가 백 이십에서 삼십 명 정도를 넘지 않는다는 점에서, 민서가 한 일은 깨나 고무적이고 대단한 성과였다.

보통 이렇게 단기간에 점퍼들을 발견하지는 못한다. 그들의 흔적을 잡는 일 자체는 거대한 분량의 정보들이 쏟아지는 이 사회에서 의외로 그렇게 확률이 낮은 일은 아니었으나, 그들을 실체로서 대면하고 이야기를 나눈다는 것은 상당한 기적과 운이 겹쳐져야 이룰 수 있는 일이었다.

조직원의 증원은 아니었으나, 민서는 고무적인 성과를 가지고 다시 한국으로 돌아왔다.

그가 마지막에 머물렀던 대도시의 어느 호텔 옥상. 민서는 시장에서 사온 돼지고기 찜 요리로 마지막 식사를 마치고, 서울로 복귀를 했다.

*

"맛있어."

민서는 인상을 찌푸리면서 감탄을 했다.

진짜 맛있다는 이야기였다.

홍인수는 오랜만에 만난 후배이자, 동생이자, 조직의 주요한 재원이자, 아직까지도 참 특이한 성격이라고 생각하는 그를 바라보면서 맞장구를 쳐주었다.

"많이 드십쇼."
"예. 후룹."

별다른 메뉴는 아니었다. 그냥 동네에서, 평범한 김치찌개 집에 가서 돼지고기와 육수와 김치가 우러난 국물을 마실 뿐이었다.

TV에서는 이런저런 이야기가 나오고 있었다.

-전 달 서울에서 일어났던 충격적인 사건에 연루된 용의자의 신분이 파악되어 각국과 각계의 놀라움을 사고 있습니다.

피의자는 미국의 '마이클 샌더스' 물리학 박사로, 미국 이공계의 젊은 천재 중 한 명으로 불리웠던 인물입니다.

82년 미국에서 태어난 박사는 그 동안 어떤 전과를 보유한 적이 없었으며 대학과 근무 연구소에서 성실한 인격으로 평가받던…

사회적으로 인격을 가장하는 것은, 매우- 그리고 지독하게 힘든 일이었지만 때로 불가능한 일은 아니었다. 자신의 일면을 감추고 보여줄 수 있는 인격들만으로 사회에서 생활을 하는 지능이 뛰어난 천재들도 있는 법이었다.

자신의 재능과 지능을 그런 식으로밖에 유용하지 못하고, 비뚤어졌다는 것이 인류로서도 손실에 가까운 일이었다.

결국 건전한 인간성과 상식, 그저 보편적인 감성 정도가 도리어 더 절박한 요소일 지 몰랐다. 아니, 분명히 그러했다. 인간에게는.

같잖은 지성과 인격을 잃어버린 차갑기만 한 이성은 그리 칭송받을 만한 대상은 되어주지 못했다.

마이클 샌더스는 부족한 인간이었고, 자신의 유약함을 야욕과 다른 이들에 대한 파괴주의로 풀어내려 한 인격적인 장애자였다.

기독교적인 관점으로 들어가 그에게 소망이 없다고 말할 수는 없겠지만. 그는 유약하고, 모자라고, 불쌍한 인간일 뿐이었다.

"텔레포터는, 얌전히 갇혀 있습니까?"

민서의 물음에 홍인수가 양복 재킷을 벗어 셔츠 위에 앞치마를 대신 올리며 말했다.

"아직까지는. 통제가 불가능한 류의 인간은 아닌 듯 해요. 조직으로서는 잘 된 일입니다. 가장 좋은 건 결국 얼마의 시간이 들던 회유를 하는 거죠. 그런 특질의 JE를 재난 상황 따위의 임무에 써먹을 수 있다면 사회적 이득이 적잖이 늘어나지 않겠습니까."

후루루룹. 쩝쩝. 민서는 고개를 처박고 오랜만에 먹는 고향의 맛에 심취한 채였다.

자기가 물어놓고 듣는 건지도 알 수 없을만큼 애매한 시간이 지나고 나서 그가 답했다.

"그렇습니까. 저는 잘 모르겠네요. 복잡한 일들은. 다들 알아서 하시겠죠. 마스터가 수뇌부 급으로 올라가는 건 언제 일입니까?"

홍인수는 휘휘 젓가락으로 국물을 젓다가 고기 몇 점을 꺼내어 먹었다.

"음. 아직은 먼 일이죠. 좀 더 연차를 쌓아야 하고…. 뭣보다 아직까지 커맨더가 정정합니다. 십 년은 더 걸릴 지도."

히에엑. 민서는 밥을 먹다가 헛숨을 삼키며 반응했다.

"거 먼 미래의 일이군요."
"그렇죠. 그 전까지 다치지 말고 건실하게 계속 일하십시오. 조직에 있어서 재머에게 거는 기대가 큽니다. 당신은, 정말로 아주 유용한 인간이에요."

쩝.

"조직의 유용성에 비례해 연봉이 올라가거나 하는 제도가 혹시 있습니까?"

민서는 돼지고기를 먹으며 물었다.

"어차피 자원은 한정적이니, 정말로 가치대로 받았다면 저는 이미 거부가 되어 있을 겁니다. 그냥 적당히 받고 만족하시죠."

민서가 그 말에 살풋 웃었다.

"농담입니다. 제가 어딜 가서 무슨 일을 하겠어요. 충성을 바칠 테니까 근속 상장이라도 만들어서 주세요, 나중에."

홍인수는 입맛을 다시다가 콜라를 한 모금 마셨다.

"…고려해보죠."

*

한현서, 는 올해로 29살이었다.

곱게 기른 단발의 끝이 살짝 웨이브가 진 헤어스타일의 미인이었다.

애쉬 그레이로 살짝 염색을 한 머릿결이었고, 나름대로 뾰족한 선들로 표현 가능한 이목구비들은 선명한 인상을 남성들에게 남길 만큼 예쁜 편이었다.

그녀는, 최길우와 만나기 위해서 기다리고 있는 중이었다. 날이 추웠기에 약속 장소 근처의 카페에 들어와서 바깥이 훤히 보이는 유리창으로 공원의 시계탑을 바라보고 있었다.

그리 높지 않은 시계탑은 서울에서 동네를 찾아오면 금방 발견할 수 있을만큼 유명한 장소였고, 여기저기 표지판으로 위치를 알려주는 약속 장소였다.

눈이 오지는 않았지만 바깥의 날씨가 제법 매섭다. 한파가 찾아오고 나면 서울의 겨울은 혹독한 편이다. 다른 나라의 이들이 잘 견디지 못할 정도로.

그녀는 잘 차려 입은 투피스의 양복 치마 차림에 겉에는 롱패딩을 걸친 상태였다. 여성용 로퍼에 올이 두껍고 진한 하의로 추위를 가리고 있었다.

약속 시간보다는 조금 일찍 나온 셈이었고, 그가 때로는 긴급을 요하는- 그러니까 자신의 아버지와 같은 조직에서 일을 하는 일원이라는 점에서 다소는 더 기다릴 용의까지도 있었다.

첫 만남이었지만 말이다.

기어코 그의 부친은 사랑하는 맏딸의 혼처를 위해서 약속을 잡았다. 최길우의 의사보다는, 형석의 의견이 더욱 강한 일이었다.

어차피 이십대 중반을 넘어가는 무렵의 그 역시 상대를 생각해 봐서 나쁠 것 없는 일이었다. 점퍼 조직의 일은 특히나 고되고, 힘들다. 혼자서 이겨낼 수 있다면 무리가 없겠지만 때로는 동반자가 오래 걸어갈 수 있도록 도와주는 원동력이 될 수도 있었다.

최길우에게 자신의 딸을 소개시켜 주는 일은, 그런 관점에서 커맨더로서 조직을 위한 일이기도 했다.

2시에 만나기로 한 것이 시간이 점점 다가온다. 오후 2시. 점심을 먹기에도 다소 늦은 때였지만, 상대적으로 시간을 내기 어려웠던 최길우에게 맞춘 일정이었다.

1월 14일. 토요일 점심. 그녀는 상대를 기다리며 시간을 보내고 있었고, 바라보고 있던 정면의 시계탑에서 그가 나타나지는 않았다.

2시 정각이 되고, 그녀가 손톱으로 핸드폰 액정을 운율감있게 두드린다. 톡, 토도독, 톡. 받아둔 연락처로 연락을 할까-말까 고민이 시작될 무렵이었다.

곧바로 연락을 하는게 아무래도 속이 좁아보이는지, 이대로 더 기다려야 하는지가 고민의 주제였다.

그리고, 2시 1분이 되기 전, 약 30초 즈음 지났을 때 그녀가 있는 자리에서도 소리가 들리도록 옆에서 벌컥, 소리가 났다.

카페 내부의 화장실 문이 열리는 소리였다.

그리고 거기서 튀어나온 게 20대 중반 무렵으로 보이는 사내다. 단정하게 머리를 정리하고, 라이더 자켓 따위를 입고 있었고, 바지도 무광의 검은 가죽 바지다. 안에는 두터운 셔츠 같은 걸 대충 껴입었다.

곧바로 어디 오프 로드에서 익사이팅 스포츠라도 즐길 것 같은 차림새였다. 전체적으로. 눈매가 서글서글한 사내가 그녀를 보더니 씨익 웃으면서 다가왔다.

뭐지, 라고 느낄 새도 없이 그가 먼저 말을 걸었다.

"한현서 씨 맞죠. 늦진 않았을 텐데. 기다렸다면 미안합니다."
"아녜요 저도 금방…."

쿨럭.

하는 기침 소리가 들렸다. 그녀가 채 말을 다 잇기도 전이었다. 카페에서 듣기에는 제법 위독해 보이는 소리처럼도 들린다. 마른 기침이라기엔, 제법 소리에 물기가 섞인 듯하다. 상상해보자면 피나 가래가 끓을 때 내는 기침과도 비슷하다.

그녀는 자연스레 소리가 들린 쪽으로 눈길이 갔다. 최길우가 나온 화장실의 뒤쪽이었다. 마침 그가 호쾌하게 열고 나온 문이 채 닫히지 않고 있었다.

그가 손끝으로 대충 닫으려 밀었으나 무언가에 걸린 것처럼 채 문이 닫히지 않고 다시 밀려서 열렸다.

문에 슬쩍 걸려 있는 것은, 누군가의 손처럼 보인다. 그녀는 잠시 눈을 찌푸렸다가 다시 떴다. 초점을 명료하게 만들어서 봐도 사람 손이었다. 보통, 저 자리에 있으면 바닥에 있는 거 아닌가?

그것도, 힘없이 온 몸을 대고 널브러져 있는 장면 따위가 연상이 된다. 심지어 약간 붉은 액체가 묻어 있는 것도 같았다.

“억.”

여자도, 놀라면 가녀린 하이톤의 비명보다는 헛숨 삼키는 소리나 굵은 소리가 날 때가 많이 있었다.

그녀는 다른 걸 생각하지 못할 만큼 갑작스러운 사실에 그런 소리를 냈다. 딸꾹질이 나는 것도 같았다.

최길우는 그런 그녀의 표정을 보고, 뒤로 고개를 돌렸다. 애초에 기침 소리가 났을 때부터 그 역시 문이 제대로 닫히지 않은 것을 알았다. 최길우가 입을 열었다.

"음…. 사정을 설명하려고 했는데. 미안합니다. 원래 오늘 이 때쯤에는 끝낼 수 있을 줄 알았어요. 하지만 상대가 생각보다 집요했고, 심지어 패거리가 스무 명 쯤 더 있지 뭡니까. 죄송하지만 일단 얼굴을 뵈야 해서 왔는데…."

그가 장황하게 헛소리같은 변명을 늘어놓았다. 가장 아이러니한 점은 그 헛소리가 사실이라는 점이다.

"중국에서 사람을 사고 팔던 흉악한 집단의 두뇌입니다. 다른 조직들과도 엮여 있는 것 같아서 저는 일단 조직에 넘기고, 사후처리를 좀 해봐야 할 것 같습니다. 미안해요, 현서 양. 저는 정말 만나고 싶었는데."

미간을 밉지 않게 찌푸리며 간곡하게 말하는 그 투가 제법 진정성이 있어 보였다. 뭣보다, 그 얼굴이 그녀의 취향에 가까웠기 때문인지도 모른다.

"일단 어쩔 수 없어서 잠깐 왔습니다."

"어… 네."

그녀는, 한현서는 별다른 말을 할 수가 없었다. 그가 말하고 있는 사정에 대해서 그녀가 관여를 할 만한 주제가 하나도 없었던 탓이었다.

갑작스럽게 나타나서 약속을 파토낸다고 한다면 화라도 내야 하겠으나, 눈에 버젓이 보이는 저 피를 토하는 듯한 사람의 흔적에 다른 반박을 하기도 뭐했다.

그러니까, 굉장히 눈 앞의 남자는 긴급하고 심각한 사정이 있는 것처럼 느껴졌다.

"양해해주셔서 고마워요. 커맨더에게는 제가 말씀 드릴게요. 미안합니다."

최길우는 그렇게 말하고는, 다시 화장실 쪽으로 발걸음을 옮겼다.

'점퍼'라는 것을 한현서 역시 이해했다. 그녀의 부모님이 어떤 일을 하고 있는 것인지도. 어릴 때부터 남들과는 다른 상식에 잠시 괴리를 느껴야 했던 때도 있었지만, 나이를 점차 먹어가면서 사회와 그 이면에 있는듯이 보이는 조직들의 관계에 대해서 나름의 정립을 한 상대였다.

그녀가 바라보는 남성은 아마 깨나 시간이 없는 부류의 인간이었고, 지금 화장실로 들어간다면 그대로 지구 어딘가로 사라질 사람이었다.

그대로 카페의 화장실로 발걸음을 돌리는 그의 손길을, 한현서는 불쑥 일어나서 덥썩 잡았다.

덥썩.

그야말로, 움직임이 멎게 되자 최길우가 고개를 돌리며 바라보았다. 의아한 표정이었다. 한현서는 자신이 왜 그랬는지 몰랐, 진 않았다.

생각보다 그가 마음에 들었던 점이 컸으리라.

한 눈에 상당히, 호감을 살 정도로 말이다.

"……."

최길우는 아주 잠깐 고민을 했다. 이대로 시간을 더 지체하는 것이 과연 옳은 일일까. 커맨더의 장녀와 약속을 하고서 이대로 무시하고 가버리는 것이 괜찮은 일인가.

사회적 관계나 인간의 도의에 대해 고민을 하다가, 다시금 화장실의 로비라고 할만한 세면대 밑바닥에서 미약한 신음을 흘리는 중국인 사내를 생각하고, 최길우는 일단 붙잡은 손을 놓지 않은 채 걸음을 옮겼다.

"그… 하실 말씀이 있으시면 가서 하시죠, 그럼. 잠깐만 기다리시면 될 거 같기도 합니다."

한현서가 그대로 고개를 끄덕였고, 둘은 손을 붙잡은 채 걸어갔다. 화장실 문을 슬쩍 열자 깨나- 처참한 광경이 있었다. 험상궂은 인상의 사내가 상상 그대로 널브러져 있다.

세면대 아래에 보통 사람이 저렇게 넘어져 있다면 급성 발작이나 신장병, 혹은 지독하게 술을 많이 마셨을 때 외에는 보기 어려운 광경이다.

최길우는 잡은 손이 불편하지 않게 높이를 유지하면서 슬쩍 몸을 굽혀 아래에 있는 사내의 몸에 손을 대었다.

그러면서 작게 눈짓을 했고, 한현서가 용케 알아들어 다른 손으로 화장실의 문을 닫았다.

공용 화장실의 로비라 할만한 세면장이 있는 부분이었다. 세 명이서 널브러지고 서 있자 공간이 비좁다.

최길우는 슬쩍 삐져나온 손을 발로 툭 정리하며 화장실 문이 닫히는 걸 보고 도약을 했다.

양 손에 붙잡은 이들을 같이 옮기는 단체 도약이었다.

후욱, 하는 소음과 함께 한현서는 기묘한 감각을 느꼈다. 그녀로서는 경험해보지 못한 종류였다. 아주 어릴 적에, 기억이 희미한 시절에 겪었는 지는 모른다. 이성을 자각하고 머리가 크고 나서는 적어도 기억에 없었다.

텔레비젼의 화면이 오프되어서 빛이 가운데로 모이며 사라지듯이, 그녀의 시야가 점멸했다.

신체 내적으로 이질감이 들지는 않았다. 그저 영화의 한 장면이 부자연스럽게 끊어지듯 시각이 사라지고, 아주 잠깐의 시간 동안 유지되었다.

어딘가로 이동했다, 라는 것은 뒤늦게 알아차렸다.

왜냐하면 공간의 분위기가 달라졌기 때문이다. 한 순간에 온도나 습도, 대기의 흐름이나 냄새, 소리와 공간감이 달라졌다.

외적으로 확연하게 드러나는 이질감은 그녀가 가만히 있는 그 순간, 그녀를 둘러싼 주변이 바뀌었음을 말한다.

얼마 지나지 않아, 그러니까 숨을 한 번 몰아쉬는 시간보다 적은 간격을 지나 시야가 돌아왔다. 잠깐 저혈압 따위로 눈 앞이 핑 돌았다가 촛점을 찾는 것이나 비슷했다.

그리고 다른 감각으로 먼저 알아챈 것처럼 생경한 환경이 그녀를 맞이한다.

최길우와 눈 앞에 있던 어떤 낯선 사내의 모습도 같이였다. 그녀는, 점퍼 조직의 본부 기지에 모습을 나타냈다.

대부분의 상황에서 점퍼들이 출입구로 사용하는 포인트였다. 하얀색의, 작은 방. 별다른 인테리어나 꾸도 없이 단출한, 창고나 마찬가지인 방.

최길우는 그녀의 손을 슬며시 놓으면서 방의 문 쪽으로 다가섰다. 몇 걸음 지나지 않아 형광등으로 밝혀지는 출입구 쪽에서 벽에 붙은 버튼을 주먹으로 치듯이 눌렀다.

흔하게 집안의 인터폰같은 모습으로 달려 있었고, 수화기의 역할을 하는 게 있어 소리가 나고 말이 들어간다.

“아, 리시버. 현 시각 임무 중 복귀. 민간인 1명과 강력 범죄 용의자 1명 동행입니다. 민간인은 커맨더의 자녀 분이십니다.”

수화기에 대고 그가 버튼을 누른 채로 말했다.

그리 멀지 않은 곳에 있는 대기실에서 당직 인원이 내용을 듣고 보고를 올리고, 곧 올 것이다.

그의 예상대로 1분이 지나지 않아 벌컥, 문이 열렸다. 조직의 보고 체계와 반응 속도는 제법 기민했다.

문을 열고 들어온 것은 점퍼가 아닌 상주 인원 중 전투 요원이었다. 최길우와는 오래도록 보고 지내 막역한 사이인 남자였다. 콜른Collen이라는 이름의 스웨덴 인이었다.

최길우보다 조금 작은 키에, 갈색빛이 도는 밝은 머릿결을 하고 잘 웃고는 하는 백인 사내다.

움직이기 용이한 복장에 이런저런 장구류 따위들을 착용한 남자가 들어오면서 최길우에게 말했다.

"고생 많네. 점퍼는 아닌 거지. 유치장에 구류해두고 신문이라도 하나? 이 쪽은 휴게실에라도 모셔다 두면 될 것 같고. 아니면 커맨더를 뵙는게 나을까?"

영어였고, 최길우 역시 영어로 답했다.

"별 말을. 그렇게 해줘. 점퍼는 아니고. 연루된 조직들 이름이랑 정보좀 빼내면 될 것 같은데. 현서 양은 말대로 안내해주고. 사실 현장에 아직 용건이 남아서, 다녀와야 해."

그렇게 말하면서 최길우가 한현서를 바라보며 당부를 건넸다.

"어… 그리 오래 걸리진 않겠죠. 잠깐 기다리고 계세요. 안내해 줄 겁니다."

한현서가 고개를 끄덕였고, 최길우는 그대로 다시 도약을 해서 모습을 감추었다. 콜른이 널브러진 사내의 바이탈 사인을 약식으로 체크하고는, 곧 익숙하게 어깨춤에 들쳐 업고는 방문을 나섰다.

그가 사라지면서 말을 했다. 한국말이었다.

“잠깐만 있으세요, 아가씨. 금방 돌아와서 휴게실을 안내해 드리죠.”
“네, 네.”

한현서는 어딜 가든 쉽게 주눅이 드는 성격은 아니었다. 그러나 왜인지, 심각한 일들을 처리하는 현장처럼 보이는 조직의 분위기에 몸을 사리는 태도를 하게 되는 건 어쩔 수 없는 일이었다.

백인 남성이 사라졌고, 그녀는 본부 기지의 출입 포인트에 잠시 홀로 남아있었다.

*

중국에서 돌아오고 나서, 금세 2월이 되었다.

김민서의 시점에서의 일이었다.

시간이 빠르다.

2023년. 어느덧 20대 중반에 접어들고도 일 년이 지났다.

스물 네 살.

20살 까지의 삶은 어찌 보면 타력에 의해서 떠밀리듯 달려온 시간들이 많았다. 성인이 된 이후의 삶은 갑자기 놓아져버려서, 궤도에서 떨어진 채로 자신의 발로 달음박질 해야 하는 시간들이었다.

대학의 교수들도 그렇고, 누구도 성인의 삶에 대해서 밀접하게 관여하고 터치하지 않는다.

이리저리, 그래야 한다는 규율과 강박 속에서 줄을 맞추고 밀려온 삶에서 외부적 강력이 사라지고 자신의 꿈을 향해 서서 걸어가야 할 시점이 되어서 대부분의 청춘들은 동력을 잃고야 만다.

이전까지는 성인이라는 좁은 문을 보고 살아갔다면, 그 이후에는 문득 평생과, 죽음이라는 문을 바라보고 남은 수십 년 이상의 세월을 생각해보게 되는 것이다.

아주 확고한 뜻과 목표, 비전이 없다면 사실 힘을 잃기 쉬운 때이기도 하다.

그래서 그렇게 쉽게 포기했는 지도 모른다. 잘 맞지 않는다는 이유로, 이해하기 어렵다는 이유로 말이다.

대학을 중퇴하고, 백수처럼 시간을 보냈다. 집 구석에 있다가, 말도 안되는 일을 마주쳐서 정신 없이 시간을 보내왔다.

어느덧 돌아보니 20살이 지나고서 3, 4년의 시간이 지났다.

아직도 죽지 않았구나!

라는 자각을 하고 보니 꽤나 사회에서 일원이라 분류가 될만한 나이가 되어버리고 말았다. 아직도 제대로 할 줄 아는 것들이 아무것도 없는데 말이다.

그만큼, 누군가와 제대로 관계하지 않고 동떨어져 섬처럼 살아온 것인지도 모른다.

그래도 그나마 다행인 점은, 당장 앞으로의 십 년 정도의 삶들은 구체적인 모습이 보인다는 점이었다. 그래도 당장에는 끝나지 않을, 열정을 불살라 볼만한 일과 조직을 발견했으니 말이다.

누구에게나 열정이 있다. 가장 괴로울 때는, 젊은 날에 그것을 불사르지 못할 때이다. 도리어 그것을 모조리 사용할 수 있을 땐, 분에 넘치도록 행복한 나날들인 것이다.

누구나, 그리고 혹여나 당신이 남자라면 더욱이, 결국에는 삶에 있어서 눈물이 날 정도로 신나는 모험을 바라고야 마는게 어쩌면 속마음일지 모르는 것이다.

그런 점에 있어서 지금의 삶은 이전에 방구석에 있을 때보다는 썩 만족스럽고 좋았다.

*

이런 순간조차 말이다.

민서는 조용히 손을 들고 있었다.

중국에서의 일정을 마치고 나서 얼마 지나지 않은 시점이었다. 그리고 그는 다시 중국 어느 지방에 와 있었다.

남부, 휴양지로 유명한 해안가의 도시였다. 그런 도시라고 해도, 서울보다 한참이나 큰 넓이에 사람도 깨나 많은 편이나. 내륙쪽 지역에서 바닷가의 냄새가 나지는 않았다.

어쨌거나 그런 도심지의 어딘가. 몇 개의 거리를 넘어 바깥에서는 시끄럽게 주민들과 여행객들이 소란을 떨며 일상의 여유를 즐기고 있을 한 때.

다소 으슥한 곳에 위치한 건물의 지하 창고에서 민서는 손을 들고 있다.

운동을 자의적으로 하고 있는 건 아니었고, 타의에 의해서 하는 중이었다. 조금이라도 움직이면 어떻게 될 지 모른다는 생각이 들기도 한다.

철컥, 하고 들리는 지겨운 쇳소리는 한 바퀴 돌아 정겹게 느껴지기까지 한다.

불빛조차 미약한 지하 창고. 십 수 명의 사람들이 민서를 둘러싸고 있었다. 민서는 그저 긴 팔 긴 바지의 평범한 일상복 차림이었고, 머리에는 그리 크지 않은 컴팩트한 모양의 투명 헬멧을 쓰고 있었다.

사람들이 하나같이 손을 뻗어 들고 있는 것은 권총류의 총기들이었다. 본격적인 소총 이상의 자동화기가 아니라는 점에서 안심감을 느껴야 하는가.

스릴이 넘치는 상황이지만 자신의 일이라 유쾌하지는 않았다.

"푸."

민서는 작게 입술을 마찰시켜서 미약한 소리를 뱉었다. 지나친 긴장감에 숨을 몰아 쉬거나 말소리를 내는 것조차 어려웠다. 작게, 입에 들어온 부스러기를 뱉어내듯 한숨을 토해낼 뿐이다.

그 소음에도 주변에 있는 이들이 움찔 하는 것이 느껴졌다.

완연하고 확실한 경계 태세였다. 민서가 무언가 대단한 일을 한 건 아니었다. 단순히 모여 있는 조직의 아지트에 갑자기 순간이동으로 나타났고, 저도 모르게 반사적으로 한 명 정도 제압을 했을 뿐이다.

그리고, 그와 같이 나타났었던 이가 같이 한두 명을 더 쓰러뜨렸고, 곧이어 '좀 많네… 잠시만요, 뭐 좀 들고 올게요.'라고 중얼거리더니 사라진 뒤였다.

민서는, 스스로는 어딘가로 사라질 수 없는 인간이었다. 사라졌으면 좋겠지만. 공간이동에 대한 능력은 없었다. 그는 그저 갑옷을 입은 채로, 무방비하게 이곳에 노출되어 있을 뿐이다. 장갑도 제대로 끼고 있었고, 뭐 달려들어서 벗기기 전에는 총에 맞아도 관통이 되지는 않는다. 그저 복서의 주먹에 맞는 것처럼 좀 많이 아플 뿐이지.

여러 대를 연발로 맞는다면 몸이 곪을 지도 모르겠다.

일촉즉발의 상황이다.

어둑한 시야의 조명. 풀페이스 방탄 헬멧의 유리 너머로 보이는 이들은 가지각색의 인간들이었다. 하나같이 날붙이나 둔기가 아닌 총기류를 소지하고 있다는 점에서 나름대로 전투력이 높은 무장조직이 아닐까 싶었다. 그간 지독하게 굴렀으므로, 솔직하게 말한다면 이 중에서 몇 정도는 처리할 수 있을지도 모른다. 어차피 방탄 소재의 옷들은 이런 전장에서 반칙에 가까운 무장이다.

제대로 된 방어구 없이 맨 몸으로 나서는 무뢰배들 사이에서 날뛰기는 적절하다.

그러나 혼자서 20명에 가까운 손을 당해내기는 아무래도 힘들었고, 민서는 팔을 반쯤 굽혀서 머리 위로 들어올린 채 고요하게 숨만 쉬고 있을 뿐이다.

적막함.

그와는 대비되는 불편함 가운데서 민서가 슬쩍 눈을 감았다가 떴고,

후욱- 하는 도약 특유의 전조음이 들렸다. 민서는 속으로 안심했다. 이제야 왔구나, 하는 생각에.

탕!

이라고 쓰기에는, 조금 차이가 있는 종류의 소음이었다. 평범한 권총이나 소총 종류는 아니었다. 샷건의 탄환이 나가는 것같은 무식한 총성이 들렸고, 민서의 자리에서 잘 보이지 않는 원형의 포위 외곽에서 한 명이 날아갔다. 쿠당탕!

총에 맞으면, 보통 사람은 날아가지 않는다. 그 자리에서 살이 패이며 내부 장기에 상처를 입고 실혈사를 하거나, 쇼크사를 한다. 맞은 자리가 그래도 괜찮은 편이라면 살 확률도 있다.

그런데 발길질에 맞은 것처럼 날아가 허접한 나무 테이블을 밀쳐내는 움직임은 약간의 인지 부조화였다. "우아악!" 탕, 탕, 타탕! 누군가 비명처럼 소리를 먼저 냈고, 총성이 울렸다. 민서는 그 틈에 바짝 바닥에 엎드렸다. 사내들은 저들끼리 모여 있어 함부로 움

직이거나 총을 쏘지도 못했다. 외곽에 있는 몇이 들고 있던 권총으로 갑자기 나타났을 누군가를 겨누고 사격했다.

그러나 나타났을 누군가는 권총의 총격에는 아랑곳하지 않고 계속해서 총성을 만들어냈고, 방아쇠를 당겼다.

최길우는 들고 있는 펌프 액션 샷건을 마음껏 유용했다. 탄창에 들어 있는 탄환들은, 피스메이커라 불리는 종류들이었다. 끝이 뭉뚝한 고무와 같은 재질로 되어 있었고, 사격지에 명중하면 그대로 분해되어 흩어진다. 사람의 몸에 관통상을 입힐 수는 없었고, 대신 강력한 충격력과 저지력을 보유한 종류이다.

그것을 탄창에 끼워 수십 발을 만들고 펌프 액션으로 아무 곳으로나 갈겨댔다. 어차피 고무탄이었고, 유일한 아군인 재머는 자신과 같이 방탄 피복으로 온 몸을 감싼 무장 상태였다.

상대들은 실탄을 들고 있는 와중이니, 사정을 봐줄 이유나 필요는 없었다. 길다란 소총 정도의 크기의 단순한 형태를 하고 있는 물건을 견착도 하지 않고 적당히 배 즈음에 가져다 대고 마구잡이로 쏘아댔다. 두껍고 질긴 것으로 받쳐 입은 터라 나름대로 충격을 완화해준다. 그렇게 갈겨대면 최길우라 하더라도 총 끝이 다소는 흔들리지만, 어차피 몇 걸음 거리에 사람밖에 없는 장소였다. 뒤로 날려버리고 밀어낸다고 생각하면 적절한 사격법이었다.

쾅, 쾅 쾅! 이라는 표현이 더 맞을 지도 모르는 샷건의 총성이 연이어서 들렸다. 권총으로 소극적으로 대응을 했으나 샷건의 소리가 더욱 빠르고 강했다. 얼마 지나지 않아 외곽부터 사람들이 파헤치듯 날아갔고, 최길우는 스텝을 밟듯이 재빨리 움직이며 상대의 근거리로 파고들어 총구를 바로 앞에 두고 사격을 했다.

손 한 뼘 거리 정도를 총구에서 이격시켜 상태의 몸통이나 어깨, 허벅지 따위의 부위들을 갈겨댔다. 특별히 급소에 얻어맞지 않는다면 단발의 살상력은 없는 탄환이었다. 마치 만화나 영화의 CG처럼, 건장한 사내들이 우습게도 뒤로 날아가 엎어졌다.

샷건으로 대강의 사내들을 날려버리며, 지루했는지 한 손으로 샷건의 총구 즈음을 잡고 그대로 돌려 뭉툭하고 묵직한 목재 손잡이로 몇 사람인가의 머리나 어깨 정도를 후드려 팬다. 최길우가 작정하고 배트처럼 휘두르는 총의 위력이 차라리 피스 메이커 탄환보다 더 과격한 종류였다.

사내들이 달려들어 포위를 하려고 하면, 다시 샷건을 쏴서 거리를 벌렸고, 다시 주춤거리며 권총을 쏘려 손을 들어 올리면 그들부터 먼저 쏘았다.

탕, 타탕! 그럼에도 대담하게 권총 사격을 하는 이들이 있었지만 유의미한 저지력을 발휘하지는 못했다. 일순간 행동이 멈추는 와중에도, 최길우는 방아쇠를 당겼다. 쾅!

몇 사람 남지 않자 그대로 달려 들어 앞발로 밀듯이 차서 날려버렸다. 겨울, 중국의 남부 휴양지. 그리 껴입지 않은 추레한 몰골, 혹은 도리어 양복 따위로 차려 입은 범죄 조직의 일당들이 바닥에 사이 좋게 패대기 처졌다.

"으아아아악!"

발악을 하듯이, 혹은 공포감을 느끼듯이 누군가 권총으로 최길우의 머리를 노리고 쏘았다. 탕! 그러나 풀페이스 헬멧은 흠집 하나 남지 않았고, 최길우는 그대로 탄환의 위력에 잠시 밀려나 자리에 멈추었다가, 그대로 샷건의 총구를 슬쩍 내려 자신을 쏜 이의 몸통을 노려 쏘았다. 쾅! 하는 소리와 함께 마지막 사내까지 말을 잃었다.

신음같은, 으스스한 소리만이 실내 창고에 남았다. 먼지가 그득한 창고 바닥에 엎드린 채 있던 민서가 주변의 과격한 소음이 멎은 걸 느끼고 슬쩍, 상체를 일으켜 주변을 둘러 보았다.

"다 끝났습니다."

끙끙 앓는 양 십 수명의 중국 조직 폭력배들을 널브러뜨린 채 최길우가 말했다.

그들은, 임무 중에 의외로 넝쿨처럼 얽혀 있는 인신매매 조직들을 하나하나 때려잡고 있는 와중이었다. 이런 일들이 점퍼 조직만이 할 수 있는 건 아니었지만, 엘리트 전투 요원의 일정이 허락하며 또 그렇게 큰 기회 비용이 들지 않는다면 얼마든지 할애 받아 하게 되는 임무이기도 했다.

이런 식으로 손이 닿을 때 정기적으로 소탕을 해주어야, 결국 사회 전반적으로 범죄로 인한 압박감이 줄어들고 치안률에도 다소의 반등이 있을 것이다. 어설프게 손을 댄다면 일시적인 악화를 불러올 때도 있었으나, 점퍼 조직은 오래도록 확실하게 사후 처리를 할 만한 의지와 능력이 있는 이들이었다.

민서는 어쩐지, 최길우와 있을 때는 늘 비슷한 양상을 보인다는 생각을 하면서 자리에서 몸을 털며 완전히 일어섰다. 팀원이 마음 놓고 날뛸 수 있도록 얌전히 숨는 것도 필요한 일이다.

“그… 왜 그랬습니까?”

민서는 툭툭, 몸 이곳저곳에 묻은 먼지를 떨어내며 물었다. 아직 현장 상황에서 완전히 벗어난 것은 아니라 여전히 헬멧은 벗지 못한 상태였다.

"음? 뭐가 말입니까."

최길우가 짐짓 모른다는 듯 시침을 떼며 마구 부려먹은 샷건의 탄창을 갈아끼고 간단한 점검을 하고 있었다.

"아니, 사람을 이런 악의 구렁텅이같은 소굴에 내버려두고 그냥 달아나다니. 제대로 된 심장을 가진 사람이 할 짓입니까? 연약한 제가 걱정되지도 않았어요?"

최길우가 보기 좋게 얼굴을 일그러뜨렸다.

"어……."
"어?"

김민서가 드물게 인상을 찡그리고 있는 모습을 보자 최길우가 많은 것을 느낀다는 듯한 표정으로 고개를 끄덕였다.

"어."
"어어?"

가볍게 긍정을 하자 김민서는 순간 반 즈음 농담으로 했던 일에 울컥해서 날아차기를 시도했고, 그대로 발밑에 널브러진 어느 조직원의 팔목을 밟고 앞으로 넘어졌다.

최길우는 어느 몇 명의 조직원에게 확인 타격을 입힌 김민서를 보며 조용히 얘기했다.

“음. 일단 여기 현장은 대강 정리가 되었으니… 외부로 넘기고 또 돌겁니다. 오늘은 일단 쉬죠. 이번 주내로 다 정리할 것 같습니다.”

바깥의 시간은 오후였다.

짧은 폭력배 소탕이 끝나고, 그들은 본부로 귀환했다.

*

겨울 날.

은 손이 시리다.

말단 뿐만 아니라, 몸의 전체가 차가운 한기 때문에 움츠러들고 아무래도 움직이기조차 부담스러운 계절인 것이 사실이다.

만물이 멈추는 듯한 추위 속에서, 뇌까지 얼어버리는 건 아닌지. 아무래도 굼뜬 몸에 영향을 받는 것이 분명했다.

어느덧 2월의 중순이었다. 2023년 2월 14일. 화요일. 오래도록 코트나 패딩 점퍼를 입고 다니고 계속되는 한파가 지긋지긋해질 무렵.

방구석에서 책을 읽으며 사색에 빠지기에는 또 적당한 날씨라지만 외부 일정이 아예 없을 수가 없는 것이 또 사람이 사는 일이었다. 오늘 있을 일도 꽤나, 중요한 것이라서 그녀는 추위를 뚫고 밖에 까지 나와야만 했다.

만나는 사람은 그렇게 색다를 것은 없는 인물이었다. 늘, 종종 보고는 하는 녀석.

그동안 서울은 시끄러웠다. 신문에 대서특필이 되고, 온갖 뉴스에서 하루종일 같은 얘기만 한 동안 반복할 정도로 말이다. 심지어 다른 나라들에서도 한국에서의 일에 관심을 갖고 보도했다.

그런 와중에 수정은 무사히 졸업을 위한 준비들을 마쳤고, 사회로 한 발자국 걸어 나가야 하는 시점이다. 여전히 취업의 문턱은 높았다.

그러나 삶에 있어서 여러가지 있을 문턱 중 하나는 넘으려 했다.

만나는 지겨운 인물과도 관계가 깊었다.

어딘가에서 또 거친 일에 연루가 되어서 돌아다니다 온 것인지, 기운이 빠져 있는 목소리로 통화를 하는 그를 불러내어 약속을 잡았다. 늘 만나는 비슷한 장소이다.

집에서 그리 멀리 떨어지지 않은 동네의 시내, 광장.

롱패딩을 걸치고 청바지에 폴라 니트를 입었다. 그녀는 약속 시간 즈음, 해서 장소로 나갔고 자주 보던 자리에 얼마 지나지 않아 그가 나왔다.

"오, 왔네."

정겨운 목소리다. 굳이 따지자면 여느 때와 다를 것이 없는 목소리였다. 다만, 그녀가 그렇게 느꼈을 뿐이었다. 목'소리'보다는 말투의 문제일 것이다. 그리고 그것에서 유추할 수 있는 그 안의 감정과, 친밀도의 문제일 것이고.

날이 추웠다. 바깥에서 오래 기다리기엔 무리가 있는 날씨였고. 둘 모두 약속 시간에 거의 정확하게 맞추어서 나왔고, 알맞게 만났다.

눈이 오지는 않는다. 이번 주나 저번 주에 내려서 쌓였던 눈들의 흔적이 아직도 거리나, 도시 곳곳에 남아있다. 약간은 질척한 느낌의 바닥 역시 마음 놓고 걸어 다니기에는 조금 번거롭다.

"그럼, 와 있지. 너는 나보다 일찍 오는 꼴을 본 적이 없는 거 같다?"

그. 그러니까 김민서는 조금 투박하게 헝클어진 머리칼을 매만지며 다가왔다. 오래도록 어디에서 제대로 관리도 못 한 채 돌아다니기라도 했는지. 깔끔하게 씻은 모습이지만 어딘가 눈에 보이지 않는 고생스러움이 얼굴에 묻어났다.

김민서가 답했다.

"미안. 고멘. 용서해줄래?"

"그, 이상한 일본 여배우가 사과하는 영상 본 거지?"

한쪽 눈을 찡긋하며 일본말로 사과를 하는 꼴이 썩 작위적이었다. 그들 사이에서 핸드폰으로 공유하던 웃기는 영상 중에 하나였다. 탁월한 미인 배우가 꽁트에서 사과를 하자 어떤 잘못도 남배우가 넘어 가준다는 투의 개그였다.

김민서가 미인이 아니라는 것도 넘어서,

“왜 남자 쪽이 늦는 건데. 일찍 좀 나와서 기다려주는 모습 연출하면 죽는 병이라도 있니.”

“아니… 나도 어쩔 수 없었어. 전 날 혹독한 짓거리를 당해서 간신히 정신을 차리니 시간이 아슬아슬했단 말이지….”

늦지 않은 것만 해도 칭찬해주라, 라는 투였다. 어쨌든 그런 게 중요한 용건은 아니었으므로 수정은 넘어갔다. 오늘은 해야 할 말, 하려는 말이 있었다.

그녀는 간질거리는 목구멍이 불편하다고 생각하면서 입을 뗐다.

“야.”

“응?”

눈이 마주쳤다. 수정은 민서의 맹한 눈동자를 보자 어딘가 화가 치민다고 느끼면서, 꺼낼 말을 뜸들였다.

“…아냐. 점심 안 먹었지?”

“그렇지. 거기 갈까? 백반집.”

늘 가는 곳이 있었다. 성현대 근처의 대학생들의 절대적인 지지를 받고 있는 맛집. 한결같고 집밥의 아성을 뛰어넘고는 하는 정갈한 반찬이 일품인 밥집이었다. 메인 메뉴들도 싸고 푸짐했고.

"……응."

수정은 괜스레 추운 날, 한기로 뺨이 붉게 달아오르는 것을 패딩 점퍼의 옷깃에 부비어 온기를 찾았다. 왠인지 이상스러운 태도에 민서는 신경이 쓰이면서도, 별 일 아니겠지 싶어 오래도록 생각을 하지는 않았다. 그는 수정을 데리고 근처의 밥집으로 걸어갔다.

*

"맛." "있어."

민서가 먼저 운을 떼었고, 수정이 그것을 받았다.

자주 오는 밥집에서의 일이었다.

반찬들의 맛이 정갈한 편이다. 양도 많을 뿐더러. 아주머니의 손맛은 가끔 허기질 때 먹으면 어머니의 것이라 착각할만큼의 맛이었다.

둘의 입맛 역시 비슷한 편이다. 공유하는 맛집들의 리스트를 주욱 돌아다녔을 때 이미 알던 사실이었다. 웃는 타이밍도 늘 비슷하고. 감정선의 공유나, 정서적인 동일성은 깨나 오래도록 사이를 유지하기 위해서 중요한 요소들이었다.

매일 하찮은 농담을 던지고, 시덥잖은 표정을 짓고 있을 때도 많았지만. 그럼에도 불구하고 크게 변함 없는 태도가 때로는 믿음을 주기도 한다.

그녀는 다사다난함에 대해서 잘 알고 있는 사람이었다. 세상이란 건 결코 평온함만이 주어지는 침대 위의 생활이 아니었다.

가정의 울타리, 누군가가 만들어 둔 사회의 안전망, 따위는 늘 있겠지만 스스로 개척해나가지 않으면 도저히 한 치 앞을 볼 수 없는 고난이 사실 삶의 본래 모양에 가까웠다.

그런 험로를 굽이굽이, 지나가고 파헤치기 위해서 어쩌면 믿음직한 대상일 것 같았다. 눈 앞의 남자는 파트너로서.

어쨌거나 조금 더 알아가고 싶다는 점에서도, 관계의 변화성이 필요할지 몰랐다.

수정은 주변적인 신변잡기들을 나누고, 오늘은 뭘 느꼈고 또 최근엔 어땠는지 이야기하면서 밥을 먹었다.

하려던 이야기의 타이밍을 잡기가 다소 어려웠다. 늘 먹는 식사 자리의 반찬을 집는 젓가락조차 어색해질 무렵.

말이라는 게 이렇게 어려웠나, 생각하는 수정에게 민서가 먼저 입을 열었다.

"최근에."
"응? 응."

제육 볶음을 집어 먹으면서 운을 띄웠다. 수정은 물컵의 물을 마시다 대답했다. 이런저런 생각을 하다가 목이 깊게 잠겨있는 채로 반응해 목소리가 튀었다.
부끄러울 일은 아니었지만 어색해 보였을까 봐 슬쩍 신경이 쓰였다.

"중국에 가 있었어."
"중국? 또 그 일 때문에?"

민서가 하고 있는 일과를 다 꿰고 있는 건 아니었지만 나름대로의 상상은 가능했다. 다양한 장소에서, 다양한 환경의 사람들을 만나는 일이리라. 그리고 아마, 주로 거친 이들을 마주해서 상대하는 경우가 많을 테였다.

"응. 뭐. 조직 전체를 위해서 할 일을 하는 거니까. 한 한달 정도? 연락이 드물었잖아. 만나지도 못했고."

"아 지난 달에."

확실히 1월은 연락이 뜸했다. 빈도 자체는 크게 다르지 않았지만, 대화의 내용이 깊지는 않았다. 무언가에 신경을 쓰고 있는 듯 보였고, 무엇보다 시간이 비면 만나던 것이 지난 달에는 한 번도 만난 적은 없었다.

한 달 24시간을 전부 사용해야 하는 임무였기에 그렇다. 중국 대륙을 약식으로, 대강이라도 훑는 일이었으니 개인의 시간 그 정도가 사용되어서 가능하다면 아주 해볼만한 시도였다. 조직의 입장에서는.

"음. 일단 뭣보다 한국이 그립기도 했고."

신김치 볶음을 집어먹는 손길에서 어딘가 설득력을 가지는 멘트였다. 점퍼들이 포인트와 포인트 사이를 이동시켜 줄 때마다 식자재 따위를 가져왔지만, 그건 식료가 부족한 산간 지방 따위에서 지낼 때의 일이었고 보통은 현지 조달이었다.

시골 지방에서도 그냥 현지 재료로 끼니를 때운 적도 많이 있었고.

"그… 중국 각지를 내가 정해진 지점 별로 찍으면서 시간을 보내야 하는 입장이었거든. 탐문 수색같은 거나 비슷한 건데 따지고 보면…."

수정은 고개를 끄덕이며 들었다.

"그리고 나서 2월달 들어서 초에는, 갑자기 선배한테 불려가서 현장 임무에 같이 끼어서 돌아야 됐고. 그것도 중국."
"거기서 일하다 보면 세계 여행은 원없이 하겠구나."

수정은 얼추 식사가 끝나갈 즈음이었다. 민서도 배가 거의 차기는 했다.

"응. 그런 거 같아. 진짜로. 그런데 뭔가를 둘러볼 여유는 전혀 없던데. 내가 느끼는 건 대부분 차가운 바닥의 감촉이나, 폐공장의 구석에 쌓여 있는 먼지 구덩이의 냄새 같은 거야."
"어… 상당히 구체적이다?"

농담이라고 듣기에는 퍽이나 실감나는 감상이었다. 조직에서 어떤 취급을 당하고 있는 것인가. 수정은 살짝 불쌍해졌다.

"악의적인 대우를 받는 건 아니고. 현장이 위험하니까 어쩔 수 없지. 조심하다 보면."

민서는 굳이 입 밖으로는 꺼내지 않고, 말하면서 손으로 총을 쥐는 모양을 하고 검지를 까딱거렸다. 총알에 맞는 것보다는 바닥을 구르는 게 낫다는 설명이었다.

"아무튼. 멀리 떨어져서 돌아다니는 동안 보고 싶더라고."
"응."
"응?"

수정이 자연스럽게 말을 받았고 민서는 자신의 말이 제대로 전해지지 않았는가, 해서 반문을 다시 했다. 그녀는 잠시 다른 생각을 하다가 이야기를 놓친 모양이다.

민서는 의도를 전달하기 위해 단어를 골라 말을 건넸다.

"보고, 싶더라고."
"응."

뭐를? 하는 눈빛으로 민서를 처다보는 수정을 그 역시 바라보았다. 똘망똘망한 눈빛으로 밥상을 앞에 두고 2초 정도 그러고 있다가 다시 입을 연다.

“보고 싶었다고.”
“으응?”

수정이 영 감을 잡지 못하겠다는 표정으로 다시 그를 바라보았다. 뻔뻔하게 별다른 감정을 드러내지 않는 표정이 얄궂고, 민서가 볼 때 슬쩍 장난기가 서려 있는 것 같았다.

민서는 어느새 헤실, 거리면서 웃는 그녀의 얼굴빛에 눈가를 좁혔다.

“아무튼.”
“아무튼 뭐.”

헤헤, 웃는 그녀에게 민서가 다시 말했다. 여러 번 다시 듣고 싶어하는 것 같으니, 한 번만 말하고 마무리 짓는게 편해 보였다.

“너 생각 많이 났어.”

수정은 말하는 그를 빤히 처다보고만 있었다.

"그리고 거기서 좀 더 생각해봤는데, 좀 더 많이, 같이 있고 싶더라. 깊이 알고 싶고. 지금에서 더. 정식으로."

민서가 말을 마치자 이번에는 수정이 눈매를 찡그렸다. 표정을 감추는 건지, 속을 알 수 없는 낯빛이었다. 확실한 건.

"백반집에서."
"…어?"

민서가 그렇게 보이지 않아도 답잖게 쫄리는 심장을 감추고 있을 때, 수정이 답했다.

"밥먹다 하기에는 너무 무드가 없는 말인거 아냐?"

그녀는 방금 전까지 자기 조차도 백반집에서 어떤 말을 꺼낼까, 고민했던 일을 잊었다는 듯이 핀잔을 준다.

*

"좋아."

라고 그녀가 말했다.

민서는 덜컹, 하고 심장이 내려앉는 기분이었다. 좋은 의미로였다. 사람은 너무 기뻐도 심장을 주체하지 못할 때가 있었다.

"그러니까,"

민서가 뭐라고 다급하게 하려던 말을 막고 수정이 이야기했다.

"그러니까."

거기까지 말했을 때, 민서는 문득 주변을 인식했다. 별달리 특별한 단어를 쓴 적도 없었고, 목소리가 크다고 생각되지도 않았다. 대화 내용이 일상과 사회에서 크게 벗어난 것도 아니었다.

그런데 주변의 촉각이 온통 자신들이 앉아 있는 테이블로 집중되어 있는 것 같은 느낌을 받았다. 왜인지 분위기가 백반집 답잖게 고요한 부분이 그랬고, 민서가 슬쩍 옆으로 고개를 돌렸을 때 이쪽을 바라보다가 눈길을 피한 한 남자 손님의 모습 때문에 더욱 그러했다.

아니 어쨌든, 민서는 현재의 대화에 집중했다. 나름대로 중요한 이야기를 하던 중이었다. 한 인간의 진솔한 선택과 분기점의 순간이다. 다른 이들의 시선도 시선이지만 조금 더 온전히 집중해도 좋으리라.

"좋다고. 나도. 너."

그녀 역시 사실은, 가까스로 가다듬어 꺼내는 말들이었다. 개의치 않는 다는 듯이 떨림도 없는 말투의 기색이었으나 떠듬떠듬, 쉼표를 찍어가면서 입 밖으로 내는게 정말 그러했다.

이번에는 민서가 수정을 잠깐 말없이 처다보았다. 말을 꺼내기 전에 그의 표정에서 수정은 마음이 들리는 것 같았다. '정말?'이라는 뜻이었다. 김민서로서 드물게 동그랗게 뜬 눈은 말이다.

그녀 역시 잠깐 그의 눈을 말을 꺼내지 못한 채 바라보았고, '정말'이라는 대답으로 들은 그는 평생 꺼내본 적이 없는 수준의 환한 웃음을 지어 보였다.

*

"허허허허허."

홍인수는 왜인지 슬쩍 짜증이 나서 눈매를 찡그렸다.

그들은 오랜만에 정기적으로 갖는 실내 훈련을 재개해서 훈련실에 자리하고 있었다. 만나자마자 복잡하게 이야기할 것도 없이, 곧바로 보호 장구들을 착용하고 트레이닝을 실시하려 한다.

물론 피교육자는 김민서였다. 둘 뿐인 자리에서, 김민서는 드물게 감정을 드러냈다. 어지간하면, 살아 있는 놈이 맞는가 싶을 정도로 속내나 개인적인 감정의 기색을 잘 드러내지 않는 사내였다, 김민서, 재머는.

홍인수는 그런 그를 보며 나름의 단단함인가 싶다가도, 단순한 둔함처럼 보이기도 했다. 그러다 오늘은 무슨 일인지 드물게 웃고 있었다. 그것도 히죽거리면서 아주 만면에 밝은 미소를 띄우고 말이다. 어찌 된 일인지. 제자의 개인 생활이야 조직 생활에 지장이 없다면 아무래도 좋은 것이었지만. 홍인수는 어딘지 모르게 짜증을 불러 일으킬 정도로 해맑은 그를 보면서 평소보다 강도를 조금 올려야겠다고 생각했다.

"무슨 좋은 일 있습니까?"

줄어들 줄을 모르는 기쁜 기색에 기어코 홍인수가 대련 시합에 들어가기 전에 물어보았다. 김민서는 아뇨, 라고 답하며 고개를 저었지만 무언가 중요한 일이 인생에서 있었던 모양이다.

"어지간히 기쁜가 본데. 그 마음이 훈련에 도움이 되면 좋겠군요. 갑시다."

홍인수가 마주 선 채로 손가락을 까딱거렸다. 그는 유도나 태권도의 도복처럼, 질긴 천에 품이 큰 헐렁한 옷을 입은 것이 다였다. 따로 방어 장구는 착용하고 있지 않다. 그의 몸에 유의미한 타격을 입힐 수 있는 건 그야말로 극소수의 인원들이었다.

일반적으로 메이저한 매스 미디어에서 각광받는, 최고 수준의 격투기 선수들이 아마 그럴 것이다. 홍인수는 자신의 재능을 필요한 곳에 헌신한, 나름대로 깊고 투철한 사명감을 갖고 있는 자였다.

여기저기 보호대와 헤드 기어까지를 착용한 민서가 기민하게 움직였다. 자세를 낮춘 뒤 빠르게 파고드는 움직임에 나름의 노련함까지 보일 지경이다. 정면으로 가지 않고, 발을 바꾸어 측면으로 파고든다. 팔과 손은 엉거주춤, 머리 부위를 방어하는 가드 자세를 잡고 있다.

마냥 붙는다고 딱히 수가 나오는 건 아니었지만 거리를 벌려도 할 수 있는 게 있지는 않았다. 민서는 거침없이 도전하는 걸 즐기는 편이었다. 고작해야 훈련이었고, 또 죽을 일도 없었기에.

홍인수는 그렇게 다가오는 김민서를 바라보다가, 타이밍에 맞추어 제자리에서 순식간에 발을 빼고 허리를 틀어 채찍처럼 그 몸째로 후려 쳤다. 맞는 김민서의 입장에서는 거대하다고 느껴질만큼 강한 발차기였다. 가드 째로 충격을 받아 김민서가 뒤로 세 바퀴즈음 굴렀다.

나름내로 자세를 취했는데도. 도복 사이로 보이는 몸의 윤곽은 탄탄한 체격을 보여주고 있었다. 양복 따위를 입으면 그렇게 드러나지는 않지만, 실제로 재어 보면 은근히 체격이 크고 몸집이 있는 편이었다. 그리고 그 대부분의 속내가 강한 근섬유로 채워져 있었고.

갈고 닦은 기술도 최정상의 것이었다. 가끔, 이게 같은 사람인가 싶을 정도의 자세나 운동 능력을 보여주기도 한다.

그럼에도 불구하고 민서는 달려들었다. 그런 차이가 무의미한 지경이다. 애초에, 아무것도 모르던 시절부터 그는 나동그라지고 달려들고를 반복했다. 고작해야 훈련일 뿐이니, 거칠 것은 조금도 없었다.

홍인수가 천천히, 그러나 멈추지 않고 저벅저벅 걸어가 자세를 잡지 못하는 김민서를 발바닥으로 내려 찍으려 했고, 그에 맞추어 간신히 충격에서 벗어나 김민서가 뒤로 일어서며 피했다.

홍인수가 조금 더 속도를 내며 풋워크를 밟았다. 두두두두, 김민서의 귀에는 그렇게 들렸다. 돌진을 하는 육상 동물의 발굽 소리처럼 위협적으로. 순식간에 거리를 좁힌 홍인수가 몸을 슬쩍 흔들듯 비틀며, 각도를 잡아 그대로 주먹을 꽂아 넣었다.

아, 그가 차고 있는 유일한 보호 장구가 그리 크지 않은 복싱 장갑이었다. 두툼한 글러브는 물론 김민서를 보호하기 위함이다. 글로브와 장구 너머로 강렬한 통증이 느껴졌다.

욱.

약간은 비틀대듯 섰던 그의 왼쪽 옆구리에 들어간 주먹은 망치로 몸을 때리는 것과 비슷한 기분이었다. 그의 몸이 충격 때문에 슬쩍 밀렸다. 김민서는 차라리 그대로 뒤로 더 뛰었다. 그대로 바닥을 구르듯이 짚으며 다시 일어났고, 홍인수는 잠깐을 기다려 주었다.

너무 다그치듯이 압박하고 몰아쳐서는 애초에 훈련이 진행조차 되지 않는다. 물론 처음에는 그렇게 했지만, 지금은 다소 서로의 교환을 전제로 하는 훈련이었다. 공격을 주고 받고, 피하고 방어하고, 반격하는 법을 익히는.

그러나 김민서가 올바른 답을 찾아내지 못한다면 길게 기다리지는 않고 어김없이 먼저 다가선다. 교관으로서 그의 인내심은 그리 길지 않았다. 적어도, 단기적인 당일의 훈련 중에는 말이다. 홍인수는 실전에 가까운 극한의 상황이 실전에서 먹히는 능력을 길러낸다고 믿는 편이었다.

김민서는 다시 거리를 좁히며, 가드를 올리고 몸을 굽힌 채 복싱의 풋워크처럼 다가갔다. 홍인수가 가볍게 반 걸음 뒤, 오른쪽으로 움직이며 김민서의 타격 타이밍을 기다렸다가 타점을 흐트러뜨린다. 그러나 김민서는 상체를 움직여 주먹을 쓸 것처럼 해놓고는, 홍인수가 뒤로 빠지자 마자 점프를 해서 달려들었다.

훌쩍 뛰어 넘어 홍인수의 복부에 다이빙을 하듯 날아 무릎 정도를 꽂아 넣으려고 굴었다. 무에타이의 동작과도 비슷한 움직임이었다. 홍인수나 리시버가 그러하듯, 순간적인 동작 전환과 빠른 공격을 해내려 했던 것 같지만 아쉽게도 몸이 따라주지는 않았다.

기습을 하려는 자세로 바꾸는 사이 시간이 너무 길었고 느렸다. 홍인수는 그걸 기다리지도 않고 몸을 뒤로 접듯이 상체를 눕히며, 그 반동으로 왼발을 앞으로 들며 강하게 뻗었다. 체중을 실어서 그의 왼쪽 신발 밑창이 민서가 끼고 있는 헤드기어 위를 밀듯이 찼다.

퍼억-! 하는 소리가 들린 것 같았다. 민서는 헤드기어 안쪽에서 직접 충격을 받지는 않았으나 살벌한 소리와 함께 뒤로 나동그라졌다. 아니, 분명히 앞으로 뛰었는데? 비정상적인 괴력이었다. 홍인수가 발휘하는 것은. 어린아이와 어른의 싸움과도 같이 무너진다.

홍인수도 건장한 체격을 밀어내는 힘을 발휘하기 위해서 손쉽게 구는 것은 아니었고, 나름대로 온 몸의 탄력과 체력을 다 이용하는 일이기는 했다. 그렇게 해도 민서보다도 훨씬 오래 싸울 수 있다는 점에서 결과의 차이는 크게 없었지만.

김민서는 그대로 옆으로 굴러 일어났다. 결국 이것의 끊임없는 반복에 가깝다. 홍인수와의 싸움은. 그러나 계속 하다보면, 언젠가 긁히는 날이라도 있을 것이다. 그런 훈련이었다. 저런 상대와 마주하다보면, 사실 그 아래의 능력을 가지는 이들과의 싸움에서는 아주 대담해질 수도 있는 법이었고.

민서가 다시 달려들었고, 홍인수가 가벼운 발걸음으로 태클을 피했다.

*

겨울. 꺼내 둔 날붙이의 칼날이 차갑게 식다 못해 어는 게 아닌가 싶을 시기였다, 원래는. 한국이나 여타 북부 지방에서라면 말이다.

송일우는 비교적 온건한 기후의 지방에 있었다. 미대륙 남부. 따스한 기온이 겨울철에도 지속되는 곳이었다.

그는 그곳에서 손 한 뼘 만한 길이의 단검을 들고 있었다. 군용 나이프, 라고 불러야 할만한 모습의 그것은 그가 가장 애용하는 길이감의 무기이기도 했다. 어지간한 상대는 근접전에서 이런 도구 하나만 있다면 모두 상대가 가능했다.

-크르르릉.

그래, 상대가 괴수라고 해도 말이다.

그가 앞에 둔 것은 그야말로 괴수라고 불러야 할 만한 것이었다. 미국 남부의 어느 시골 마을. 동물들을 싣고 동물원과 동물원 사이를 오가던 수송 트럭이 사고를 내고 전복되었다. 가까스로 중상자나 사망자는 없었지만, 트럭의 수송 컨테이너가 충격을 받으며 잠금 장치가 풀렸다.

그리고 내부에 있던 거대한 숫사자 한 마리가 그대로 탈출을 했고, 그것이 끊임없이 움직여서 사람들이 사는 인근의 시골 마을까지 도달했다는 이야기였다.

패닉에 빠진 수송 업체의 운전사와 인근 마을의 행정 조직들은 구원을 요청했고, 생각보다 더 날래고 용의주도한 짐승의 움직임에 결국 점퍼 조직에서 일 손이 남던 한 명이 파견이 되었다.

송일우는 시골 마을의 외곽, 사람들은 전부 다 문을 걸어 잠그고 내부에 대기하라는 지시를 내린 채 홀로 야외에 있었다. 햇볕이 내리 쬐는 따사로운 날씨에, 멀리서 모래 먼지 따위가 불어오는 그런 그림이었다.

황야에서 사자와 대치하는 한 사내. 글로 풀어 적는다면 나름대로 멋이 있을지 몰랐지만, 실제로 마주하는 송일우의 입장에서는 낭만감따위는 찾아볼 수 없는 현장이었다.

제압용의 총을 쓴다면 사실 생각보다 더 간단한 일일 것이다. 실제로 그리 강한 충격량은 아니겠지만 권총 역시 챙겨 왔다. 연발이 가능하고, 확장 탄창을 끼운 채로 말이다. 그의 재킷 안쪽 홀더에 들어 있었다.

송일우가 손 안에서 펜 정도를 가지고 놀듯이 슬쩍 나이프를 돌렸다. 어차피 지금 입고 있는 옷들은 전부 특수한 소재들이라, 사자의 발톱이나 이빨에도 몇 번은 견딜 테였다. 그 몸체에 깔리기라도 한다면 위험했지만. 강한 충격을 받으면 해당 부위가 경화되며 검도 총알도 투과를 허용하지 않는 부류의 피복이었다.

사자는 위용이 대단하다. 사람의 몇 배는 되는 것 같은 몸집으로 어슬렁, 거리면서 송일우의 시야를 뺏으며 걷는다. 완연한 대치 상태. 짐승과도 어떤 종류의, 전투에 대한 교감이 되는 것 같아 신기하기도 했다. 사람 중 강적을 맞이하는 것과도 비슷한 양상이었다.

송일우는 품 안에 든 연발식 자동권총을 사용하지는 않았다. 대신 허벅지 춤에 넣어 놓은 다른 권총 하나를 꺼내 들었다. 이것 정도면 충분할 것 같았다. 사자의 눈매는 짐승의 것이었고, 보고 있기만 해도 오금이 저리는 종류였다. 송일우는 위압되지 않고 차분하게 움직였다.

사자는 총을 경험한 적은 없는 듯 송일우가 꼼지락대는 모습을 바라보고 있다. 여차하면 달려들 것처럼 성대를 긁어 무서운 소리를 내고는 있지만, 거리가 그래도 조금은 있다. 갑자기 달려든다고 하더라도 총을 쏘거나, 도약을 할 만큼의 시간은 충분한 위치였다.

사자가 어금니를 드러내며 송일우를 포위하듯이 옆으로 걷는다. 그는 그것에 맞춰 시야를 돌리다가, 허벅지에서 꺼내 든 권총을 장전했다. 철컥. 한 손에는 나이프를 들고 있었으나 손안의 움직임이 자연스러웠다. 두 눈은 여전히 사자를 마주하고 있다.

휘이이, 하고 불어오는 모래 먼지가 섞인 바람 따위가 주변을 휩쓸었다. 사자는 아마 다소 굶주린 상태일 것이다. 아직까지 인명 피해는 나지 않았고, 근처를 돌아다니며 짐승 따위를 발견해서 잡아 먹었을 지 모르나 충분하지는 않을 것이다.

송일우는 천천히 그대로 사자의 움직임에 맞추어 팔을 뻗어 조준을 했고, 바로 쏘았다. 탕! 타탕! 사자의 입장에서는 처음 겪어볼 굉음이 들리면서 총탄이 날아갔다.

그것이 반응할 틈도 없이 정확한 사격이 네 발로 걷는 짐승의 어깨나 앞발 따위를 맞추었고, 사자는 통증과 함께 격노하며 달려들었다. 거대한 대형 짐승을 죽이기에 권총은 저지력도 무엇도 다소는 부족했다. 연발식 권총으로 수십 발을 순식간에 갈기지라도 않는 이상. 그러나 송일우는 천천히 움직였다.

다만 점프를 사용했기에, 그의 움직임의 속도와 상관 없이 순식간에 먼 거리로 이동했다.

후욱, 하고 사자가 기세를 바꾸어 달려들기 시작하자 그가 사라진다.

송일우는 허공에 떠 있었다. 약 수 미터 위. 그가 사라지고 사자가 목표물을 잃는다. 그러나 기왕 뻗은 다리의 폭발적인 탄력을 멈추기도 어려웠다. 순식간에 거리를 좁히는 사자의 위로 송일우가 나타난다.

그가 중력의 영향을 받아 그대로 떨어져 내린다. 용케, 사자의 속도를 어림짐작해서 맞추었다. 그는 그대로 나이프를 역수로 감아쥐었고, 허공에서 내려오는 그 위치에 사자가 맞추어 도착했다.

이런 종류의 기예는 점퍼들로서도 하기 어려운 것이었다. 무엇보다 움직이는 대상의 속력을 맞출 수 없었고, 설령 정확한 계산을 해내고 맞기까지 한다 해도 동작을 수행할 고성능의 신체가 없다면 불가능하다.

수직으로 낙하하는 송일우의 아래에 수평 이동하는 사자가 정확히 맞는 지점이 있었다. 사자의 등허리 쪽이었고, 송일우는 그대로 말의 안장에 안착하듯이 하체로 강하게 사자를 찍고 또 힘으로 조이며 착지했다.

그리고 그 힘 그대로를 상체를 숙여 역수로 쥔 것을 날뛰는 사자의 갈기 사이로 찍었다. 헝클어진 천이나 실타래처럼 칼날을 방해했으나, 그것이 너머의 목덜미에 찍혀 들어가는 것까지 막지는 못했다.

장갑을 끼고 있는 손이 거센 반동에 욱신 거릴 정도로 강하게 찔러 넣은 칼날이 사자의 명줄에 닿았다.

목줄기 피부 아래의 핏줄이 지나는 곳을 끊어먹은 칼날로 사자의 숨통이 끊어졌다. 날뛰던 짐승은 그대로 숨을 잃었고, 그 기세 그대로 앞으로 고꾸라졌다. 송일우는 황소의 위에 올라탔던 투우사처럼 덜컹, 하고 크게 날아가 바닥으로 튀었다. 그대로 낙법으로 구르듯이 땅바닥에 안착을 했고, 더 이상 일어서지 않고 황야의 바닥에 대자로 누워버렸다.

"푸후우."

긴장감으로 깊게 머금었던 숨을 토해내면서 말이다.

미국 남부의 햇살과 하늘은 따사로웠고 또 평화롭게 구름이 떠다니고 있었다. 숨이 멎은 사자의 시체를 처리해야 했고, 마을을 통해 관할 행정처나 치안 조직에 연락을 해야 했다. 돌아갈 시간이었다. ***

김민서는 어느 집에 와 있었다.

늦겨울. 얼마 전에는 또 눈이 내렸다. 2월 중순도 지나고 하순이 시작되는 무렵. 길었던 겨울의 끝이 달력 상으로는 보인다.

추운 날씨를 뒤로 하고 저녁 무렵에 초대를 받아 오게 된 식사 자리였다.

겨울의 해는 빨리 져서, 어둔 밤거리를 버스를 타고, 걷고 어쩌고 하며 지나다 보니 도착을 했다.

낯선 곳은 아니었다. 익숙한 자리. 그리고 익숙한 대상이 있는 곳.

그는 입고 온 코트의 깃을 여미며 종종 걸음으로 걸어와 집 안에 이르렀고, 문을 열며 반겨 준 친근한 이의 소개를 받아 집 안 거실의 식탁에 앉아 있는 참이었다.

맞은 편에는 중년을 넘어 장년을 지나는 남성. 네모난 식탁의 다른 변에는 비슷한 나이 또래의 여성이 있었고.

장년 남성의 옆자리에 그가 잘 아는 얼굴이 있었다. 사실, 두 어른의 낯빛도 눈에 익은 것이었다. 오며가며 본 기억이 있었다. 어쨌든, 이 집안에서 가장 익숙한 사람일 그녀와는 오랜 친구였으니 말이다.

고등학교 때부터 이어져 온 인연이었다. 그 전부터 이래저래 투닥거리며 지내면서 놀 때 서로의 부모님을 뵌 적도 있었다.

민서는, 아버지의 옆에 있는 수정을 슬쩍 바라보았다. 그녀는 은은한 미소를 띄우며 그를 처다 보았고. 민서는 아무래도 난처한 기분을 숨기기가 힘들다는 듯 주변을 둘러보았다.

어머니가 마침 비슷한 온화한 미소를 짓고 계셨다. 아, 그래. '여기는 그래도 분위기가 평화로운 집안이구나', 하고 민서는 생각했다.

부모님은 두분 다 정갈한 외모에, 실제 나이보다는 주름이 적은 모습이었다. 안면이 있는 사이였음에도 유달리 오늘은 어색함이 느껴져서, 뭐라고 말을 못하고 반찬만을 집어 먹었다.

직접 하신 건지, 혹은 어딘가 맛집 요리사의 솜씨인지 모를 다양한 종류의 음식들이다. 고기찜, 닭볶음탕, 갖은 전, 나물 무침 등. 식탁을 보면 그래도 문전박대를 당하는 분위기는 아닌 듯한데….

한참을 뜸을 들이던 장년의 남성, 아버지가 입을 열었다. 김성헌이라는 이름의 사내였다. 눈이 크고 눈썹이 짙은. 약간은 희끗한 머리마저 분위기가 있는 편이었다.

"민서 군."

낮은 음색이었지만 듣기에 정다운 면이 있는 목소리였다. 민서는 약간은 안심했다.

"음, 예."

마침 무언가를 뜯고 있던 참이라 입에 있는 것을 삼키고 대답했다.

성현이 그를 지그시 바라보며 말한다.

"음, 우리 집은 기독교 집안이라네."
"어, 네. 들은 적 있습니다."

뜬금없는 말처럼도 들렸다. 어른이 하는 말에 토를 달고 싶지는 않았으므로, 고개만 끄덕였다.

확실히 수정이 종종 얘기한 적이 있었다. 애초에 고등학교에 다닐 때부터 그녀는 일요일에는 교회를 갔고.

제법 친한 친구였던 민서 역시 익히 아는 사실이다. 최근에도 그녀를 보기 위해 그 자신도 갔었고.

"우리 딸이랑 사귄다고 들었는데, 맞나."
"네, 넵. 친하게 지낸 지는 꽤 됐고… 얼마 전부터입니다."

고작 10여 일 정도 지났다. 서로 마음을 확인하고 관계성이 변한 지.

"다른 건 뭐 알아서 잘 할거라 믿는데…. 둘이서 진지하게 긴 관계를 생각하고 있다면 해줘야 할 게 하나 있네."

큼. 에둘러 말하는 말에 수정이 뭔가를 마시다가 기침을 했다.

'무엇인지요, 나으리.' 정도 되는 태도로 민서가 그의 말을 기다렸다. 괜히 많은 말을 한다고 도움이 될 것은 없었다. 특히 어른과 대화를 할 때는.

"자네 집안 어르신들까지는 아니어도."

성헌도 잠깐 말을 멈추더니 뜸을 들였다.

"자네는 이제부터 매주 교회에 출석해서 일요일 예배를 드려줘야 하네. 우리 딸과 사귀고, 더 나아가 진지한 관계까지 염두에 두고 있다면 말이야. 가능하겠나?"

'어…… 예.' 민서는 멋쩍은 표정으로 대답하며 고개를 끄덕였다. 한참이나 뜸을 들이고 긴장을 하던 것에 비해서는, 그리 어려운 일이나 마음의 부담감이 드는 일은 아니었다.

그는 그다지 거부감이 없었고, 그녀를 매주 일정한 장소에서 본다고 생각한다면야 뭐. 불가능한 일도 아니었고, 어려운 일은 아니었다.

단박에 매주, 하루의 일과를 결정해서 철칙으로 삼는다는 게 어렵긴 하겠지만, 결국 본론은 무교에서 개종을 하라는 말일 것이다. 매주 그렇게 하라는 행위에 대한 말은 말이다.

생각보다 단순하게 고개를 끄덕이자 김성헌이 도리어 맥이 빠졌다.

"그럴 수 있겠나? 평생?"
"어, 예 뭐. 그러죠."
"……."

김성헌은 잠깐 말을 잃더니, 곧 푸하하 하고 웃어보였다. 활짝

웃는 모습에 식탁에 흐르던 긴장감이 풀어지는 것도 같았다. 애초에 있었는가 싶었던 위압감이었으나, 웃지 않던 어른이 웃는 것은 그래도 앞 자리에 앉은 젊은이로서는 한결 편안해지는 변화였다.

"시원시원하군. 좋네. 그것만 지켜주면, 허락하지. 둘이 알아서 잘 해보라고. 어쨌든 우리 집안은 기독교를 믿고 있고, 이 집안에 들어올 사위라면 역시 그래야 한다네. 자네 역시 그러리라 마음 먹었다고 생각하겠네. 그래도 되겠지?"

그는 굳이 한번 더 자세하게 말을 건넸다. 민서 역시 그런 말이라고 들었으므로, 한번 더 고개를 끄덕인다.

"아직 그렇게까지는 이르지만...."

옆자리에 앉아 있던 수정이 들릴락말락하게 조용히 말을 덧붙였다. 성현이나 민서는 들었지만 굳이 티를 내지는 않았다. 어쨌든, 어떤 일을 하거나 생각할 때는 마지막까지 염두에 두는 것이 올바른 염려일 것이다.

딸 아이가 남자 친구를 데려왔다고 한다면, 사윗감으로서는 어떤가 한 번 생각해보는 게 아버지의 심정이었다.

"네 뭐. 그런 말씀이신 걸로 새겨 들었습니다."

민서가 조용히 말하자 옆에 있던 어머니가 살풋 웃었다. 아무래도, 환대받고 있는 모양이었다. 사람의 속마음은 알 수 없었지만 적어도 겉으로 드러나는 미소나 표정 정도는 볼 수 있었다. 민서는 누군가의 속내나 기분에 대해서 단순하게 생각하는 편이었고.

"편히 들지. 식탁 앞에서 내가 너무 분위기를 잡았나."

성헌의 말에 민서는 조용히 고개를 저으면서 마저 식사를 마쳤다.

화목한 분위기의 집안이었다.

밝게 켜진 실내등의 광량만큼이나, 어둔 구석도 적고 서로간에 사이가 정겨운. 모든 가정들이 늘 이런 평범한 모습을 가지지는 못한다. 마음만은 뭐 어디나 비슷하겠으나. 삶의 질고가 눈으로 보이는 형태로 들어나 같이 있는 것조차 소원한 가정도 있는 법이었다. 민서의 집은 어떤가, 그는 스스로의 가정에 대해서 생각해 보았다.

이것보다는. 이럴 때도 있었지만 다소는 서로에게 섭섭한 구석도 있고, 소원할 때도 많은 듯했다. 그가 아들로서 살갑게 굴지 못했기에 그럴 수도 있었고. 책임감이 부족했을 수도 있다.

외동 아들로서 영 부모님께 친근하고 싹싹하게 굴지 못했기에 그랬을 수도 있고.

평범한 가정이었다, 그의 생각에는 말이다. 그림에 그릴 것처럼 한 번 다투지 않고 하하호호 사는 곳은 아니었지만. 그래도 강한 끈으로 서로 연결되어 있는.

아무튼 민서는 수정도 마음에 들었으나, 그녀의 부모님에게도 마음에 들었고, 그 역시 두 어른이 인자해 보여 속 깊은 애정이나 존경을 가지기 쉬웠다.

어딘지 이런 평화로운 한 때를 즐기다 보면 괜스레 눈물이 맺힐 것 같은 기분이 들고는 했다. 평범함이란 늘 감사한 일이었다. 그것들을 느낄 수 있는 이들에게는 더욱.

연말연시, 고요한 밤 아래에서 두런두런 정겨운 담소를 나누는 모임은 언제나 추억이 된다. 민서는 서울에서의 친밀한 공동체를 하나 더 얻은 것 같은 생각에 푸근함으로 겨울의 말미를 채워냈다.

*

글라이더Glider라는 사내가 있었다. 조직의 점퍼 중 한 명이었고, 굳이 전투 요원과 비전투 요원을 가른다면 전투 요원이었다.

개인적인 근접 교전 능력이 그렇게 막강한 편은 아니었다. 필요에 의한 호신 정도가 가능한 수준.

그러나 그와 별개로 다양한 임무들을 소화하기 위한 신체적 능력과 적응력은 놀라운 편이었다. 그의 주된 임무 수행 환경은 공중이었다.

점퍼는 위치 좌표만 알고 있다면 어떤 곳에든 침투가 가능하다. 아무리 삼엄한 경비 체계를 만들어낸 요새라고 하더라도, 아무리 두꺼운 방벽으로 주위를 두른 벙커라고 하더라도 말이다. 그러나 반대로 말하면, 정확한 위치 데이터가 없다면 그 곳으로의 침투는 불가능하다.

물론 실물로 거대한 크기의 요새를 볼 수 있다면, 점프의 시도를 이용해 내부 정보를 읽어내는 꼼수로 아주 시간을 들여 침투가 가능할 것이다. 그러나 모든 점퍼들이 그런 수를 쓸 수 있는 건 아니었고, 어쨌든 잘 만들어졌으며 심지어 정보의 제한을 잘 해낸 철저한 요새들은 점퍼 조직의 입장에서도 함부로 들어가기가 어려운 지역들이다.

그러니까, 맵 메이커가 필요했다. 점퍼들이 안정적으로 침투할 수 있게 최초에 요새에 들어가서 내부 정보를 파악할 말이다.

다양한 특작 임무를 동시에 감당해야 하는 까다로운 포지션이었고, 갖은 종류의 기발한 재주들이 필요한 일이었다.

그리고 그 대부분의 방법들은, 점퍼 조직과 연관된 기술 개발소에서 만들어 낸 특수복과 기구를 이용해 공중에서 침투하는 일이었다. 레이더 상으로 흔적이 남지 않는 스텔스 기술의 무동력 글라이더를 이용해 중력과 대류를 따라 주욱 내려간다.

하늘에 자유로운 궤적을 그리며 아래로 뻗어나가, 지붕이 없는 요새라면 그대로 침투해 들어가고, 점프를 이용해 내부에서 활동을 개시한다.

가슴께에 부착하는 작은 비쥬얼 로그 장치를 이용해서 360도 전경의 맵 데이터를 조직으로 보내고, 실시간으로 3D맵을 제작한다.

그 과정에서 다양한 보안 기기나 사람들의 눈에 걸리지 않도록 은밀하게 행동하면서 빠져나오면 되는 일인데, 보통은 불가능하고 상상 속에서나 가능한 난이도의 임무였지만 점프를 사용할 수 있다는 점에서 생각보다 가능한 일로 바뀌게 된다.

천장이나 빈틈이 없는 외벽이 있어 일반적으로 뚫고 들어갈 수 없는 환경이라면, 폭약을 비롯한 다양한 기구들을 사용해서 침투를 한다. 물론 흔적이야 남지만 단기간 내에 내부 정보를 얻게 된다면 이후의 임무가 훨씬 수월해지는 게 당연했다.

어느 독재 국가의 비밀 요새나 선진국 진영에서도 타국의 간섭을 받지 않고 만들어 둔 벙커들 따위들의 내부를 파헤치는게 그의 일이었다.

존 카메론, 이라는 이름의 미국인 남성이었고, 밝고 쾌활한 웃음이 인상적인 붉은 기가 도는 갈색 머리의 청년이었다. 30대 중반의 나이였으나 나이보다는 어리게 보이며, 만나는 이들에게 늘 즐거운 인사를 전하며 신변잡기를 떠드는 습관 때문에 조직 내에서도 친근하게 여기는 이들이 많았다.

리시버와는, 각별한 사이이기도 했다. 주로 그가 뚫어 놓은 요새의 맵 데이터를 통해서 그가 침투를 하거나, 침입 작전에 동반으로 활동을 하기도 했기에.

'마스터'라고도 불리는 홍인수는 주로 온전하게 데이터가 뽑힌 임무 장소에 투입이 되어 마무리 소탕을 하는 역할이었다.

그런 고로, 글라이더는 하늘을 날고 있었다.

*

23년 2월 말, 겨울의 끝자락.

미대륙 유타 주의 황야에는 인적이 드문 넓은 장소가 즐비해 있었다.

사람들의 손길이 영 닿은 적이 없어 보이는 끝없는 황야 지대. 지도 상으로도 별 것이 없다고 나오는 개중 어딘가에는 비밀스럽게 지어진 요새 따위가 있었다.

허름한 목책으로 만들어진 부실한 공간은 아니었다. 나름대로, 협곡 내부에 지어진 규모 있는 장소였다. 번듯한 콘크리트 외벽으로 외부와의 단절을 만들어내고 있었고, 협곡의 틈 사이, 요새의 천장이라 부를만한 곳에는 투명한 유리막이 쳐져 있었다.

유리막의 안쪽에는 황야의 절벽이나, 협곡 내부의 바닥 색깔과 비슷한 톤의 천이 덧대어져 있어서 하늘에서 바라보면 쉽게 무언가 있다고 생각하지 못하고 넘어갈만한 형상이었다.

고층 빌딩 따위에 사용되는 고강도의 유리 소재였고, 수백 명의 사람들이 내부에서 기거할 수 있는 정도의 넓이였다. 척박한 땅. 어딘가에서 자재들과 여러가지 자원들을 조달하는 지는 모르겠지만 뜬금없이 지어진 요새는 실제로 사람들이 기거하는 곳이었고, 쥐도 새도 모르게 어느새 지어져 황야의 한 구석에 자리하고 있었다.

그러나 미국 땅에서 정체불명의 구조물을 만들어 놓고 그것이 들키지 않는 일이란 굉장히 요원한 일이었다. 위성 사진이나, 공중을 가로지르는 여러 비행체에서의 관찰에도 결국에는 걸리게 되어 있었다. 어설픈 위장이 절대적인 안전책은 되어주지 못했다. 당장 하릴없이 미국 국토를 샅샅이 뒤져보거나 하는 인터넷 내부의 폐인들도 많이 있었고.

주 행정부 당국이나, 그에 관련한 치안 조직에 연결이 되어 비밀스럽게 만들어진 요새의 정체가 대강 파악이 되었다.

내부에는 여러가지 고등 종교들이 혼재되고 제멋대로의 종말론주의 사상이 합쳐진 사이비 종교의 신봉자들이 기거하고 있었다.

현대적인 시설 내부에 약 이백여 명의 사람들이 있는 것으로 추정되고 있었고, 대부분은 유타 주의 미국인 시민들이었으며 몇몇은 해외 국적의 인물들로 보였다. 자세한 내부 사정을 알기에는 또한 다양한 절차와 인력 투입이 필요한 일이었고, 외부적인 수사나 추리로 그들이 품고 있는 사상이 지극히 급진적이며 위험도가 높다고 판단이 되었다.

그들 내부적으로도 유혈 사태가 일어날 가능성이 있었고, 시간을 들여 그들의 사상이 깊어진다면 반사회적인 테러 행위의 가능성도 높아 보였다.

근시일 내에 세상에 종말이 찾아오며, 자신들의 사이비 사상을 믿는 이들의 손으로 다른 이들을 이승 하직하게 해준다면 그만큼의 숫자를 내세의 구원으로 보내줄 수 있다는 흐름의 이야기가 그들이 믿는 종교의 내용이었다.

그것이, 단순히 이야기 속의 일이 아니라 진실로 사회에서 그렇게 행동하려 한다는 점에서 지독한 위험성이 있는 부류들이었다.

그리고 그들의 낌새를 얼마간 살펴보다가, 겨울의 끝자락에 대대적인 사건을 일으키려 한다는 정보가 들어온다.

존 카메론은 그런 사이비 종교의 기지가 있는 황야 위를 날고 있었다.

*

황야.

하늘.

아래로는 적색의 대지가 펼쳐져 있었고 위로 까마득하게 푸른 하늘이 시야로 확인할 수 있는 모든 장면을 그려넣고 있었다.

그 가운데 허공. 지면에서 바라보면 까마득한 높이의 고도에 작은 점만한 크기의 무언가가 움직이고 있었다. 제법 빠른 속도로 하늘을 가르는 그것은 사람 정도 덩치의 물체였고 가까이로 시야를 당겨본다면 그야말로 한 사내였다.

특수한 빛처리가 된 수트를 입고 유리같은 투명한 소재의 글라이더의 아래에 매달린 남자였다.

허공을 유영하듯 빠르게 움직이는 그는 바람을 가르며 활강한다. 지금보다 다소 더 고도가 높은 자리에서 시작한 비행은 미끄러지듯 선형의 움직임을 보이면서 낙하한다.

그 목표지는 지상의 한 지점이었다. 주욱- 허공에 긴 선을 가로로 그려내며 움직이는 물체.

특수한 고글과 플라스틱 마스크 따위를 끼고 있었다. 머리까지 가리는 수트가 그의 얼굴만 빼놓고 온 몸을 가리고 있었고.

허리에 채운 고형의 벨트로 글라이더와 연결되어 있었고, 양 손으로 그 손잡이를 조종하면서 방향을 틀고 있었다.

청명한 하늘에 날씨가 좋은 날이었다. 그야말로 비행하기에 좋은 날이다. 기온도 적당하고. 물론 고공에서 고속 활강을 주욱 하고 있다면 다소 추워지기는 하지만, 수트 내부의 체온은 유지되고 있었다.

사람 하나 없는 까마득한 황야의 위를 날면서, 정해진 포인트로 움직인다.

존 카메론.

이라는 이름의 사내였다, 그는. 아무도 없는 공간을 홀로 유영하면서 여행을 한다. 단순한 관광을 위한 비행은 아니었고, 정해진 목적이 있는 여정이었다.

그리 길지 않은 비행이었다. 생각보다는.

왜냐하면, 그가 출발한 지점은 지금 날고 있는 고도보다 조금 더 높은 허공에서부터였으니까.

그는 점퍼 조직의 점퍼로서, 자유롭게 허공을 움직이면서 선형이 아닌 마구잡이로 뛰어넘는 동선을 보이고 있었다. 허공에 갑자기 나타나서 선을 잇다가 어느 한 순간에 사라지고, 다른 곳에서 다시 나타나 이어지는 식으로. 펜으로 그림을 그린다면 어린아이가 무작위로 그려대는 선처럼 보일 것이다.

얼마간 바람을 가르며, 날카로운 대기의 한 가운데로 질주하던 그는 마침내 목적지가 눈에 보이자 방향을 아래로 슬슬 꺾었다.

황야의 어느 협곡 지형. 그 바닥 또한 물도 없이 메마른 계곡이었다. 바깥에서 잘 보이지 않는 거대한 평지의 틈바구니 속에는 대형의 현대 시설이 있었다. 어떤 자금으로 자재를 조달해서 만든 건지 잘 알 수 없지만, 본격적인 본부 기지 시설처럼 보이는 건물이다.

그 위는 주변 광경의 색과 비슷한 것으로 칠해 놓아서 일견 찾아내기 힘들었지만, 정확한 위치를 알고서 온 뒤 바라본다면 그래도 어색함을 금세 눈치챌 수 있는 정도였다.

전체 면적을 바라보는 거시적인 탐색이나 피할 수 있을 법한 눈가림이었다. 존은 자신의 목적지를 발견하고 그리로 날고 있다.

대기를 가르는 압력이 제법 거세다. 알맞은 바람이 불지 않을 때는 점프를 사용해 공중에서 모습을 감추고 다시 쓸만한 자리로 이동을 한다. 점프를 사용하는 시점에 맞추어서, 몸을 뒤틀며 손잡이를 들어 올리면 일시적으로 글라이더를 든 것과 비슷한 상태가 된다.

글라이더의 무게를 자신의 힘으로 지탱하는 순간 즈음에 맞추어서 이동을 했고, 다시 그 물건과 함께 알맞은 방향으로 나타나 활강한다. 그렇게 몇 번을 이동한다.

존의 시점에서 한참이나 먼 곳으로 보이던 협곡이 점차 커져왔고, 어느새 알맞은 위치에 다다랐다. 갈라진 틈새 아래에 기지가 있고, 그 틈새의 위쪽을 넓은 유리천장으로 가려둔 형태였다. 협곡 내부로 글라이더를 이끌고 들어가 그 사잇길의 비행을 할 필요가 있었다.

글라이더Glider, 라는 코드 네임을 가진 점퍼는 자신이 다루는 도구를 마치 제 몸처럼 움직이면서 유연하게 비행했다. 소형의 비행체는 대류에도 영향을 많이 받고, 고속 활강 시 외부 충격으로부터 노출되어 있었지만 베테랑의 손에 기구가 들어간다면 어떤 장소에서도 구애받지 않고 자유롭게 날 수 있는 장점이 있었다.

그가 찾아온 기지에 별다른 대공 감시 체제는 없는 것 같았다. 혹시 전자 레이더 장비가 있다고 하더라도 조직이 만들어낸 첨단 이상의 기술력이 들어간 비행 기구는 스텔스 기술을 포함하고 있었다.

별다른 반응이 없는 기지의 근처로 주욱 내려가며, 그가 협곡 안쪽으로 접어든다.

거친 절벽의 표면과 바뀌는 대기가 그를 반겼다. 양 옆이 거대한 벽으로 막히자 드넓은 하늘에서와 청각적인 느낌도 달라졌다.

적막한 계곡 속. 휘모는 선명한 바람 소리만이 들리는 곳에서 글라이더는 고독한 비행을 이어가며 이윽고, 기지의 코앞에 다다른다.

회백색의 담벽으로 막혀 있는 시설물들의 집합이었다. 높다랗게 지어져 인력으로는 오기 힘든 매끈한 성벽같은 둘레다. 다만 지금처럼 하늘을 날 수 있는 상황이라면 그 내부로 파고들기에 충분한 공간이 있었다.

위로는 유리천장에 천 따위를 덧대어 가리고 있었으므로, 수직 방향의 직사 광선은 막혀서 비교적 어두운 그늘이 져 있었다.

현대 도시의 흔한 병원 건물, 혹은 기숙사 건물처럼도 보이는 5층 내외의 시설들이 다양하게 늘어져 있다. 개중 한 가운데에는 가장 높은 건물이 있었는데, 첨탑처럼 우뚝 솟은 10여 층은 되어 보이는 빌딩이었다.

존은 그 내부로 파고들면서 순식간에 전경을 파악했고, 곧 그가 가슴 둘레에 빙 둘러서 끼고 있는 초소형의 카메라들이 모습을 기록하고 있었다.

성벽처럼 지어진 경계를 넘어 시설물들의 내부로 들어가기까지도 아무런 반응은 없었다. 기계적인 방비는 따로 없는 모양이었다. 그 건물들의 내부에는 어떤 것들이 있을지 몰랐지만.

글라이더는 이름 그대로 미끄러져 들어간다.

그리고 가장 높은 건물의 옥상에, 바람을 타고 들어가 안착했다.

첨탑처럼 생겼다고는 했지만 시설물들 중에서 우뚝 솟은 형상을 비유한 것이었고, 그 옥상은 평범한 건물의 옥상처럼 평평했고 또 넓은 공간이 있었다. 그가 글라이더를 접고 내려앉기에는 충분하다.

휘이익. 하고 바람이 지나치는 소리와 함께 글라이더가 빠른 속도로 그 옥상에 다가선다. 글라이더, 존은 옥상의 위 10여 m위에 다다른 순간에, 그대로 공중제비를 돌듯 선회를 했다.

손잡이를 돌리듯 조작을 하고, 단순한 움직임 뒤에 양 옆으로 벌리자 글라이더의 양 날개가 가운데에 빈 공간을 두며 크게 벌어졌다.

가운데로 벌어진 틈으로 공기가 새면서 순간적으로 저항이 많이 적어졌고, 그는 그대로 몸을 둥글게 말며 체조선수처럼 공중에서 머리를 아래로 치박다가 다시 원심력을 이용해 올라선다.

한 바퀴 도는 동작을 하는데 글라이더의 날개 역시 마치 유연한 망토나 천처럼 성질이 변화한다. 다양한 모드를 가진 물건이었다. 합체가 된 상태에서 빳빳하게 날개 역할을 하도록 경화 모드가 있었고, 안착할 때에 나부끼는 천처럼 구는 모드가 있었다.

그대로 그는 한 바퀴 돌며 점프를 했고, 한 호흡 뒤. 공중제비가 완성될 무렵 그 위치에서 모습이 사라졌다.

후욱, 하는 점프 특유의 소리와 함께 건물 옥상의 위에 그가 자리를 잡는다.

글라이더는 흐물흐물해졌으나 무게가 달라진 건 아니었다. 경량의 소재로 지어졌대도 그 뼈대나 날개를 이루는 천같은 물질 등을 다 더하면 그래도 깨나 묵직한 느낌이다.

그는 그것을 옥상에 멈춰선 채로 익숙하게 말아서, 백팩처럼 만들어냈다. 뼈대나 골격 역시 접이식이었고, 몇 단으로 내부로 접혀 들어가기도 했다. 요리조리 골격을 맞추고 구성 자재를 다 뭉치자 그야말로 배낭같은 모습이다.

그것의 끄트머리에서 작은 끈 따위를 버튼을 누르며 뽑아낸다. 배낭의 어깨끈처럼 주욱 뽑아서 어깨에 걸고, 다시 배낭의 아랫 부분의 버클에 끼워 넣었다.

그리고 답답했다는 듯, 일체형의 수트의 머리 부분을 뒤로 벗겨 내었다. 후드티의 후드같은 것에서 머리를 빼내고 나자 다소 땀에 젖은 머리칼이 후두두 흩어졌다.

검은색 일색의 수트였으나, 몸에 어느 정도는 달라붙고 어느 정도는 다양한 장구류들이 붙기 편하게 만들어진 작업용 바지나 재킷처럼도 볼 수 있는 것이었다.

실제로 다양한 소형 장비를 수납하기도 편했고, 내려앉았을 때 임무를 수행하기 용이하게 만들어진 물건이다. 방탄 소재의 피복으로서 만들어진 것이기도 했다. 글라이더는 아마 조직의 점퍼들 중에서 조직에서 제공하는 기술력의 혜택을 가장 많이 받는 인원 중 한 명일 테였다.

그는 그대로, 고글을 낀 채로 움직였다. 플라스틱 마스크는 다소 숨이 답답해질까 해서 빼서 바지의 허벅지춤에 있는 수납 주머니에 넣어 둔다.

옥상은 별다른 특징 없이 만들어진 콘크리트 건물이었다. 아무런 디자인도 없이 기능미만을 추구해서 만들어진 것처럼 보였고, 사실 깊게 뜯어보면 기능미도 그렇게 풍부한가 싶어지는 단순한 구조였다.

그의 키 높이의 반만 한 정도 되는 높이로 올라와 있는 한 부분이 있었다. 옥상의. 아래로 내려가는 출입구일 것이다.

그는 그곳으로 다가갔고, 은색의 손잡이를 잡아 당기며 건물 내부로 들어섰다.

***

은색의 손잡이를 당기며 건물 내부로 들어섰다.

존 카메론은 용감한 사내였다. 그 안에 무엇이 있을지 모르는 세계로 다가가는데 거침이 없으니 말이다.

물론 이 세상에 다가올 수 있는 수많은 위협들 중에서, 이런 내부의 인위적인 함정들이라면 많은 종류들에 대처 가능하다는 자신감이기도 했다.

그의 경험과 가진 장비, 혹은 점프 능력으로부터 기인하는 것이기도 했다.

약간은 천장이 낮아서 내려가기 불편하게 되어있는 출입구 내부로 계단이 뻗어 있었다. 곧바로 쑥 내려가는 아래 칸의 계단이었고, 그대로 허리를 숙여 밟는다면 곧 허리를 펼 수 있었다. 정상적인 건물의 느낌은 아니었다.

어딘가 급하게 지어진 것처럼도 보이는, 디자인에 있어서 날림의 계획이 들어간 기묘한 공간.

내부는 그리 어둡지 않았다. 당장 내려가는 계단 근처에는 불빛이 없었으나 더 내려가서 통로처럼 보이는 곳에는 전등빛의 잔광이 출입구에서도 보인다. 카메론은 숨을 죽이며 그 아래로 내려간다. 조심스럽게 발을 옮기며 소리조차 내지 않았다.

계단을 이어 내려가서, 마지막 칸에 닿으면 그대로 환풍구처럼 생긴 아래의 구멍이 통로로 뚫려있는 것이었다. 유사시에 옥상에 수많은 사람들이 와서 이용하라고 만든 공간은 아닌 것 같았다. 일부의 사람들만이 이용하는 것처럼, 오가기가 굉장히 불편하게 되어 있다.

환풍구 같은 구멍으로 아래를 보면 철제 사다리가 바닥으로 이어져 있었고, 거기는 밝은 백색 전등이 시야를 확보하는 공간이었다. 탐색자로서 존에게 잘된 일이기도 하지만, 다른 이들도 그를 잘 발견할 것이라는 점에서는 그다지 좋은 점은 아니었다.

무엇이 있을지 모르나, 존은 일단 내려간다. 백날 머리를 싸매고 고민을 해보아야 그가 돌입을 해야 하는 공간들이 변하지는 않는다. 부딪히고, 살아남는 것이다. 결국 함정들에 맞서서 말이다.

물론 최소한의 살핌은 있었다. 존은 자신이 벗어 두었던 고글을 주섬주섬, 허벅다리에서 꺼냈다. 그리고 각도를 잘 비틀면, 유리처럼 비치는 부분이 있었다. 고글을 통로 쪽으로 가까이 대어 비틀어 희미하게나마 내부의 모습을 찾았다. 인적은 없었다. 소리도 아무것도 들리지 않는다.

하다 못해 건물 내부에 있는 기본적인 일상 소음조차 잘 들리지 않는 것 같았다. 환풍 시설같은 것도 제대로 돌아가지 않는 걸까, 라고 존은 생각했다. 그는 일단, 아무도 없음이 확인되자 아래로 몸을 던졌다.

사다리 쪽으로 다리를 내리며 빠르게 안착했다. 타닥, 하고 가까이서 듣지 않는다면 느끼지 못할 만큼 작은 소리와 함께 그가 내려섰다.

주변은 고요했다. 인적이 드문 병원의 복도처럼도 보인다. 하얀색으로 페인트 된 건물의 내부는 전등만이 밝히고 있었고 적막함 그 자체다. 존은 일단 방향을 가늠하며 앞으로 걸어가 보았다.

소리가 잘 울리지 않는 내부다. 내장재를 무엇으로 썼는지는 잘 모르겠지만, 두터운 콘크리트로 공간과 공간 사이의 단층을 두껍게 만들어 냈는지도 모른다. 여러모로 특이한 곳이었다.

사이비 종교의 이름은 '시몬스 종말 교단'이라는 이름이었다. 시몬 마구스라는, 신약 성서에 나오는 어느 사이비 마술사의 이름을 근거로 삼은 하류 종교였다.

시몬의 종말 교단, 이라는 이름으로, 곧 종말이 다가오며 위대한 마술사이자 선각자 시몬이 베푼 가르침에 따라 움직여야 한다는 논리를 가지고 있었다. 그가 베푼 가르침이란, 현대에 이 사이비 종교를 만들어낸 인물이 마구잡이로 첨가한 신비주의에 싸인 마술적 의식들로 점철되어 있었고, 대부분 주변 사회와 인물들에게 피해와 희생을 강요하게 되는 범죄적 행위들의 집합에 가까웠다.

결국 그런 행위들을 통해서 종말을 늦추고, 종말의 때를 예측하다가 되도록이면 많은 사람들을 자신들이 멋대로 만들어놓은 범죄적 제식 행위에 따라 희생물로 삼아야 한다는 법리를 가지고, 그대로 실제 행동을 하는 이들이다.

고대 어느 미개한 사회의 근처에서 활약하며 많은 사람들을 잡아먹은 악마주의나 사이비 종교의 현대판이라고 봐도 좋았다. 현대 사회에서 이토록 대담하게 사람들에게 의도적으로 피를 흘리게 만드는 이들은, 다른 말로 하면 그 수뇌부는 고도화된 사이코패스들의 집단이었다.

그나마 다행인 것은, 그들이 그런 자신들이 제정한 법리대로 이제 본격적인 활동을 실행하기 전이라는 점이다. 교묘한 언변의 사기꾼으로 현상 수배가 걸린 수 명의 인물들이 같이 활동을 하고 있었고, 초기 자본을 이용해 이토록 황무지에 기지를 건설하고 시골 지역의 수많은 사람들을 꾀어 이렇게 거사를 진행하기 위한 때를 노리고 있는 듯하다.

FBI를 비롯해 미국의 정보, 수사 기관들이 자세한 내막에 대해 조금 파악을 하자 비상이 떨어졌고, 가장 빠르고 또 손쉬운 대안으로 점퍼 조직의 존이 이 곳에 온 상태가 여태까지의 설명이었다.

존, 코드 네임 글라이더는 그대로 건물의 내부를 죽 훑었다. 사람들의 인기척은 없었다. 아마 실제로 생활을 하는 이들이 많지 않은, 이용감이 없는 건물이었다. 기지 건물들의 중앙부에 위치한 이것은 아마 제례용의 의미로 만들어진 건물 같았고, 소수의 간부들만이 기거를 하거나 이용을 하는 듯하다.

그저 콘크리트를 쌓아서 만든 것뿐인, 인테리어나 디자인이라고 할만한 것이 없는 삭막한 물건이었다. 내부도 그저 단순한 구조의 반복이었고, 가끔 열린 문을 통해 자재 창고 따위들을 확인할 수 있었다.

최첨단 시설이나 장비 따위가 있지는 않았다. 그가 주목한 것은 다양한 종류의 공구들, 건설 자재들, 그리고 화약이나 총기류, 도검류 따위의 섬뜩한 물건들이었다. 일반적인 화약이나 총기류라면 그도 많이 보는 것이었지만, 어떤 특별한 의미나 사용처가 있는 듯 기이하게 뒤틀려서 만들어진 여러 가지의 날붙이들은 그것만으로 불길한 상상을 도출해내는 모습들이다.

존은 기분이 나빠진 상태로 건물을 돌았다. 그리고, 건물의 아래층, 2층과 1층 무렵 정도에서 사람의 인기척을 확인했다. 그 때부터는 다시 3층으로 돌아가 밀실에 숨었고, 그대로 점프의 시도와 취소를 통해서 느리지만 확실하게 건물 내부의 위치와 인물들의 움직임을 파악한다.

아주 화질이 낮고 렌즈가 작은 카메라로 거대한 범위를 살피는 것이나 마찬가지였다. 일시적인, 사람의 체면적과 비슷한 공간의 형태만을 파악할 수 있는 방법이었으니. 그러나 수십 분에 걸쳐서 그는 끈질기게 반복했고, 대강 대여섯 명의 사람들이 기거를 한다는 사실을 알아냈다.

구조는 모든 층이 다 똑같았다. 용도에 따라서 방을 사용하는 것 같았고, 아래층은 기숙실로 사용하는 듯하다. 누워서 쉬고 있는 사내들이 있었고, 건물 내외부를 왔다 갔다 하는 인물들, 움직이는 인물들이 있었다. 아마 이 거대한 시설의 수뇌부이거나 그와 연결된 간부들일 확률이 높아 보였다.

존은 그대로 살피다가, 사람들이 전혀 찾지 않을 것 같은 빈 공간들을 위주로 점프를 하기 시작했다. 방 안에 오랜 시간 움직이지 않고 머무른 세 명이 있었고, 나머지 두 세 명이 복도나 출입구 근처를 약간의 텀을 둔 채 오가고 있었다. 공실로 비어 있는 곳이 많았고, 복도에도 아무도 없을 때가 많아 보였다.

존은 어두컴컴한 방에 이동을 했다. 그리고, 무언가로 가득 찬 방임을 발견했다. 여러가지 불쾌한 상상들을 떠올리며 물건을 살폈다. 간이 라이트를 수트에 부착돼있던 자리에서 하나 꺼내 들어 미약한 푸른 빛으로 살핀다. 바로 눈앞의 근처 정도를 밝히는 빛이었으나 사물의 확인 정도는 가능했다.

썰렁한 방 내부였다. 다른 사람의 인기척은 살핀 바대로 없었고, 그는 가득 찬 물건들을 더듬는다. 포대 자루처럼 쌓여 있는 것들이었고, 비닐로 싸여 있었다. 그는 가루로 채워진 그것들을 만져보다가 가장 단순한 마약류를 상상했고, 역시 소형의 나이프를 꺼내 내용물을 살펴본 뒤 자신의 생각이 맞았음을 알 수 있었다.

주변을 살펴보니 온통 같은 물건으로 차 있다. 눈 앞에 보이는 것들만 해도 천문학적인 가격이었다. 그는 잠시 머리가 어지러워지는 것을 느꼈다. 어디서 이런 자산이? 단순한 종교 단체의 규모로 생각할 수 있는 양은 아니었다. 반드시 어느 쪽의 대형 조직과 연관이 있었을 것이고, 그는 상당수 이전 해 들어서 소탕이 되었던 미대륙의 범죄 조직들을 떠올렸다.

범죄 조직들은 빠르게 소탕이 되었지만, 그들이 가지고 있던 모든 은닉 자산이나 물자들이 압류된 것은 아니었다. 숨겨두었던 다양한 물건들이 있었을 것이고, 개중에서 기회를 틈타서 움직인 재빠른 자들이 있었다면 주인을 잃은 그것들을 한 군데다 모으는 데 성공한 이가 있었을 수도 있다.

돌고 돌아서, 세계의 여러가지 흐름들 중 범죄자들의 행동 양상의 조류가 여기까지 또 변화를 미쳐서 왔다는 생각에 존은 잠시 서서 상념에 빠졌다.

그리고, 자신이 맡은 일을 어쨌건 즐겁게 마무리하기로 생각을 정리했다. 영 끝이 잘 보이지 않는 듯하는 사회 정의의 실현은 언젠가는 끝이 날 것이다. 혹은, 그러지 않더라도 나아지는 방향으로만 가고 있다고 해도 꽤 나은 일이다.

결국 사람의 인생은 그 사람의 믿음이 결정하는 것이다. 존은, 자신이 믿는 바대로 움직이기로 했다. 어쨌건 이 마약은 여기서 죄다 폐기처분을 해야겠다.

그는 그 방을 더듬어 찾아 출입문을 보았고, 조심스레 열어 복도를 살폈다.

2층 복도부터는 사람이 있는 곳이었다. 그는 대담하게, 그러나 조심스러운 은밀 기동의 본분을 잃지 않고 탐색을 이어갔다. 약 몇 분 정도는 넉넉하게 시간이 있는 듯 보였다. 여러가지 공실로 뵈는 방들을 도약을 사용해 확인하고 내부 구조와 물자들의 리스트를 정리한다.

얼추 가장 큰 건물에서의 일이 끝나자, 그는 다시 처음 도착한 건물의 옥상으로 자리를 옮겨갔다.

그 위에서 주변을 살핀다. 황야 지대 그대로를, 별로 개간도 하지 않은 듯 보였다. 그저 험악한 지형의 땅에 건물을 지을 공간들만을 부랴부랴 평탄화 시키고 빠르게 지어낸 건물들이 여기저기 난립해 있었다.

대학University 건물들이 늘어선 교정처럼도 얼핏 보이는데, 그것보다 더 다양한 모양새의 건축물들이 사실은 전체 조경을 생각하지 않고 지어져 있었다.

대부분 회백색, 흰색의 콘크리트로 그저 지어진 모습들이다. 단층 건물이나, 창고처럼 보이는 것, 혹은 조금 층 수가 높고 넓은 크기를 가진 것. 바깥을 돌아다니는 사람은 없었다. 정해진 종교의식이나 이곳만의 이상한 법률 따위라도 있는 것인지, 인기척이 드러나지 않는 특이한 모습을 하고 있었다.

몇 곳의 건물들을 그는 도약으로 오가면서 살폈다. 가장 큰 건물을 살필 때보다 시간이 많이 걸리지는 않았다. 상세하게 파악하기는 힘들었다. 생각보다 작은 건물들에 많은 이들이 모여 있었다.

넓다랗고 칸막이가 없는 하나의 방 안에 침대처럼 보이는 게 늘어서 있었고 거기에 사람들이 앉아 있거나 누워 있었다.

무료하게 시간을 보내는 것 같은 사람들은, 이따금씩 움직여 화장실 따위를 가는 것 말고는 자리를 지키고 있었다. 수많은 건물들을 돌아다녀 보았지만 그가 살피는 한, 두 시간 동안 거의 유동 인구가 없었다. 수백 명의 사람이 있는 듯하다. 첩보 정보로 미리 브리핑을 들었던 것처럼.

그는 대강의 건물의 도식을 정보로서 파악하고, 일단 이탈하기로 했다. 최소한의 타격 임무나 제압 임무를 할 수 있을 정도의 내부 정보는 갖춘 상태였다.

어느 지상 건물의 어두운 창고 내부에서, 글라이더는 점퍼 조직의 본부로 다시 도약을 해서 사라졌다.

*

"예?"

재머Jammer, 민서는 점퍼 조직의 본부 기지 개인실이었다. 기숙을 하는 공간이니만큼 개인의 집이라고 해도 좋은 곳인 방이었고,

주로 조직 내부의 일이라고 하더라도 멋대로 들어오는 일은 많지 않았다.

잠깐의 호출 끝에 그냥 상대방 쪽에서 점프를 해서 그의 개인실에 찾아왔다. 민서는 이제 막 침대에서 일어나려는 자세로 손님을 맞이하고 대답한 참이다.

그가 들었던 질문의 내용은 별다른 것은 아니었다.

"유타 주에 있는 사이비 교단 소탕 임무에 같이 가겠나?"라는 질문이다.

민서는 이목구비를 크게 확장시키며 되물었고, 질문을 한 그의 선임 리시버receiver는 뚱한 표정으로 그를 마냥 처다보았다.

"그, 시간 낭비할 생각은 없는데 5초 내로 예 아니오를 토해내도록."

같이 임무를 하는 시간이 많아질수록 둘의 관계는 제법 친근해져 가고 있었다. 반말을 할 때도, 약간의 존대 투를 섞을 때도 있었지만 반말을 할 때가 더 많아졌다.

민서는 그저 눈동자를 동그랗게 뜬 채로 리시버가 바라는 대답이 아닌 말을 토해냈다.

"그… 일단 언제 어떤 종류의 일인지…. 일단 강력 범죄 계통일 거고… 위험도는 어느 정도인지…."

리시버, 최길우는 미간을 슬쩍 찌푸리면서 말했다. 가끔 보면 이런 류의 취급을 할 때 최길우도 나름의 장난기를 발휘하는 것 같기도 하더라, 는게 민서의 생각이었다. 지독한 농담을 즐기는 선임이었다. 후임의 입장에서는 말이다. 많은 실전 임무를 뛰고 남다른 전투 능력을 가진 요원인 리시버로서야 농담이겠지만, 심지어 직접적인 점프 능력도 없는 민서로서는 생과 사를 정말로 진지하게 머릿속에서 줄타기 해보아야 하는 결정들이기 때문에.

농담 투를 벗어나 리시버가 친절하게 존대를 써가며 설명을 덧붙였다.

"뭐 그렇게 위험하진 않습니다. 총화기 류를 들고 교전을 벌일 가능성이 있는 상대 인물들이 약 수십 명 단위…. 1, 2개 소대 정도가 되겠네요. 우리는 당신을 포함해서 백업 요원 열에 점퍼 셋이 갈 겁니다. 당신은 백업 요원에 들어가고."

최길우가 씨익 웃었다.

"유타 주는 그래도 남부라고 서울보다는 따뜻한 모양입니다. 봄 되기 전에 나들이나 다녀 오죠."

"……."

뭐, 그를 훈련 시키고 운용하는 건 조직의 일이었다. 아마 충분한 생환 가능성이 보장이 되니까 시키는 일일 테지. 민서는 일단 고개는 끄덕였고, 곧바로 최길우가 말했다.

"좋습니다. 장비 챙겨서 지금 가죠. 오늘이 날입니다."

"예?"

2월 24일, 금요일. 점심 무렵. 민서는 아침을 먹고 간단한 오전 트레이닝 후에 개인 시간을 즐기다가 갑자기 차출되어서 미국으로 떠났다.

***

글라이더가 촬영한 영상 데이터, 위치 정보들은 모조리 메모리에 담겨 조직으로 옮겨졌다.

그것을 기반으로 내부 3D맵이 구현되었고, 점퍼들이나 백업 요원들은 모두 특수한 글라스 고글을 끼고 있었다.

다양한 외부 먼지나 환경으로부터 눈을 보호하는 역할도 하지만, 여차하면 AR(증강현실)기술이나 글라스 자체 패널로 디지털 정보들을 주어 임무를 수월하게 했다.

조직에서 임무에 투입된 점퍼는 엘리트 전투 요원이라고 할 수 있는 홍인수와 최길우, 그리고 글라이더였다. 그 역시 점프를 사용해 전장을 누비면서 백업과 돌입의 중간 전선에서 교전을 벌이는 일 정도는 충분히 해내고도 남는 사내였다.

사이비 교단의 동태는 그간 계속 주기적으로 파악이 되고 있었는데, 몇 주가 지나기 전에 아마 과격한 종교적 행사를 치루고자 하는 모양이었다. 말을 돌려 하자면 그렇게 되고, 단순하게 읊자면 근처 도시나 마을에 가서 무차별적인 총기류 난사를 벌일 작정인 것이다.

점퍼들이 도움을 준다면 내부에 도청 장치나 화면 송수신기를 설치하고 내부 정보를 파악하는 것도 어려운 일은 아니었다.

그들은 정해진 시간에 규율에 맞추어 시설 내에서 움직였고, 정해진 시간에 강설講說시간을 가져 그들의 조직적인 계획을 공유했다. 서울에서는 점심 무렵, 그러니까 오후 1시면 그들이 있는 곳에서는 늦은 저녁이었다. 해당 날짜의 하루를 마치고 이제 인원들이 시설 내부에서 통금 시간을 맞추어 움직임을 자제하고 있을 때, 그들이 돌입한다.

글라이더를 비롯해서, 여러 명의 요원들은 이제 황야의 협곡 근처 평지에 있었다. 근처라고는 해도 눈으로 까마득하게 협곡이 관측될 정도의 거리였고, 불필요한 소음으로 시설 내부의 경계를 키우지 않으려는 조치였다.

여러 명들이 장비들을 착용하고, 개인 화기 혹은 임무에 쓰일 다양한 물자와 자재들을 휴대용으로 만들어 손에 들었다. 자신의 손으로 무게를 감당할 수 있는 만큼만 점프로 이동이 가능하다는 점에서 어쩔 수 없는 모습이다.

야외의 외벽 내부, 시설물들 근처에 설치된 영상기기가 그들에게 현황을 전송해주고 있었다.

늦은 저녁, 야외에 있는 인물들은 아무도 없었다. 그들이 돌입한다.

"이 쪽으로."

백업 요원들은 보통 서구권의 엘리트 용병이나 특전사인 경우가 많았다. 민서도 그들 사이에 끼어 있었다. 전투력이나 경험은 비교가 되지 않았지만, 현장에서 점퍼로서 능력을 발휘하는 건 아니었기에 분류상 비점퍼 요원들과 같이 움직인다.

대부분의 의사 소통은 영어로 이루어졌고, 민서도 간단한 말 정도는 알아들을 수 있었다. 먼저 각자의 무장을 마친 상태에서 글라이더가 손짓을 했고, 백업 요원들은 익숙하다는 듯 그에게 다가갔다. 다른 이들도 준비가 끝난 홍인수와 최길우에게 가까이 간다.

밤, 평야, 그 중에서도 황야. 고즈넉한 사막의 정취 아래 있는 그들을 밝게 빛나는 별들이 비추고 있었다. 사람이 얼마 없는 이런 황무지에서 자연은 더욱 더 빛을 발하게 마련이었다. 마치 쏟아질 것같은 은하수들이 그들의 행보를 지켜본다.

모래 먼지가 섞여 불어 오고, 제법 추운 기온이었다. 무엇 하나 바람을 가릴 곳이 없는 개활지에 햇빛조차 사라지니 추위가 상당하다. 온갖 기이한 모양들로 깎여 나간 기암괴석들이 형태를 뽐내고 있었고, 저 멀리로 땅이 푹 꺼진 흉터처럼 생긴 협곡이 존재한다.

협곡은 아래로 주저 앉았기에 멀리서 한 눈에 보기는 어려웠다. 어쨌든 정확한 위치는 알고 있다. 지프 차 몇 대에서 주섬주섬, 무언가를 부지런히 꺼내고 옮기고 한 동안 준비를 마친 이들이 움직인다. 먼저 글라이더에게 다가간 두 명의 건장한 용병에게, 글라이더- 그러니까 존이 양 손을 펼치며 어깨에 손을 대었다. 용병들은 갖은 장구류를 착용하고 짐이 한 가득이다. 그리고 한 명은, 글라이더가 들어야 하는 짐 또한 들고 있었다.

그가 한 손을 짐을 드는 데 사용 한다면 점프 횟수를 낭비하게 되는데, 그러느니 그냥 한 사람이 잠깐 헬스를 하듯 무게를 감당하는 게 훨씬 효율적인 것이었다. 후욱, 하고 그들이 황무지에서 사라졌다.

어두운 밤. 지프 차의 불빛 정도만이 그들을 비추고 있었다. 10명의 인원 중 한 명은 민서였고, 나머지 진짜 용병과 특전사 군인들은 아홉이다.

곧이어서 홍인수와 최길우에게 다가간 이들도 곧 모습을 같이 감추었다.

민서는 그런 모습을 보며 문득 심장이 두근 거리는 걸 느꼈다. 너무 경치가 좋아서, 머리 위에 빛나는 별들이 아름다워서, 그런 건 아니었다. 이제부터 진짜 전장이라고 할 만한 곳에 돌입한다는 사실 탓이었다.

전쟁터라는 건 아무리 많이 겪어도 익숙해질 수 없는 무언가 중 하나였다. 세상에 존재하는 어떤 베테랑이라고 하더라도, 새로운 전장에 들어서는 그 첫 순간은 늘 떨림과 긴장감을 겪고 있으리라. 거기서 더욱 부정적인 예상이 하나 두 개 추가된다면 그것을 불안감이라 해야할 테였다.

민서는 괜한 불안감은 갖지 않도록 마음을 다잡았다.

세 명이 남아 있었다. 민서는 갑작스럽게 준비를 마치고 곧바로 이 현장으로 끌려왔기에, 정작 같이 움직여야 하는 이들과 교류를 나눌 시간조차 충분하지 않았다. 짬을 내어서 민서가 먼저 입을 열었다. 검은 머리를 한 흑인이었다. 눈매가 나름 선하고 체격이 큰 자였다. 가까이에 있는다면 왠지 전장에서의 생환률이 올라갈 것 같은 분위기다.

근거나 논리는 없었지만, 그냥 듬직한 사내였다. 민서가 그에게 물었다.

"어, 저기. 이런 일은 여러 번 해봤습니까? 괜찮을까요?"

30대 정도, 로 보이는 흑인 남성은 민서의 약간은 어눌한 영어 말투에 잠시 물끄러미 그를 보더니, 허허허하고 웃음을 내보였다.

"겁이 나나, 점퍼? 하긴 초능력을 가진 것과 죽음에 대한 공포는 다른 이야기지. 당신이 저들의 반만큼만 잘 싸운다면 그런 고민은 안 해도 될텐데."

남자가 말하는 건 리시버와 마스터였다. 그는 점퍼 조직의 임무에 자주 지원을 해서 온 비점퍼 전투 요원, 백업 부대의 일원이었다. 미 특수부대에서 복무한 경험이 있는 퇴역 군인으로 민간 용병 단체와 점퍼 조직을 번갈아가며 활동하고 있는 인물이다. 실력이 좋고, 성격도 나쁘지 않아 점퍼 조직에서도 평판이 좋은 동료였다.

그리 튀지 않는 눌린 곱슬머리 사내의 말에 민서는 어색하게 웃었다.

"저는 순간이동을 못 합니다. 제가 할 수 있는 건 다른 능력이라서요. 전장에서 당신들과 같은 조건입니다. 실력은 더 형편없고요."

민서의 말에 흑인 남성이 씨익 웃었다.

"아, 그래. 그런 종류의 요원이었군. 너무 걱정은 말게. '마스터'가 함께 한 임무에서 사망자가 나온 경우는 근 수년 간 한 번도 없었으니 말이야. 정 겁이 난다면 후방에서 대열을 유지한 채 싸우도록 하고."

나름대로, 군인답지 않은 친절한 말이었다. 그리고 그 말의 내용이나 자세한 설명과는 상관 없이, 민서를 위하는 그 마음이 위로가 되는 편이었다. 민서는 사내의 정을 느끼며 밤 하늘 아래에서 심장을 간신히 진정시켰고, 얼마 지나지 않아 글라이더와 리시버가 다시 돌아와 그들을 데리고 황야의 비밀 기지로 이동을 했다.

*

탕!

하고 들리는 건 지겨운 총소리였다.

그러나, 지겹다는 건 그의 생각이었지 거기서 오는 위압감과 스릴마저 사라지는 건 아니었다. 머리 한 구석에는 계속해서 반복되는 자극에 익숙함을 느끼지만, 몸이 떨리고 반응을 하는 게 달라지진 않았다. 완전한 장비를 착용했다고는 하지만, 실제 전장에서의 긴장감이 사라지는 건 아니었다.

점퍼 요원들이나, 비점퍼 요원들이나 모두 A급의 장비들을 착용하고 있었다. 풀페이스 헬멧, 전신을 감싸는 방탄 피복이나 플레이트, 장갑과 신발. 완전 무장을 하고서 조직의 기술력으로 다소 개선이 된 총기들을 거느린 채 돌입한다.

늦은 밤중에 벌어진 습격이었지만 적들은 나름대로 잘 대응을 해왔다. 이 조직에서 수뇌부처럼 움직이는 몇 명과, 그들에게 훈련을 받은 소규모의 타격 부대가 있는 듯했다. 아마 일을 치른다면 저들을 위주로 움직이고 나머지가 그 뒤를 따를 생각이었겠지.

익숙하게 총기를 다루는 건 이십여 명 내외였다. 나머지는 전장에서 뛰어난 실력을 보이는 편은 아니었고. 그리고 그 정도는, 무리를 좀 한다면 마스터 혼자서도 처리가 가능한 수준이기도 했다. 리시버 역시 마찬가지였고.

압도적인 무장 상태의 질적 차이는 결국 전쟁의 양상을 근본적으로 바꾸거나 결정짓는다. 타격이 없는 건 아니었지만, 전투 불능이나 사망의 가능성에 있어서는 완벽한 방어 체제를 구축한 점퍼 조직쪽 인원들이 거세게 밀어 붙였다.

아닌 밤중에 황야의 협곡, 기지들이 있는 특이한 장소에서 귀

따가운 총성들이 울려퍼졌다. 투다다다다! 여기저기서 기관 단총 정도의 화기를 운용을 했고, 시끄러운 연발 소총 소리가 울려댔다.

결과는 점퍼 조직 쪽의 압도적인 승리였다. 기본적으로 베테랑들이었고, 그들에게는 총탄에 대한 두려움이 없었다. 맞더라도 그저 잠깐의 휴식 이후에 곧바로 전투에 참여할 수 있을 뿐이다.

마스터와 리시버는 종횡무진으로 도약을 사용해 전장을 돌아다니며 적들을 제압했다. 수십 명의 인원들과 교전을 하지만 결국 한 번에 맞닥뜨리는 수는 제한이 되어 있었다.

민서 역시 당연히 그 가운데 있었다.

구조가 단순한 빌딩 건물 내부에는 별다른 엄호물이 없었다. 복도의 끝 커브에서 몸을 숨겨 소극적으로 총을 쏘며 대항하는 것이 사이비 종교 쪽의 인물들의 행태였고, 점퍼 조직쪽 인물들은 방어무장을 믿고 공격적으로 나아간다.

종말교단의 인물들은 나름대로 군사 훈련들을 받은 듯 대응을 해왔으나 엘리트 수준의 병력들은 아니었다. 총기류를 이용한 교전 경험이 있는 정도. 그에 반해 조직에서 파견 나온 인물들은 정예 중의 정예였다. 점퍼들이 아닌 백업 요원들도, 온갖 전장을 누빈 엘리트 특수전 병사들이었다.

야심한 시각에는 사이비 교단의 주요 인물들, 수뇌부들은 전부 고층 빌딩에 모여 기거를 하는 것인지 낮 즈음에 글라이더가 방문했을 때와 달리 많은 이들이 점퍼 조직을 반겨주었고, 곧바로 제압당했다.

본격적인 교전 임무에서 전투력을 제한하는 피스메이커 탄을 쓸 수는 없었다. 온전히 파괴력을 중요시한 실탄 무장으로 전투에 돌입했고, 종말교 쪽 인물들은 심각한 부상을 입거나, 혹은 곧바로 죽음에 이르며 흩어졌다.

민서 역시 자신의 무장 상태를 믿고 나름대로 자신감을 발휘하며 앞으로 나섰다. 그러다가도 날아오는 총알, 그 소리, 혹은 자신을 조준하는 듯한 적의 태세에 몸이 굳고 심지어 건물 내부에서 여기저기에 혼자 머리를 박기도 했지만 말이다.

늦은 밤. 조직의 소탕 작전은 순조롭게 진행이 되어갔다.

고층 빌딩, 그러니까 사이비 종교의 중요 시설로 보이는 중심 건물에 대한 소탕은 쉽게 마무리되는 듯 보였다.

옥상층에서 시작해서 천천히 내려가며 시작한 조직의 공격은 파죽지세로 상대를 꺾으며 밀고 나아갔고, 한 번의 물러섬이나 멈춤도 없었다.

종말교의 수뇌부들은 생각보다 강력한 적의 급습에 우왕좌왕하면서 계속 밀려났고, 급기야 몇은 일찍이 건물 바깥으로 피신해서 다른 이들을 모았다.

그리 오랜 시간이 걸리지 않아서, 고층 빌딩 하나가 완전하게 제압이 되었다. 대부분의 중요 물자가 이곳에 있었던 것 같았고, 병력들 역시 마찬가지였다. 교전은 그리 길지 않은 듯했다.

홍인수가 건물 바깥으로 점프를 해서 동태를 살폈다. 그는 대담하게 건물 밖, 평범한 평지에 도약으로 나타났고, 풀페이스 헬멧의 방탄유리 너머로 분주하게 움직이는 신도들을 바라볼 수 있었다.

그들은 모두 약속이나 한듯 비슷한 옷을 입고 있었다. 하얀색 셔츠 상의에, 주황색의 긴 면바지. 남녀노소 여러 종류의 사람들이 있었고, 건장한 중년 층의 사내들이 제법 있다는 것이 놀라워보였다.

마음만 먹는다면 정말 대규모로 사고를 칠 수 있을만한 인력들이 모여 있는 것이다. 수 백명의 사람들이 광기나 맹신에 사로잡혀서 테러를 저지른다면, 그리고 그 과정에 용의주도한 계획자가 한 두 명만 끼어 있다면 건잡을 수 없는 사태를 만들기 어렵지 않았다.

홍인수가 그들의 모습을 살피는데, 불행하게도 다른 전투 물자들이 여러 군데 분산되어 있던 모양이었다. 하나 둘, 총기류 따위들을 챙기고 다루려고 하는 것 같은데 솔직히 홍인수는 그들을 완벽하게 제압할 자신이 없었다.

그저 방아쇠를 당기는 건 쉬운 일이지만, 아무래도 병사가 아닌 일반적인 사람들을 일방적으로 쏘는 건 그의 신념에 어긋나는 일이었다. 아마 그가 알기로 국제법 상에도 걸릴 테였고. 형법으로 가도 과잉 진압이 될 수 있었다. 아, 이곳은 미국이니 상대가 총기를 든 시점에서 이미 얼마든지 가능할지도 모른다. 어쨌든, 소드 마스터의 신념과는 위배 되는 일이었다.

저들은 저들 스스로를 인질로서 잡고 위협을 하고 있는 테러리스트나 다름이 없었다. 소드 마스터의 눈에는 말이다. 가만히 보고 있자니 몇 명의 사내들이 고압적인 자세로 지시를 내렸고, 다른 이들이 빠르게 그에 따라 움직였다. 나름대로 일사분란한 모습이었다. 그들 사이의 움직임을 보자니, 홍인수의 시선에서 어떤 아이에게도 기관단총이 들려지는 것을 보고 그는 머리가 지끈거리는 것을 느꼈다.

“이런 씹.”

욕지기가 치미는 광경이었다. 이런 상황이라면 피스메이커 탄이 필요할지 모른다. 수백 명의 난동꾼들을 상대로 그것이 얼마나 효과가 있는지는 알 수 없지만 말이다. 대규모로 살포해서 전 인원의 의식을 잃게 만들 수 있는 가스 살포기 따위가 있다면 제압이 가능할 수도 있었다. 당장 그런 물자를 지원받기에는 상황이 바로 눈앞의 것이었다.

건물들의 외벽에 조명등 따위가 붙어 있어서, 그들이 야외 활동을 시작하자 백색의 강한 조명이 바깥을 비추었다. 별빛이나 달빛도 제대로 들지 않는 협곡의 외진 곳, 인위적인 포인트 조명들이 어지럽게 시야를 밝혔다. 나름대로 광량이 꽤 있는 편이라 여러 개의 빛의 원형이 움직이자 시설 내부의 전경을 보는 게 어렵지 않았다.

홍인수는 골치가 아프다, 고 생각하며 건물 내부로 다시 도약했다.

중앙 고층 빌딩 내부.

홍인수, 최길우, 존 카메론. 그리고 아홉 명의 특수 부대 출신의 백업 요원들과 김민서.

열 세 명이 덩그러니 빈 복도에 있었다.

치열했던 교전의 흔적으로 총탄이 지나간 자국으로 내부 인테리어가 새롭게 가꾸어져 있었고, 총연의 잔향들이 남아 있었다. 덜렁거리면서 안을 밝히는 백색 조명등들은 다행스럽게 모두 깨지지 않아서 광량도 적지 않았다.

여기저기 신음을 흘리고, 의식을 잃은채로 쓰러져 있는 종말교의 전투조 인원들이 보인다. 핏자국이나, 사람이 다친 흔적들이 내부 이곳저곳에 흩어져 있다.

살벌한 분위기 속에서 민서는 나름대로 침착함을 잘 유지하고 있었다. 정신적인 평안이나 집중력이야말로, 재머가 위급한 때에 발휘할 수 있는 가장 큰 능력이었다. 그리고 김민서로서도 그러는 편이 생존률이 훨씬 높을 것이다.

“클리어, 다들 이상 없지?”

백업 요원들 중에서 가장 고참처럼 보이는 이가 말을 툭 건넸다. 희끗한 머리마저 보이는 중년의 백인 남성이었다. 특수전에 참여하는 미군들 사이에서는 나름대로 전설적인 인물이었다. 다른 이들은 평생 하나도 받지 못할 훈장을 몇 개 정도 수집한 군인이었고, 퇴역 후에 점퍼 조직의 임무를 간간이 도와주고 있었다.

그의 말에 다른 이들이 고개를 끄덕이거나 대답을 했다. 기본적으로 점퍼 조직 쪽이 입고 있는 무장 상태는 질적으로 비교할 수 없는 물건들이었다. 360도 어느 방향에서 쏘아도 뚫리지 않는 방탄 피복으로 온 몸을 가리고 있었으니. 다치고 싶어도 쉽지 않은 수준이다.

물론 상대가 기관총을 운용하는 만큼 연발로 피격을 당하면 데미지는 입겠지만. 단번에 죽지는 않는다. 그리고 교전 상황에서 그 정도의 혜택은 여벌 목숨을 수십 개나 갖고 다니는 것과 마찬가지였다.

홍인수는 먼저 잠깐 바깥의 상황을 살펴보고 돌아와서, 이야기를 건넸다. 유리 헬멧 너머 그의 표정이 착잡해 보인다.

"여러분, 가장 바라지 않던 상황이 찾아왔습니다. 종말교는 쉽게 포기할 생각이 없어 보이는군요."

좌중이 그를 처다보자 그가 말을 잇는다.

"전투조로 보이는 인원들 외에 모든 이들이 바깥에서 무장을 하고 싸울 태세를 하고 있습니다. 총기가 남아 있는 것도 그렇고… 10살 정도 되는 어린애도 총을 들고 있더군요."

참담한 이야기였다. 그리고 그것이 어느 먼 나라에서 일어나는 비극의 양상이 아니라 눈앞에서 그들이 막아서야 하는 경우라면 더욱 곤란하다.

"총을 든 수백 명을 제압할 수 있는 방법이라… 제 머리로는 잘 떠오르지 않습니다. 본부에 연락을 넣어서 미군 부대라도 동원하지 않는 이상."

아니면, 전부 다 죽이는 건 가능했다. 그들역시 충분한 양의 실탄과 소총을 들고 있었으니. 어차피 전력 차는 명백했다. 프로 중에서도 프로라고 할만한 사수들이 완벽한 방탄 상태에서 연발 사격을 한다면야. 점퍼들이 없다고 하더라도 상대는 가능했다.

재머, 김민서가 입을 열었다.

"뭐… 조직에 제압을 상정한 무기 같은 건 없습니까?"

그 말에 글라이더, 존 카메론이 표정을 찡그리며 골몰히 생각을 하다가 고개를 들었다. 마침, 민서의 말에 반응을 하듯한 타이밍이었다.

"그 정도의 저지력을 발휘할만한 제압용 무기를 만드는 게 쉬운 일은 아니지. 다만, 골라서 없앨 수는 있겠구만. 스나이퍼Sniper가 지금 임무 중인가?"

글라이더의 말에 리시버가 고개를 끄덕였다.

"어… 예. 괜찮겠네요."

곧바로, 손목 부근에 찬 시계형의 기계를 조작하더니 이야기를 시작한다. 헬멧 내부 측면 아래에는 통화 장치가 달려 있었고, 바깥에서 연동된 기계로 설정을 하면 몇 곳에 연락을 할 수 있었다. 그 중 하나는 당연이 점퍼 조직의 본부이다.

임무 중 그들을 보좌하고 다양한 정보들을 수집하며, 전달해주는 사무직 대기조를 '데스크Desk'라고 간단히 부르고는 했다. 그들에게 연락이 갔고, 곧 스나이퍼가 지원을 올 수 있다는 소식을 들었다.

*

늦은 밤에서, 한 두 시간이 더 흘렀다.

2월 24일.

이제 슬슬 25일로 넘어가려는 시간이었다.

소탕, 진압 작전은 원래 그렇게 오래 걸리지는 않는다. 물론 규모에 따라서는 다르지만, 대부분의 점퍼 조직이 개입하고 점퍼가 들어간 작전들은 속전속결로 마무리가 되는 경향이 있었다.

그러나 이번에는 조금 달랐다. 아무래도, 마구잡이로 쏘거나 제압할 수 있는 상태가 아니었기에. 어쨌거나 광기에 사로잡히거나, 강압적인 지시에 따라서 움직이는 노약자들을 멋대로 쏴 죽이기에는 점퍼 조직 쪽, 백업 요원들로서도 마음에 걸리는 일이었다.

그들은 전쟁을 수행하지만 무자비한 기계는 아니었다. 그들이 지켜야 할 것들에게 총구를 들이미는 이들과 싸우는 전사들일 뿐이었지.

그렇다면, 상대의 전체를 죽이지 않고 제압하는 게 불가능하다면, 개중에서 일부만 확실히 골라 죽이는 방법을 선택하는 것도 한 가지 수였다.

스나이퍼Sniper가 도착했다.

한밤중에 황무지의 하늘에는 수를 놓은 것 같은 별들의 무더기와 은하수, 달이 떠 있었다. 다양한 모습의 바위들과 지형. 인적이 없는 그 가운데에 하늘과 어우러져 그 자체로 아름다운 예술 작품과 같은 모양새다.

그런 풍경의 가운데에 한 남자가 등장한 것이다. 그는 검은색의 특수 수트를 입고 있었고, 손에는 길다란 박스 케이스 하나를 들고 있다. 약간은 날카로운 인상에 늘 싱글싱글한 미소가 입가에 걸려 있는 남성이었다. 중국인이었고, '야오 밍'이라는 이름이었다. 흰 피부에 검은 머리칼. 야오Yao는 한밤중에 끼고 있던 선글라스를 벗으면서, 빌딩 내부에 대기하고 있던 이들에게 입을 열었다.

상황은 소강 상태였다. 종말교단 쪽 인물들도 빌딩을 둘러싸고 진을 친 채 큰 움직임을 보이지 않고 있었고, 점퍼 조직도 일단 대기 상태였었다.

"요. 다들 오랜만입니다. 리시버랑 마스터는 정말 간만인데요."

운율감이 살아 있는 말투였다. 활기가 넘치고, 늘 웃음을 띈 채 돌아다니는 것이 야오의 특징이다. 중간 정도 체격과 키. 가만히 살펴보면 다부진 몸매에 어딘가 단련된 인물처럼도 보이는 인상이었다. 굳이 따지자면, 복서나 군인들 따위가 저런 표정이나 인상을 만들어 보이곤 한다.

“대충 상황은 들었습니다. 캠만 좀 부탁을 하겠습니다.”

스나이퍼, 야오는 그렇게 말하고는 홍인수에게 대뜸 수트의 부착된 주머니에서 무언가 끄집어내어 던졌다. 네모난 박스형의, 주먹의 반만 한 물건이었다. 검은색의 박스였고 한 쪽에는 투명한 렌즈가 빛을 받아서 광택을 보이고 있다. 렌즈의 반대편에는 흡착판이 있어서 적당한 곳에 붙일 수 있었고.

야오가 스나이퍼로서 일할 수 있도록 도와주는 보조 기기들 중 하나였다.

그렇게 말하고 야오는, 곧바로 도약을 써서 어딘가로 사라졌다. 그가 대기하고 있는 장소는 아마 협곡의 바깥일 것이다. 사선으로 위에서 협곡 내부의 시설물들을 바라볼 수 있는 장소, 그러니까, 초장거리의 저격 포인트.

야오가 사용하는 다양한 기기들은 물론 조직의 과학력이 들어간 물건이었다. 들만한 크기의 박스에 부품이 다 들어가는 총으로, 초장거리에서 안정적인 사격이 가능한 것부터 상당한 물건이었다. 대부분의 현대식 저격총이 할 수 있는 일들이었지만, 야오가 다루는 물건은 더 쉽게, 그리고 더 먼 곳에서 강력한 위력을 발휘할 수도 있었다.

야오가 잠깐 모습을 비치고 사라지자 나머지 사람들도 움직였다. 어차피 스나이퍼가 임무를 마치고 합류하기를 기다렸을 뿐이다. 점퍼 조직의 전투력에 질려버린 종말교의 사람들은 빌딩을 둘러싼 채 선제 공격을 하지는 못하고 있었다. 어차피 화약류 등의, 대규모 폭발을 일으킬만한 물자들은 이 빌딩 내에 있는 것 같았다.

그 외의 창고에 보관하고 있던 것은 오직 총기류들로, 그것만으로도 만만치 않은 물건들이었지만 단단한 빌딩 내부에 있는 점퍼와 그 외 요원들을 공격할 수는 없었다. 그렇다고 돌입을 해서 싸워 보기에도, 근접거리 교전에서 그들이 보여주었던 전투 수행 능력은 지나치게 경이로운 것이었고 말이다.

홍인수가 간단하게 손짓과 고갯짓으로 바깥을 가리켰고, 나머지 인원들도 분주하게 움직였다. 먼저, 마스터가 손에 든 박스를 쥐고 빌딩 외부로 도약을 했다. 홍인수는 빌딩의 외벽, 끄트머리에 나타났다. 그러니까 나타나서 곧바로 떨어질 만한 높이의 빌딩 외벽 전면부에 붙어서 말이다.

그는 나타나자마자, 곧바로 손에 든 박스를 벽면에 턱, 하고 붙였다. 흡착판은 상당히 유용한 물건이었고 강력한 접착력을 발휘했다. 손바닥에 앙증맞게 들어오는 박스형의 카메라가 순간 붙었다.

그리고 그가 몸이 떨어지면서 점프를 시도했고, 몇 미터 채 낙하하기 전에 다시 그의 모습이 사라졌다.

종말 교단의 인원들은 서치 라이트 따위를 빌딩 건물 쪽으로 비추면서 경계 태세를 가지다가, 갑자기 홍인수가 나타나자 순간 대응을 하지 못했다. 몇 명의 인원들이 뒤늦게 그쪽으로 총을 갈겨댔지만, 이미 사라진 후였다. 애꿎은 빌딩 외벽만 총알들로 긁히고 패였다.

그렇게 홍인수는 빌딩 내부로 다시 나타났고, 이번엔 모두가 같이 움직였다. 그들은 2층 로비에 있었고, 몇 명은 그대로 창가 쪽으로 자리를 옮겼다. 거기서 그냥 자세를 잡고 총구를 내민 채로 사격을 하려 했다. 몇 명은 아래로 내려갔다. 1층으로 가서 바로 앞에서 교전을 벌이려는 심산이었다.

이정도 인원수의 차이와 화력의 차이가 난다면 교전을 벌이는 것 자체가 성립이 될 수 없는 이야기였지만, 그들은 압도적으로 성능이 좋은 장비를 가지고 있었기에 가능했다.

점퍼 세 명은 곧바로 바깥으로 도약했다. 그들은 입체적으로 움직이면서 임무를 수행한다.

그리고 한 편, 협곡의 바깥으로까지 도약으로 벗어난 스나이퍼는 서서히 자리를 잡고 있었다.

그는 붉은색의 깎아지르듯 만들어진 절벽의 위에 적당히 터를 잡고 배를 깔고, 누웠다. 순식간에 박스에서 꺼내어 조립을 마쳐 둔 긴 저격용 장총은 소음도 적었고, 강렬한 위력을 발휘하며 안정적인 저격을 수행한다.

유효 사거리만 하더라도 5km에 달했고, 총알의 위력과 관통력 역시 월등하게 뛰어나다. 손가락 몇 마디 두께의 강철판조차 뚫고 그 내부의 인물에게 관통상을 입힐 수 있었다.

스나이퍼는 저격총의 일안 스코프에 눈을 가져다 댔다. 어두운 황야에서는 5km 바깥에 있는 사물들이 정확하게 분간이 가지 않는다.

스코프의 옆에는, 마치 캠코더의 그것처럼 펼쳐진 패널이 있었다. 야오는 패널에 떠오르는 정보들을 확인했다.

홍인수가 건물 외벽에 설치를 해둔 카메라는 사방의 정보를 순식간에 모아 담는다. 렌즈를 사용해서 비쥬얼 데이터를 긁어 모으는 것도 있었지만, 특수한 파장을 이용해서 콘크리트 건물 내부나 그건 너머의 지형까지도 입체적으로 파악을 했다. 특수 파장이 투시를 할 수 있는 것에도 한계는 있었지만, 적어도 야외 지형은 모조리 커버가 가능했고 내부도 1개 벽 까지는 대부분 투시가 가능하다.

지나치게 두껍거나, 특수한 소재가 사용되었거나, 혹은 여러 개의 벽들을 뚫고 들어가 내부도를 파악할 수는 없었지만. 그럴 때 스나이퍼는 자신의 총으로 건물에 구멍을 내어서 파장이 진입할 틈을 만들어 내부도를 얻기도 했다.

시각 정보를 만들어내고 전송하는 특수 파장은 어느 정도 일정 거리를 유효 반경으로 가지지만 적어도 종말교단의 기지 정도는 충분히 커버가 가능한 정도였다.

그 정도 넓이, 반경 수백 미터 정도의 거리를 커버하는데 채 3초가 걸리지 않았다. 순식간에 정밀한 입체 형상을 데이터로 체크한 기계가 수 km 떨어진 자리에 배를 대고 엎드린 야오의 저격총으로 정보를 전송했다.

두 개의 기계 내부에는 작은 컴퓨터가 있었고, 저격총의 패널은 발사각을 계산해서 스코프로 보듯 탄착 위치를 표현했다. 콘크리트 외벽 몇 개를 넘어서 있는 사물들도 정밀하게 표현이 되었다.

일반적으로 특수전에 사용되는 대물 저격총의 위력도 아득하게 뛰어넘는 총은 두터운 건물의 외벽으로도 방탄 효과를 만들 수 없었다. 현대 도시에서도, 어지간히 어지러운 정글 숲의 한복판이 아니라면 쏘면 바로 뚫리는 마법의 물건이나 마찬가지였다.

야오는 패널을 보며 총구의 방향을 기울이며 탄착점을 가늠했다. 여러 명의 사람들의 모습이 비교적 고화질로 보였다. 비쥬얼 데이터가 넘어오는 지점은 색깔까지도 확인할 수 있었다.

그리고 자세한 인원들이 모여있는 현장은 사실 건물 전면부, 비쥬얼 데이터로 실사 화면을 볼수 있는 각도였다.

그가 브리핑으로 받은 정보는 사실 그렇게 길지 않았다. 몇 명의 수뇌부가 대부분의 인원들을 지시하고 부리고 있다는 이야기. 건장한 청년층으로 이루어진 수뇌부와 전투조가 요처에서 수백 명을 움직이고 있다.

복장은 그다지 차이가 나지도 않고, 고작해야 개인 무장의 수준이 조금 더 탄탄한 정도였다.

-고층 빌딩 전면부. 좌측 10시 방향. 약 50m.

그리고 그가 장착하고 있는 헬멧 내부의 스피커로는 여러 종류의 통신이 가능했다. 홍인수의 목소리가 흘러나왔고, 그 위치대로 그가 각도를 틀었다.

마침 들었던 조건과 같은 이가 열성적으로 움직이면서 다른 사람들을 분주하게 움직이게 만들고 있었다. 사람들의 사이에 둘러싸여 있었지만 늘 어딘가에 각은 있다.

스나이퍼는 넓은 공간의 비쥬얼 데이터를 이용해서 점프를 하는 일에 아주 익숙한 사내였다. 자신이 실제 눈으로 관측하는 것과 마찬가지의 질감으로 느낄 수 있었고, 정밀한 도약이 가능했다.

그는 기껏 자세를 잡아놓고, 엎드린 자세를 바꾸어 일어나며 슬쩍 저격총을 들어올렸다.

허리를 굽혀 저격총을 들어올리는 그 자세 그대로, 그의 모습이 사라졌다.

다음 순간에 그의 모습이 나타난 곳은, 강화 유리로 만들어진 패널의 위였다. 그러니까, 유타 주의 협곡 사이에 기지가 숨고 그 위를 가리고 있는 유리 천장 말이다.

유리 천장의 아래에는 황야의 배경색과 비슷한 톤으로 천이 붙어 있어서 반투명한 상태라 정확하게 시야로 확인을 할 수는 없었다.

그러나 어차피 기계총의 디스플레이에서 해당하는 위치에 탄착이 어떻게 이루어질 지 보이고 있었다. 시야를 가리는 것과 상관없이 그는 저격이 가능하다.

스나이퍼는 정밀하게 총구를 움직였다. 수직 방향으로 저격총을 꽂듯이 두고 총손잡이에 해당하는 곳 중간을 들추자 분리되어 판이 펼쳐졌다. 그는 그곳에 팔꿈치를 대며 온 몸의 무게를 실어 눌렀다. 약간 앞으로 기운 상태로 아래로 몸을 내리 누르며 총이 고정된 느낌이 들자 방아쇠에 올린 손가락을 천천히 당겼다.

꾸욱.

탕! 하는 소리가 났다. 소음이 그렇게 어마어마하지도 않았다. 일반적인 총보다야 큰 총성이다. 위력에 비해서는 터무니 없이 조용한 편이었고.

반동 역시 자체 제어가 되어 생각보다는 크지 않았다. 몸이 슬쩍 들썩이는 것 이상으로 흔들리지는 않았다. 발밑에 대고 있던 유리창의 한 판이 그대로 깨어져 나갔고, 강화 유리를 뚫고 지나가며 그 부근이 둥글게 파열되었다.

저격총이 아래로 쑤욱 내려가려는 것을 붙잡아 끌어올리며 그가 멀쩡한 판으로 발을 옮긴다.

천장처럼 만들어진 유리창은 여러개의 작은 판형이 붙어서 이루어져 있었고, 한 번의 충격에 모든 부위가 깨지지는 않았다.

유리창을 뚫고 날아간 총알은 그대로 거침없이, 직선 거리에 있는 모든 장해물들을 꿰뚫고 직격해 사람들에게 지시를 내리고 있는 어느 사내의 심장을 부수었다.

강렬한 파괴력과 관통력이었다.

순식간에 숨이 끊어진 사내가 자신의 숨처럼 바닥에 몸을 뉘였다.

가지고 있는 파괴력에 비해서 주변으로 퍼지는 위력은 크지 않았다. 저격을 할 때는 관통력 위주의 탄환를 사용한다.

스나이퍼는 유리창 위에서 발걸음을 다시 옮겼다. 다음 대상을 찾으러 움직이는 길이었다.

-클리어. 고층 건물 전면부에서 안보이는 시야입니다. 전면에서 좌측 사각형 건물 뒤쪽으로 숨었습니다. 보입니까?

순식간에 하늘에서 총알이 날아와 사람에게 꽂혔다. 어느 정도 일반적인 교전을 준비하고 치르려던 이들에게 날벼락 같은 상황이었다. 눈치가 빠른 한 녀석은 달음박질을 쳐서 인파의 뒤로 숨고 건물의 외벽으로 자신을 가리려고 했다.

스나이퍼는 그대로 패널에 떠오르는 창을 조작하여 움직였다. 손가락으로 스윽 스윽 각도를 조절하자 비쥬얼 데이터로 확인이 되지 않는 지점이었지만 선명하게 주변 구조물과 함께 형상이 드러났다.

입체적으로 사물의 크기와 각 물건간의 거리, 사이의 빈 공간 전부를 볼 수 있었다. 색깔이 없는 무채색의 영상일 뿐이지 그 외에는 시각 정보와 다름이 없다.

건물의 외벽에 몸을 기댄 채 사내는 숨을 몰아쉬는 듯 보였다. 스나이퍼는 그 뒷모습에서 정확하게, 심장이 있는 곳을 겨누었다.

이번에는 사선으로 쏘아도 충분했다. 주변에 그를 가려줄 만한 사람의 장벽이 없었다. 저 자가 목숨을 구하고 싶었다면, 콘크리트 외벽이 아닌 사람의 틈에 숨었어야 했을 것이다. 스나이퍼가 관통할 수 있느냐, 하는 문제는 살아 있는 사람에 따라 갈리는 것이었다.

장갑차 속, 혹은 강철로 지어진 쉘터에 숨더라도 스나이퍼가 다루는 총알은 기어코 뚫고 들어간다.

그는 유리 천장 위에 저격총을 사선으로 두고, 넘어질까 싶은 각도의 그것을 어깨에 기대었다. 사람의 키나 비슷한 길이의 총은 다양한 방식으로 운용이 된다. 약간은 몸을 앞으로 기울여서, 무게 중심을 쏠리게 둔 채로 받쳐 서서 정확히 조준을 한다.

다른 사람이라는 장애물이 없는 이상 거칠 것은 없었다. 야오가 방아쇠를 당겼고, 총알이 날아가 몇 개의 장벽을 뚫어 마침내 사내의 등을 꿰뚫었다.

일반적인 총보다는 훨씬 큰 소음과 함께 총탄은 날카로운 관통력과 파괴력을 보이며 마지막 순간에 황야의 땅바닥에 박혀 들어갔다.

사내는 신음이나 비명조차 지르지 못하고 절명을 했다.

스나이퍼는 고개를 돌려, 다른 수뇌부의 인원들을 찾았다. 사람들은 어지럽게 돌아다니고 있었다. 자신들이 들고 있는 총기를 난사하는 모습처럼도 보인다. 건물 내부에 숨거나, 점퍼들은 완전 무장을 한 채 사람들의 손이나 발 정도를 쏘아서 패닉 증세를 보이는 이들을 무력화 시켰다. 그리고 어린아이나, 노약자 같은 이들은 그대로 단체도약으로 어딘가 먼 곳으로 보내버리고 돌아왔고.

건장한 사내의 경우에 거리나 순간의 틈이 허락한다면 곧바로 뒤로 돌아가 목을 조르거나 관절을 부수는 등으로 제압한다.

수백 정의 총기가 풀려 있는 상황에서 지극히 어려운 제압 시도들이었지만, 베테랑 중에서도 베테랑으로 구성된 점퍼 전투 요원들은 어떻게든 상황을 풀어갔다. 어쨌든 집중 포화라도 맞지 않는 이상 문제는 없었다. 심하게 데미지가 누적되면 뚫리지 않는다고 하더라도 움직일 수 조차 없었지만. 심각한 데미지가 쌓이기 전에 점프로 이탈하는 것이 중요했다.

그렇게 그들이 시간을 끌고 있는 동안, 천천히 상황이 풀리는 방향으로 움직였다.

홍인수가 무전을 보냈다.

-한 놈 건물 안으로 들어갔습니다. 기지를 4분할 했을 때 고층 빌딩 중심으로, 우측 상부 쪽 단층 건물들 중 하나입니다.
-오케이.

야오가 대답하고 건물들을 훑었다. 모든 건물의 내부가 완벽하게 잡히지는 않는다. 그러나 외벽 근처의 공간들 정도는 파악할 수 있었고, 사람의 흔적을 다행스럽게 잡아내었다.

어느 건물의 깊숙한 내부 방으로 들어간 모양이었다. 야오는 저격의 실행을 위해서, 사람이 없는 것으로 보이는 적당한 위치를 겨누고 외벽에 구멍을 냈다. 타앙-! 길게 울리며 사람의 귀를 먹먹하게 만드는 총성이 퍼졌다. 유리창에도 역시 하나의 구멍이 더 났고, 야오의 몸이 뒤로 조금 흔들렸다.

총알은 정확하게 탄착 지점에 가 닿았다. 외벽에 구멍이 났고, 조금 기다리자 마치 물감이 번지며 퍼지듯 내부의 시야 정보가 관측되며 그의 패널에 조금 더 드러났다. 건물 내부에 사람의 모습은 보이지 않았다. 야오는 몇 개의 벽을 더 뚫었다. 탕! 탕! 탕! 거친 총성이 굉음처럼 황야의 하늘을 울렸다. 유리창은 제법 단단한지, 디딤발로 딛고 총을 쏴대는 와중에도 금 하나 가지 않았다. 직접 총알이 지나간 자리의 구멍을 제외하고는 말이다.

몇 번의 저격으로 건물에 깊은 자리까지 구멍을 만들어내자, 점점 그 내부도가 패널에 드러났다. 한 명의 사내가 불안에 떨듯 방 내부를 이리저리 돌아다니며 서성거리고 있었다.

야오에게는 손쉬운 표적이었고, 그는 타이밍에 맞추어 정확히 상대의 심장께를 노렸다.

잠깐 상대가 걸음을 멈추는 순간이 있었다. 방아쇠가 당겨졌고,

굉음이 났다. 총성과 함께 눈에 보이지 않는 속도로 날아간 총알은 몇 개의 건물 벽을 꿰뚫고, 사내의 심장을 지나갔다.

그대로 상반신에 거대한 구멍이 뚫린 어떤 사이비 교단의 획책자가 쓰러졌다.

*

쓰러진 사내는, 교단의 핵심 인물이었다. 그러니까 수뇌부들 중에서도- 교주라고 할만한 인물이었다. 정확하게 시몬스 종말교의 교리와 강령 따위들을 모조리 만들어낸, 일류 사기꾼이라고 할만했다. 나름대로의 카리스마와 인간미를 연기하는데 뛰어난 능력을 발휘했던 그는 다른 수뇌부들의 인원들을 강력하게 이끌고 있었고, 그의 지시 아래에서 대부분의 계획들이 실행이 되었다.

다른 뛰어난 머리를 지닌 이들도 있었지만 어쨌든 그가 정신적인 지주라고 할 만했다. 사내가 쓰러지자, 다른 이들은 긴밀하게 연락하던 연결이 끊어졌음을 알았다. 비상 상황이 발생했을 때 무엇보다 패닉에 빠지지 않기 위해서 삽십 초, 일 분 단위 따위로 수도 없이 지시를 반복하고 서로의 위치를 확인하면서 조직을 통제하기 위해 움직이던 이들이다.

리더라 할 만한 자에게서 연락이 끊어지자 다른 남은 이들 역시 불안에 휩싸였고, 생각보다 더욱 그들이 맞닥뜨리고 있는 상대가 강력한 대적자들임을 깨달았다.

그래서였을지 모른다. 그러한 수뇌부들 중 한 명이 갑작스러운 행동을 시작한 것이.

"다 조용히 해!"
Fuck! Stop it!

어지러운 상황 속에서 모든 이들의 행적을 파악하는 건 쉬운 게 아니었다. 수뇌부, 라고 명명하고 찾고 있던 몇 명의 사내들 중 하나는 기어코 점퍼 조직의 눈을 피해 어느 건물에 숨어 들어갔다. 아마 비상용으로 따로 챙겨 놓은 물자 창고가 있었던 모양이었다.

그 자신이 방탄 재킷처럼 상체 전부에 둘러 싸고 있는 폭약류를 보면 말이다.

폭약류, 처럼 생긴 모양이었다. 두꺼운 재킷에 줄줄이 매달려 있는 불길하게 생긴 검은 구형들. 모양도 제각각이었고, 어설픈 꼴로 매달려서 치렁거리고 있다. 사내는 그런 것들 중에 심장 부근에 달려 있는 가장 큰 공 모양의 폭탄에서, 이어지는 줄을 오른 손에 붙잡고 있었다. 그 끝에는 작은 리모컨 따위가 있어서 버튼 위에 손가락을 올려둔 채였다.

사내가 황야 한가운데, 고층 빌딩 전면부의 광장이라고 불러야 할만한 곳에서 외쳤다. 그는 갈색 머리에 하얀 셔츠, 청바지를 입고 있다. 30대 초반 정도로 보이는 남자였고, 인상은 부드러워 어딘가에서 만난다면 호인이나, 사기꾼 정도라고 생각할 인물이었다.

그는 옆에 있는 어떤 여자의 목덜미를 팔뚝으로 휘감으며 다시 외쳤다.

"빌어먹을 새끼들! 우리가 우습게 보이나! 당장 멈추지 않으면 이대로 폭사할 거다. 여기 있는 사람들의 목숨이 아깝지도 않아!"

어찌보면, 자신의 정체를 드러낸다고도 할 수 있는 장면이었다. 남자는 자신이 살고 또 상대를 물리치기 위해서 자신과 종말 교단의 하위 인물들을 구분지었다. 그러니까, 자신의 목적을 위해 상대에게 위시하기 위한 인질로 삼은 것이다.

비단 목덜미가 붙들려 제대로 움직이지 못하는 젊은 미국인, 백인 여성 뿐만이 아니라 주변에 있는 이들 모두가 인질이었다. 저만한 양의 폭약이 터졌을 때 몇 명이나 살아남을 수 있을지 제대로 가늠이 되지 않았다.

홍인수는, 정확하게 고개를 떨구고 이마를 짚었다. 이마 위를 감싸고 있는 헬멧의 유리창을 장갑으로 짚은 것이었지만.

"…바로 쏠 수 있나?"

라고, 그는 고개를 내린 상태에서 조용하게 말했다. 헬멧 내부에 있는 통신기를 사용해서 전달하는 무전이었고, 그것은 사태를 상부에서 지켜보고 있는 스나이퍼에게 가는 말이었다.

백여 미터 위, 상공의 유리 천장에서 스나이퍼가 말을 받았다.

-…아니, 조금 어려워. 움직이면서 고개를 젓다가 이제 몸을 빙글빙글 돌리고 있잖아. 저격이 날아올 거라는 걸 알고 있는 거야.

그야말로, 안쓰러운 꼴이었다. 자신보다 체구가 조금 작은 여성의 뒤에 숨어서 머리를 감추고 소리를 지르고 있는 모습이라니. 어떤 일이 있어도 저격을 당해 죽지 않겠다는 생존 욕구가 돋보이는 장면이다.

사내는 비명처럼 자신의 항변을 계속해서 토해냈다.

"너희 같은 미욱한 자들에게 내가! 우리가 안락한 죽음을 주려고 했건만! 어째서 그걸 거부하는 건지! 당신들만 오지 않았어도 근방 도시의 수백 수천 명의 인구들에게 평안한 죽음을 선사해줄 수 있었는데!"

의외로, 논리정연한 말이었다. 그러니까, 정확하게 개소리라는 점에서 말이다. 다른 이들에게 죽음을 선사하고자 하는 선각자인 그 스스로가 왜 죽음을 회피하고 있다는 말인가. 그 말의 총체와 요지가 정확하게 헛소리임을 알 수 있다는 점에서, 참으로 명쾌한 개소리였다.

사내는 그렇게 발악하듯 소리를 지르면서, 언제 어느 방향에서 튀어 나올지 모르는 저격에 부들부들 떨며 앞으로 전진했다. 그가 가고 있는 방향은 결국 기지 시설물들의 중간에 위치하며 구획을 나누는 역할을 하는, 고층 빌딩이었다. 약 10여 층의 높이를 가진 빌딩은 기지 내에 우뚝 솟아 상징성을 드러내고 있다. 다만 좋은 의미의 상징성은 아니었다. 결국은 사이비적 사상을 가진 그들 스스로의 논리적 부정합성과 파괴성을 과시하는 건물이다. 좋은 행동과 계획을 위해 지어진 건물이라면, 그것의 높음이 얼마든지 사회적으로 받아들여질 수 있을 것이었다.

결국 반사회적인 테러 집단인 그들의 시설물들은 용도를 바꾸지 않는다면 부수어버리는 것이 차라리 나은 물건들이다.

그런 점에서, 홍인수는 중앙 건물로 자신의 몸을 움직이는 사내의 모습을 보면서 고층 빌딩을 그대로 폭파시켜버리는 것은 어떤가, 잠깐 고민했다.

그리고 이내 다시 고개를 저었다. 지나친 스트레스 상황에서 단순하게 문제를 해결하려다 하다 보니 나온 허튼 생각이었다. 애초에 인명 피해를 최소화하고 없애기 위해서 이렇게 고생을 하고 있는 것 아니었는가. 저 사내가 인질을 잡고 있는 중이라면 그렇게 할 수는 없었다. 그럴 거면 그냥 지금 스나이퍼를 시켜서 방아쇠를 당기도록 종용을 하는 것이 낫지.

사내는 어수선한 기지 내의 상황 속에서 용케도, 그 목숨을 부지한 채로 자신이 인질로 잡고 있는 여성과 함께 건물 내부로 성공적인 피신을 했다.

홍인수는 한숨을 쉬면서, 스나이퍼를 비롯해 현장에 있는 점퍼 요원들과, 백업 요원들에게 무전을 전했다.

-선동자가 인질을 끌고 중앙 빌딩 내부로 들어갔다. 적당히 기회 봐서, 내가 제압하고 인질 빼낸다.
-그 전까지 다들 거리 벌리고 지나치게 자극하지 말고 소강 상태만 유지합시다.

편의상 한 번에 말을 했지만, 앞에 문장은 점퍼 요원들에게 하는 말이었고 뒤엣 말은 백업 요원들을 포함한 전체에게 전달하는 이야기였다.

그는 현장에서 대부분의 점퍼 요원들보다 선임이었으며, 나이대도 적지 않은 편이었으나 백업 요원들까지 포함을 한다면 그보다 한참 경력이 높은 이쪽 분야의 선구자들이 많이 있었다. 홍인수는 비교적 현장에서도 그들을 존대하는 편이었다.

물론, 상황이 급박하다면 그딴 건 없었지만. 대부분의 극한 상황에서도 홍인수는 말을 나눠서 할 만큼의 여력이 있는 사내였다.

-롸져.

를 비롯해서, 간단한 여러가지 답신이 전달되었다.

그대로 건물 내부로 시선을 옮겨 본다.

*

사내의 이름은 미카엘 체르코프였다. 러시아 계의 이민자의 피가 이어진 집안의 아들이었고, 나름대로 중산층 이상의 자산가 아래에서 생활을 해 온 사내였다.

평범한 유년기와 학창 시절을 거쳤지만, 그는 어릴 때부터 진정한 의미의 보살핌과 교육과는 다소 거리가 먼 삶을 살아갔다.

그의 가정은 겉으로는 평안했지만 속으로는 많은 구멍이 있었고, 어린 시절부터 그는 긴 시간 동안을 홀로 방치되어 있는 경우가 많았다. 다양한 아픔이나, 기구한 사연들은 누구에게나 있는 것이었지만 그것들을 받아들이고 어떤 선택을 해나가느냐는 개인의 것이었다.

미카엘은 다양한 악랄한 지식과 정보들을 유년기 때부터 받아들였고, 자라나 많은 선택을 하는 시점에서 최악의 것들을 골라왔다.

지금의 그의 상황도 그런 선택의 연속이 쌓이고 중첩되어 만들어진 것이었다.

얌전히, 목숨을 아래에 내어두고 무릎을 꿇는다면 그들을 적대하는 조직은 그의 목숨까지는 거두어가지 않을지도 몰랐다. 상대하는 이들의 성향과 성격이 어떤지도 알 수 없었지만 그는 그런 상황에서 하나의 인질을 잡고 자신의 목숨을 직접 저울질하는 길을 선택했다.

될 지, 안될 지 알 수 없는 길이었으나 그는 나름의 과감함으로 상황을 이끌어가려 했다. 온몸에 폭탄을 둘렀고, 실제로 작동하는 리모컨의 버튼을 통해서 좌중을 위협했다. 과격하고 지나친 화력으로 그들 무리를 집단 학살하는 대적자들이 아니라는 시점에서, 그는 상대가 정부나 공기관 등에서 비롯된, 온건한 사회 질서를 머릿속에 박아 둔 군사 조직이 아닌가 하는 생각을 했다.

그러니까, 일반적인 상식을 따르는 이들 말이다. 그리고 그런 이들이라면, 의외로 이런 협박이 통할지도 모른다. 그는 실행에 옮겼고, 운이 좋았는지도 모른다. 용케 살아남아서, 갑작스러운 저격으로 하나둘씩 연락이 끊겨가던 수뇌부의 일당 중에서 멀쩡한 몸을 가진 채 다시 중앙 빌딩으로 들어왔다.

건물 내부에 있다고 하더라도 사태가 호전되리라고 생각하는 것은 일렀다. 조금 더 확실한 그의 생명줄이 있어야만 했다. 체르코프는 주변을 둘러보았고, 건물 내부에서 기척을 감춘 이들의 흔적을 발견했다.

그는 완력으로 인질로 삼은 여자를 이끌면서, 건물 내부를 뒤졌다. 그리고 2층 복도에서, 멍청하게 서 있는 한 사내를 발견했다.

*

민서가, 건물 내부에 덩그러니 남겨져 있던 것은 별다른 이유가 있던 탓은 아니었다. 백업 요원들은 나름대로 베테랑들이었고, 인질을 붙잡은 폭탄 테러범이 건물 내부로 들어온다는 무전을 듣고 알아서 거리를 둔 채 건물 안쪽, 혹은 윗층으로 빠졌다.

그리고 그 가운데서 점퍼 요원들이 지나가면서 외부로 그들을 빼내기도 했다. 민서는 자연스럽게 움직이는 베테랑 요원들의 행동에 합류를 해서 빠져나가지 못했다. 총알이 난무하는 어지러운 현장 상황 속에서 다소 인지가 늦어졌을 지도 모른다.

그리고 그렇게 움직이는 민서를, 다른 백업 요원들이 굳이 인도하지도 않았다. 그는 점퍼 요원들 중 한 명이었고, 그들의 직접적인 지시를 따르리라는 착각이 있었기 때문이다.

갑작스럽게 현장에 오게 된 민서는 잠깐의 지시 공백 속에 남겨졌다. 그리고 그가 스스로 행동해서 현장에서 올바른 행동을 할 수 있을 정도로, 노련한 편이거나 기민한 잔머리를 가지고 있는 성격도 아니었다.

그저 전달받은 무전에 따라, 나름대로 어떻게 움직여야 할 지 생각을 하다가 행동이 늦어진 것 뿐이다.

다른 점퍼 요원들도 미처 그를 떠올리지 못했다. 백업 요원들의 움직임에 편승을 해서 안전한 자리로 잘 움직이고 있겠거니, 잠깐 생각을 했다. 애초에 완전 무장을 한 상태에서 어지간한 총기류의 피탄으로는 죽지 않는다. 그런 무장 상태에 대한 인식이 있었기에 약간의 방심이 있었을 지도 모른다.

민서는 그간 다양한 경험들을 했고, 일반적인 한국의 남성이 겪기 어려운 상황들을 많이도 마주했지만 아직 완벽하게 현장을 이해하고 있는 것은 아니었다.

그는 머리가 복잡해지면 생각이 멈추고 행동이 굳는 편이었고, 그런 습관은 현장에서 악의적인 의도를 가진 대적에게 붙잡혀 봉변을 당하기에 아주 좋은 습관 중 하나였다. 나쁜 습관이라고, 할 만했다.

그런 단순한 몇 개의 이유들이었다. 미카엘의 눈에 민서가 들어온 것은.

*

"오 싯Oh shit……."

스나이퍼가 현장 상황을 마주하고 저도 모르게 영어로 욕설을

지껄였다. 함부로 상대를 자극했다간 폭탄이 터져나갈 수 있었다.

인명 피해를 줄이고, 수뇌부들을 제압하거나 없애고, 남은 인원들을 서서히 진압해 나가기 위한 그들의 작전에 한 차례 더욱 엉킨 실타래를 던져주는 것과 비슷한 상황이었다.

지금 그가 패널로 확인하고 있는 건물 내부의 상황은 말이다.

고층 빌딩은 창문이 여러 곳 개방되어 있기도 했고, 폭탄마가 움직이는 곳이 빌딩 내부의 심처나 밀실이 아닌 복도였기에 그가 상황을 확인하기에 용이한 구석이 있었다.

어느새 민서는 알지도 못하는 백인 여성과 함께, 사내의 손에 붙들려서 같이 인질의 꼬라지가 되어 있었다. 목덜미를 붙들려서 이러지도 저러지도 못하고, 사내가 발작적인 행동을 하며 모든 걸 끝내버릴까봐 힘을 쓰지도 못한 채 있다.

미카엘은 양 손의 팔뚝으로 민서와 여성의 목을 감싸고 있었고, 그의 오른 손에는 여전히 작은 리모컨이 붙들려 있었다.

그리고, 순식간에 진입을 해서 정확하게 여성만을 빼내어 오려고 하던 홍인수도 소식을 전해 듣고 다시금 머리를 감싸 쥐고 싶은 욕구에 사로잡혔다.

아, 김민서. 그 자식이 있었지.

최대한 단기간 내에, 다양한 현장에 데리고 다니면서 경험을 쌓게 하고 한 명의 요원으로 성장시키려는 것이 지난 날 동안 조직의 운용 방향성이었다. 재머에 대한 말이다.

일반적인 신입 요원이라고 하더라도 그럴텐데, 더군다나 재머는 다양한 스트레스와 위기 상황들을 넘나들면서, 그 스스로의 능력이 증폭되는 경향성을 가지고 있었다. 그렇다면 가급적이면 목숨의 위협까지는 받지 않는 상황 내에서, 극한의 경험들을 겪게 해주면서 그의 능력이 최대한으로 발전할 수 있도록 도와주는 것이 당연한 일이었다.

그가 강력한 능력을 갖게 되고, 점퍼들에 대한 통제력이나 대응력을 갖게 된다면 그만큼 점퍼 조직의 부담감이 덜어지고, 그들의 역량이 온전히 사회 문제나 재난 사태에 대한 해결에만 집중될 수 있기에 그러했다.

김민서, 재머라는 이름의 특질의 능력자는 조직이 귀중하게 운용해야 할 특수 자원이었다. 그리고 그런 점에서 다소 상황에 알맞지 않더라도 무리해서 모든 현장에 데리고 다니는 것이었는데… 생각보다 현장의 사태가 괴악하게 급변했다.

전투조를 없애고 났는데도 수뇌부가 살아남아서 노약자나 여성들 따위로 구성된 민간 신도들을 선동했고, 여전히 총기류를 꼬나쥔 채 그들에게 반격 중이다. 그마저도 스나이퍼를 운용해서 수뇌부들 위주로 저격을 하려고 했더니 한 명이 기어코 살아남아서 인질을 잡은 채 빌딩 내부로 몸을 숨겼다.

그마저도 소드 마스터가 자신의 모든 능력을 활용해 순간 인질을 빼내고 폭탄 테러범을 제압하려고 했더니, 건물 내부에서 잠깐지시 공백을 겪은 신참 요원이 느닷없이 붙잡혔다.

신참 요원, 김민서라고 하더라도 일반적인 상황에서 테러범에게 붙잡힐 정도의 능력을 가진 건 아니었다. 나름대로 코치와 마스터, 리시버 등의 엘리트 전투 요원들이 달라붙어서 많은 시간을 할애하며 교육을 시켰고, 단기간 내에 때려박은 것이었지만 최소한의 대응 능력 정도는 갖춘 것이 그였다.

애초에 신체가 건장한 한창 때의 청년이었으니, 단순 무식하게 때려 박는다고 하더라도 어느 정도는 하게 될 테였다. 개인의 운동신경과 자질, 기질, 현장 경험에 대한 습득력 따위는 다소 차이가 있을 수 있다고 하더라도… 어지간한 이들이 경험하지 못할 분량의 양을 밀도 높게 주입한 것이 사실이다.

홍인수의 눈으로 보더라도, 어떤 현장에 가더라도 일개 병사로서 그보다 높은 능력을 지닌 이들은 찾기 어려울 테였다. 특전사 부류가 아니라, 일반적인 부대의 병사들이라면 말이다.

어지간한 건장한 군인들과 비교해도 대응이 가능할 정도의 능력은 주었다고 생각했는데, 저런 꼴이 된 걸 보면 눈앞에서 민간인처럼 보이는 인질이 위협받고 있으니 사고 회로가 멈추어서 제대로 된 반항을 하지 못한 것으로 보인다.

홍인수는 초조하다는 듯이 톡톡, 자신의 장갑을 낀 검지로 헬멧을 두드렸다. 약간의 광기와 패닉, 착란 증세 따위마저 보이며 총기를 들고 우왕좌왕하는 수백 명의 인원을 제압하는 것만 해도 두통이 오는 일이었다. 글라이더와 리시버는 계속해서 점프를 사용하고, 가진 바 모든 능력을 동원해 한 명씩 떨어뜨려 놓고 있다. 혹은 팔이나 다리 정도를 부수어서 행동 불가의 상태로 만들어 놓거나.

백업 요원들도 적당히 위협 사격 따위로 교전을 이어가며 상대의 총탄을 비우게 하고 있었고, 시선을 한 쪽으로 끌고 있다. 그 틈에 점퍼 요원들이 더욱 수월하게 움직이고 있고.

홍인수는 그런 엉망진창의 상황 속에서 한 켠 벗어난 자리, 야외에 서서 상황들을 인지했다. 일단, 시각 정보로 현장을 파악할 수 있는 스나이퍼의 눈이 필요해 보였다. 그가 스나이퍼가 있는 것으로 보이는 상부로 점프를 했다.

*

“현장 상황… 엉망이군.”

홍인수는 스나이퍼의 저격총에서 튀어 나온 패널로 빌딩 내부의 상황을 보고 있었다. 비쥬얼 데이터 수집기계의 렌즈로 직접 확인 가능한 각도가 아니었고, 건물 내부였으므로 색이 없는 형상으로 보고 있는 것이었으나 상황을 확인하기에는 충분하고도 남는 자료였다.

선명하게 그 팔다리의 움직임까지 모두 보이는 정도이다. 상대는 불안에 떨고 있었으나 당장 폭탄을 터뜨릴 것 같지는 않았고, 아직 다음 요구를 명확하게 하지도 않았다. 시간을 끌고 잇는 것처럼 보인다. 자신이 이 상황에서 목숨을 부지할 수 있는 방법을 부지런하게 머리를 굴리며 떠올려 보는 것일지도 모르겠고.

어쨌거나 그런 와중에, 김민서는 헬멧 내부에서 약간은 멍하거나, 해탈한 듯도 보이는 표정으로 붙들려 있었다. 상대는 김민서의 무장을 굳이 해제시키려고 하지도 않는 것 같았다. 어차피 허튼 움직임을 보이고 자신이 리모컨을 누르면, 상대 역시 죽으리라 생각해서였다.

진실은, 아주 큰 부상을 입을 테였지만, 죽지 않을 확률이 높았다. 점퍼 조직에서 제공하는 방탄 피복 중에서도 가장 특수 소재가 밀도 높게 들어간 물건으로 완전 무장을 한 상태였고, 아마 충격으로 멀리까지 튕겨 나가 바닥을 구르고 해소되지 않는 파괴력이 내부를 흔들겠지만 죽을 정도는 아닐 수 있었다.

그러니까, 길가에서 차량에 접촉 사고를 당하는 것과 비슷했다. 확실하게 죽을 정도로 강렬한 종류가 아니라, 부상을 입어서 전치 몇 주에 시달려야 하는 종류의 말이다.

물론 운이 나쁘다면, 그대로 목숨을 잃을 확률이 제로인 것은 아니다. 다양한 가능성을 점쳐 본다면 그대로 마지막을 맞이할 수도 있었지만, 그나마 최악의 상황은 아니라는 이야기다.

홍인수는 한숨을 들이키고, 스나이퍼에게 당부를 전했다.

"최대한 해볼테니… 노려서 잘 해보십시오."

라는 말이다. 그 말은 즉, 그가 인질은 빼내볼테니, 상대가 폭발을 일으키기 전에 폭탄이 없는 부위를 노려서 불필요한 소란을 없게 하라는 이야기였다. 화약이 붙어있지 않으면서 상대의 움직임을 멈추게 하기 위해서는, 결국 두부頭部를 노리는 수 밖에 없었다. 스나이퍼는 고개를 끄덕이며 다시금 조준에 집중한다.

상대는 불안하다는 듯이 움직이면서, 자신의 모습을 인질의 체적으로 가리기 위해 애를 썼다. 스나이퍼가 어디에 있는지 정확하게 알지 못하면서 자신의 목숨을 부지할 수 있는 구도를 계속해서 만들어내고 있다. 나름의 영리함인지도 모른다. 그 말로가 자신의 목숨을 과연 유지시켜주는 쪽일 지는 알 수 없었으나.

마스터가 다시, 협곡의 천장에서 도약으로 모습을 감추었다.

*

비쥬얼 데이터로 현장을 파악한다는 건 점퍼에게 있어서 아주 기꺼운 일이었다. 이런 식으로 도약을 해서 현장에 진입해야 할 때, 극한 상황에서 무언가를 해결해야 할 때는 아주 조금의 정보라고 하더라도 귀한 물 한 모금과 같았다. 탈수 증세를 보이는 그런 마지막 순간에서의 물과도 같이 말이다.

홍인수는 노련한 점퍼였고, 점프 능력을 세분화해서 단계를 나눈다고 하더라도 최상급의 자리에 분류가 될 천재 중 하나였다.

그는 육체적으로도 다양한 운동 능력과 전투 능력에 천재적인 자질을 보이는 사내였지만, 점프라는 분야에 있어서도 대단한 두각을 나타내는 인물이었다. 그가 수많은 임무에서 활약을 했던 건, 두 가지 분야의 능력에 있어서 동시에 천재성을 나타내는 자였기에 가능한 일이었다.

마스터가 참여한 현장에서는 진입 요원들의 사상률이 극단적으로 낮아진다. 그것은 조직의 기록이었고, 또 마스터의 개인적인 자부심이기도 했다. 언제나 그럴 수 있는 건 아니었지만, 마스터는 자신의 능력이 가능한한 계속해서 늘어나고 또 높은 자리에서 유지되기를 바랐다.

세상에 있는 수 많은 난제들과 어려운 상황들 속에서, 자신의 노력으로 조금이라도 팀에 도움이 될 수 있다면 그는 가능한 모든 일을 다 감당할 용의가 있는 사내였다. 같이 전선에 들어가고, 위험을 헤치고 나와서 무언가를 구출해내는 팀은 곧 그 자신의 생명과도 연결이 되어 있는 듯한 전우들이었다.

그들과의 유대감이, 현장에서의 책임감이며, 곧 그가 능력을 발휘하는 계기가 되는 모든 것들이었다.

누군가를 향한 이타심은 결국 그들이 현장 임무에서 소중하게 다루어야 하는 민간인들, 사회 구성원들의 안위와 법리적인 상식들과도 연관이 된 것이다.

점퍼란, 결국 누구보다도 비상식적인 특질의 능력을 가졌으면서 동시에 누구보다도 이 사회의 질서와 상식을 빠삭하게 이해하고 그것을 지키기 위해 움직여야 하는 자들이었다. 특이한 형질을 지니고, 능력을 가졌기에 더욱 그러해야 했다.

부자라면, 권력자라면 사회 질서를 누구보다 잘 이해하고 타인들을 조금 더 배려하며 움직여야 할 필요가 있는 것이 사실이었다. 결국 몸집이 큰 자들이 구성원들을 신경쓰며 움직여야, 거대한 집단이라는 것이 유지될 수 있을테니.

큰 힘에는 큰 책임이 따른다. 그것이 책임도 힘도 없는 자들의 악랄함을 긍정하는 말은 당연히 아니었다. 모든 사회 구성원들은 자신의 책임을 다해야 한다. 가끔 특별함을 가진 이들은, 자신의 특별함을 사용해서 다른 이들을 도와야 할 도의적인 책임이 존재하기 마련이었다. 그럴 때 그가 속한 전체의 구성원들의 평안함이 더 증가한다면, 그러지 않을 이유가 없었다.

어쨌거나, 홍인수는 공공선을 위한다는 점퍼 조직의 사상의 방향성에 나름대로 감화가 되었고, 동의하고 있으며 그렇게 움직이는 인물이라는 이야기였다.

그는 마음을 날카롭고 또 강인하게 다잡았다. 늘 부담스러운 상황에 들어가며 얽힌 실타래를 풀기 전에는 그런 마음가짐의 재계가 필요했다.

그는 정확한 좌표의 계산이 끝나고, 자신이 움직여야 할 시나리오를 머릿속에 그리고, 자신의 신체적 반응과 상태를 가볍게 확인하면서 현장에 돌입했다.

후욱, 하는 익숙한 소리와 함께 그가 빌딩 내부에 모습을 나타냈다.

어지럽게 이리저리 움직이면서 자신의 목숨을 보존하려고 하는 사내, 미카엘의 뒤편으로 움직이려 했다.

그러나 그 순간, 미카엘이 몸을 흔들고 있었다. 그리고, '민서'는 재머로서의 능력을 발휘하는 것에 부담감을 느끼고 있었다. 계속해서 급 전개되는 상황 중에 그는 평정심을 유지하기가 다소 힘들어졌고, 마음의 평안과 집중 상태가 사라졌다. 정신파 중에 일정한 부류가 끊어졌고, 그리고 다시 움직임이 잦아들고 상황이 유지되면서 다시 이어졌다.

인질을 잡고 있는 폭탄 테러범의 모습을 보고, 그 역시 별다른 반항을 하지 못하고 그 손에 붙들릴 때까지 멘탈이 흔들렸고, 테러범의 손아귀에서 제압당한 채로 있는 동안 다시 안정적인 멘탈 상태로 돌아왔다.

그 가운데 김민서는 솔직히 정신이 없었고, 재밍 능력을 세부적으로 컨트롤할 힘이 없었다.

재밍 영역이 그의 몸을 중심으로 다시 퍼져나갔고, 점퍼 조직의 익숙한 점퍼들을 상대로는 능력을 발휘하지 않던 그의 JE2가 다시금 힘을 발휘했다. 그것이 사소한 오차를 만들어냈고, 홍인수는 미카엘의 뒤편이 아닌 그의 시야 앞쪽으로 이동하기에 이르렀다.

아주 미세한 감각의 차이였다. 일순간 눈이 보이지 않는 상황이었지만, 점프를 할 때 시각의 차단과 함께 다른 오감들이 예리하게 벼려진다. 마치 야생 동물들의 그것과도 같이 날카롭게 가다듬어진 감각들은 상황의 변화를 잡아낸다.

홍인수는 그가 상상했던 장면과 아주 약간 다르다는 것을 느꼈다. 그리고 아주 약간이라도 다르다는 것은, 사실 그의 점프가 실패했다는 걸 의미한다. 조금의 오차도 있어서는 안될 도약에서 오차가 있다는 것. 그 오차가 어느 정도일지 정확하게 가늠을 할 수 없었다.

홍인수는 최악의 상황을 가정하고, 곧바로 다시 도약을 준비했다.

미카엘은 경황이 없이 어수선하게 굴다가, 자신이 바라보고 있는 앞쪽으로 나타난 홍인수의 신형을 발견했다. 그리고 잠깐의 인지 부조화와 함께, 멈추고 다시금 정보를 받아들였다.

“이야-!”

말이 아닌 괴성의 앞부분 같은 것을 터뜨리며 미카엘은 자신이 가지고 있는 폭탄의 버튼을 누르려 굴었다. 홍인수는 앞이 보이지 않지만 후각과, 촉각과, 청각 등을 이용해서 대강의 사물의 움직임을 머릿속에 그려냈다.

그리고 일단 앞으로 성큼 걸어나오고, 팔을 뻗었다. 사람이 그 자리에 있다면 공기의 흐름이 다르고 또한 온도가 다르다. 이토록 가까운 거리라면 그 기척이나 자세를 상상해서 때려 맞추는 것도 불가능한 일은 아니었다.

홍인수는 기가 막히게, 여성 인질과 김민서의 틈 사이, 미카엘이 있는 곳으로 그의 오른손을 뻗었다. 그가 리모컨의 버튼을 누르려 할 때였다. 먼저 홍인수가 그의 멱살 부근을 잡는다.

김민서는 놀라서, 눈이 화등잔만하게 커졌다. 백인 여성 또한 연속적으로 벌어지는 사건들에 충격을 받는 것 같은 표정이었고. 홍인수는 그대로 그의 손이 미카엘에게 닿자마자, 준비했던 도약을 시행하며 어딘가로 사라졌다.

민서는 폭탄이 터지리라 생각했으나, 그 순간 아무일도 벌어지지 않았음에 더 큰 충격을 받아야 했다. 눈앞에서 홍인수가 단체 도약으로 미카엘, 폭탄마와 함께 사라졌다.

홍인수, 소드 마스터는 이런 실전에서의 상황에서 실수나 실패를 할 만한 인간이 아니었다. 그러나 그가 바라보기에 홍인수의 표정은 놀라움이나, 당황스러움으로 차 있었다. 무엇이 그를 그렇게 만들었는가. 인질이 잡혀 있고 언제 폭탄이 터질 지 모르는 급박한 상황이 그를 그렇게 정신적으로 몰아 넣었는가?

아니, 그럴 수는 없었다. 그가 알기로 소드 마스터는 이보다 더 지독한 상황 속에서도 얼마든지 헤쳐나온 전적이 있는 베테랑이었다. 다른 것이 작용해서 그의 계산을 실패로 만들었다. 그리고 민서는 곧이어서 그것이 자신의 행위였음을 깨달았다. 재밍 영역의 전개가 이루어졌고, 자신이 멘탈이 흔들리는 동안 능력을 제대로 운용하지 못했고, 그것이 기가 막히게 홍인수가 돌입하는 타이밍과 맞아 떨어져서 오차를 만들어낸 것이다.

마치 그가 홍인수와 처음 만날 때와 같았다. 애초에 그가 있는 줄도 몰랐었던 재밍 능력을 발휘했고, 서울시내, 그 근처 어딘가로 도약을 해서 이동을 하려던 소드 마스터가 그의 단칸방 원룸으로 갑자기 침입을 해왔으니 말이다.

그때에는 그가 일방적인 뺑소니 사고의 피해자였지만, 이번에는 정밀한 현장 작전 중 일어난 오착륙의 가해자였다.

그의 곁에는 그와 같이 붙들려 있었던 백인 여성이 황망한 표정으로 서 있었다. 분명 그와 같은 표정이리라고 민서는 문득 인식했다.

*

홍인수는 급박한 상황 가운데서 도박처럼 보이지 않는 장소로 손을 뻗어서 미카엘의 신체를 터치했다. 그리고, 그것이 분주하게 움직이던 남성의 기척이라는 것을 확신하기 전에 이미 도약을 시도했고, 시야가 떠지면서 자신의 선택에 낭비나 실수가 없었음을 깨달았다.

그다음 순간 그는 어느 대양의 위, 하늘에 떠 있었다. 사람이 없는 곳을 찾기에는 이 정도 좌표가 적당했다. 지금 이 순간에도 수

많은 비행체들, 국제선의 항공기 따위들이 항로를 따라 여행을 하고 있었지만 그것들 중 하나와 우연히 마주치는 것은 아주- 또 극히 낮은 확률이리라.

그야말로 적당한 지점이었다. 범위가 어느 정도일지 알 수도 없는 폭탄을 데리고 해치우기에는 말이다.

점프는, 경험하지 못한 사람이 갑자기 당하게 된다면 약간의 어지러움을 유발할 수도 있었다. 갑작스러운 공간의 변화와 시야의 명멸 역시 정신을 차리지 못하게 하는 점이었고.

그 약간의 순간은 홍인수에게 있어서 퍽이나 다행스러운 틈이었다. 미카엘은 패닉에 빠진 채로 손에 쥐고 있던 리모컨의 버튼을 누르려고 했으나, 이상한 감각과 함께 자신이 다른 곳에 와 있다는 걸 깨달았다. 그 사이에 시야 역시 의지와 상관이 없이 암전이 되었다.

강하게 쥐어서 버튼을 누르려던 손아귀에 힘이 약간 풀렸고, 그는 버튼을 끝까지 누르지 못했다. 그 사이에 홍인수는 중력이 자신을 강하게 끌어당기며 행동이 불편해지기 전에, 허벅지의 홀더에 장착되어 있던 권총을 꺼내서 미카엘의 머리를 겨누었다.

폭탄이 터지지 않고 그의 행동을 멈추려면 어쩔 수 없는 일이었고, 그는 아래로 떨어지면서 몇 번의 총격을 가했다. 탕! 탕탕! 몸이 흔들리고 또 디딜 곳도 없는 극한의 상황에서의 사격이었지만 홍인수는 잘 해냈다. 그가 곧잘 하는 일이기도 했고 말이다. 이런 종류의 기예에 가까운 총격이야말로 점퍼 전투 요원으로서 자주 맞닥뜨리는 일이다.

한 발도, 빗나가서 폭약을 건드리는 일 없이 미카엘의 목숨을 앗아갔다. 충격으로 움찔거리는 손아귀는 끝내 쥐어지지 못하고 천천히, 두 명은 아래로 떨어져 내려갔다. 순식간에 가속도가 붙어서 빠르게 바다가 가까워지고 있었고, 홍인수는 침착하게 도약을 다시 시도해서 황야의 기지로 돌아온다.

*

제압은, 오랜 시간이 걸렸으나 결국은 끝이 났다. 사람들은 마약류에 취해 있던 것이기라도 한 지, 제정신을 제대로 차리지 못하고 마지막까지 통제 불능의 상태로 교전을 이어나갔으나 침착하게 하나 둘씩, 처리를 하자 끝내 해산되었다.

상황은 천천히 그렇게 해결되어 갔다.

정밀한 조준 사격이 가능한 지점에서, 건장한 이들 위주로 빗겨 맞혀서 행동 불능으로 만들거나 적당히 관절을 부수고 부러뜨렸다.

그런 종류의 일은 브레이커가 잘 하는 것이었지만 세 남자도 자신들의 역량을 최고조로 발휘해야 했다.

그들은 그들의 도약 가능한 한계 회수의 거의 근처까지 점프를 해대었다. 계속해서 전장과 외곽을 번갈아가면서 교전을 이어갔고, 그때마다 적당한 이들을 하나나 둘씩 잡아다 같이 이동해 떨어뜨려 놓았다.

개개인으로 본다면 상대의 전력은 그렇게 큰일이 아니었다. 수백 명이 모여서 이성을 잃은 듯 행동을 할 때 제압조차 어려운 것이 사실이었으나.

한 명 한 명은 그저 금방 총을 들었을 뿐 완벽한 민간인이었다. 훈련받은 요원들이, 방탄 의류로 몸을 감싸고 있다면 제압하는데 십 초가 채 걸리지 않을 테다.

소란스러운 밤이 지나갔다.

지독한 밤이었다. 중간에 피스메이커 탄을 기지에서 보급받아 와서 조준 사격으로 한 명씩을 제압해 나갔지만 급소에 맞거나 유약한 어린이가 맞는다면 별반 다르지 않은 결과였으므로, 난이도가 크게 달라지지는 않았다.

난전 가운데서 정확한 조준점을 일정 거리 밖에서 맞추는 일은 이미 기예나 다름이 없는 일이었다. 그 중간에 들어가서 한 명씩 제압을 하고 또 끄집어내는 일도.

서커스나 비슷한 난이도와 강도 높은 행위 예술을 밤새도록 계속해나가면서, 조직의 요원들 역시 고단함에 닳아갔다. 정신이나 체력 모두.

그러나 중요한 점은 결국 그렇게 해서 상황의 해결이 가능하다는 것이었고, 얼마든지 괴롭고 또 지독하든 임무의 해결이 가능하다면 요원들로서는 기쁘게 지나갈 수 있는 시간들이었다.

황야의 겨울밤은 쌀쌀했다. 해가 지고 잔열을 머금을만한 물성의 무언가가 없이 그대로 한낮의 열기가 증발을 했고, 밤이 되어 황량한 공간을 왔다갔다하는 대류가 황야의 거주자들의 체열마저 뺏어간다.

협곡 내부는 그늘지고 또 위로 일부러 만들어놓은 유리천장 때문에 낮에도 그다지 따뜻함을 유지할 수 없었고, 평균적인 지면보다 더 온도가 낮았던 터라 밤의 온도가 더욱 차가웠다.

그런 와중에 분주하게 뛰어다닌 그들은, 추위를 느낄 새도 없이 계속해서 운동을 하다가 새벽녘이 밝아오기 조금 전에야 몸을 뉘이고 쉴 수 있었다.

이번 작전에서 다친 이는 없었다. 굳이 따지자면, 김민서가 받았던 순간적인 충격이 조금 심한 편이었다.

홍인수가 아무런 상처도 없이 무사하게 살아돌아오는 것을 목격하지 못했다면, 더욱 심한 트라우마가 생겼으리라.

순간의 컨트롤 실수로 팀의 점프에 영향을 주었고, 그때문에 급박한 상황 속에서 심각한 상처를 입히거나 운이 나쁘다면 목숨을 잃게 할 뻔했다.

자신의 목숨을 잃는 것보다도, 자신의 실수로 팀원들에게 막대한 피해를 입히는 게 더 심각한 트라우마가 생기게 마련이었다. 자신의 목숨은 하나였으되 눈 앞에서 고통 받고 사라지는 동료들의 마지막 모습은 시야에 각인이 되어 떠나가지 않는 장면들이 되고 만다.

사람이 느낄 수 있는 가장 큰 고통은 결국 그런 종류들이었다.

짧은 순간이었으나 민서는 심정적으로 절망직인 밑 구덩이까시 떨어지고서 다시 돌아왔다.

소드 마스터는 폭탄마를 처리하고 바다 위 상공 어딘가로부터 돌아와서, 김민서의 표정을 보며 대강 심정을 짐작하며 가볍게 그의 뺨께를 두드렸다.

별 일 아니라는 뜻이었고, 사실 그런 사소한 착오와, 그로인해 실전에서 벌어지는 목숨의 근처에서의 줄타기들이 현장 임무를 같이 뛰는 동료들간의 말할 수 없는 전우애를 다지게 하는 일들일지도 몰랐다.

사선을 넘나드는 경험 속에서, 결국 배양되는 것인가 보다. 전우란 말이다.

별 일 없으리라 생각했던 임무는, 생각보다 고되고, 지긋지긋하게 길어졌으며 미국 땅에서의 한 날이 저물었다.

겨울의 끝자락의 일들이었다.

결국 종말교의 수뇌부는 대부분이 현장에서 목숨을 잃었다. 한 명 정도가, 기어코 눈치가 빠르게 항복을 하며 목숨을 구걸했다.

상황의 파악과 정보의 수득을 위해 점퍼 조직은 그의 항복을 받아들였고, 기지로 데려갔다.

여기저기 두 발로는 걸어서 돌아오기도, 다시 모여들기도 어려운 황야의 곳곳에 흩어진 교단의 민간인들은 날이 밝고 나서 천천히 구조가 되었다.

개들 중 약 40%정도가 마약 검사에서 양성 반응을 띄었다. 사이비 종교는 열렬한 의지로 사람들을 현혹시키는 사기꾼과, 걸출한 범죄자들이 모아온 자본과, 마약류 약물의 협조로 유지가 되었었다.

조금 더 기간이 길어졌다면, 그들은 지금보다 더 급진적인 사상을 드러내며 사건을 저질렀을지 모를 일이다.

유타 주의 주정부와 치안 당국에도 당연하게 연락이 닿아 있었고, 대강의 상황이 마무리되자 그들로부터 인력이 당도해서 본격적인 뒤처리에 들어갔다.

홍인수는, 중앙의 고층 빌딩의 창고에 쌓여 있는 말도 안되는 마약류의 양을 보면서 깊은 한숨을 한 번 내쉬었고, 최소한의 증거자료로 영상을 따고선 그대로 폭파시켜버렸다.

폭약류 따위도 기지 창고에 그득했으므로, 그리 어렵지 않은 일이었다.

*

24일은, 아주 긴 날이었다. 한국에서야 낮이었으나 갑작스레 밤의 어딘가로 이동해서 밤을 새며 소란 속에서 있었다.

상황이 정리되고 다시 돌아왔을 때는, 이번에는 한국에 해가 저문 뒤였다. 민서는 한국으로 와서 기절하듯 잠에 들고야 말았다.

25일은 빠르게 지나갔다.

*

23년 2월 26일.

겨울.

일요일.

-그리해서, 예수 그리스도의 공로에 참여함으로 인간은 구원에 다다르고, 곧 만물이 창생 당시의 의도 그대로의 회복에 이르게 되는 것입니다…… 인간 역시 창조주 하나님의 뜻에 따라 본디 지어진 가장 밝고 아름다운 모습으로 회귀할 것이며… 그것이야말로

이 땅과 하늘을 지으신 주의 의도의 방향성입니다…

다소 떨어진 자리. 뒤편에서 조금 앞 쪽.

공부용 책상을 조금 옆으로 길게 늘려놓은 것에, 맞춤으로 생긴 의자에 앉아서 말씀을 듣고 있었다.

교회였다. 수정이 다니고 있는. 사귀기로 한 때부터, 일종의 증명이나 약속처럼 같이 다니고 있는 곳이었다.

싫어하는 편은 아니었고, 어머니를 생각하면 외가의 분위기는 개신교도가 많이 계신 느낌이었다.

바깥에서의 다양한 소동과 소란들을 겪고 와서, 가만히 앉아서 이런저런 긴 이야기들을 듣고 있다보면, 그 안에서 나름의 논리성이 파악되기도 하고, 그러면서 가끔 안정감이나 평안을 느끼기도 한다.

찬양 음악의 연주들을 듣는 것도 즐거움이었고.

단번에 모든 것들을 알 수는 없지만, 이런 저런 강단에서 담임 목사님이 하시는 이야기를 들으면서 앉아 있다.

솔직히 말하면, 기본적인 지식이 전무한 상태에서 졸지나 않는 것이 다행이었으나, 옆에 앉은 수정 때문인지 나름대로 똘망똘망한 눈빛으로 잘 집중을 하는 편이었다.

워낙 흐리멍텅한 인상이 평소에 굳어져 있는지, 그것이 남들에게 잘 드러나는 지는 알 수 없지만 말이다.

식순에 따라, 말씀을 듣고, 봉헌금을 드리고, 성찬으로 카스테라 빵이나 달달한 포도쥬스를 한 모금 마시고, 또 종종 보게 되니 나름대로 안면이 익은 이들과 인사를 하면서 시간이 흘렀다.

그렇게 가만히 있다가 보면, 뜻없이 보이는 종교적 의식 가운데 무언가 마음이 가기도 한다.

그 말은, 지겹도록 어딘가에서 반복해서 들어 왔던 '기도'라는 단어가 가끔은 다른 단어인 것처럼 다가오는 순간이 있다는 이야기였다.

기도라.

이 세상에 어느 것 하나 자신의 말을 들어줄 이가 없는 것 같은 삶을 살아오다가, 그저 으레 하는 말인양 신에 대한 강론을 듣다가,

문득 이 세상을 지은 전능한 창조주가 있어 그가 자신의 마음속 읊음을 들을 수 있다는 생각에 자신의 의식이 미치는 순간.

자신도 모르게 별 말 없이 쌓아온 다양한 인생의 고난이나, 고뇌나, 혹은 느껴왔던 괴로움이나, 남모를 트라우마나, 혹은 수치스러운 일까지도

한 번 정도는 그저 머릿속에서 읊어볼까 하는 생각이 들고 마는 것이다.

참회나, 고백.

흔한 말이지만.

만약 그것이 남몰래 품어온 고통을 포함하고 있다면. 자기 마음속에 감추어 왔던 비밀이 가시처럼 생긴 것이라 그것을 기억하는 자신의 가슴 내면에 상처를 내고 고통을 만들어내고 있던 것이라면.

그럴만한 기회가 온다면 어떤 마음이 지독하고 냉정한 사내라도 속마음을 허탄하게 풀어내 놓이 보고 싶어지는 것이다.

민서는 그 단어에 대해서 생경하게, 다시금 느껴보며 지난날의 기억들에 대해 단문으로, 짧게나마 읊조려 보았다. 그날은.

*

27일이 지나고, 28일이 왔다.

점퍼 조직의 실전 임무는 조직원들마다 유지되는 업무 강도가 있어서, 총칼이 날아다니는 현장 임무를 뛰고 나면 잠시간은 휴식이나, 대기, 혹은 그 현장 보조 임무를 맡게 된다.

그처럼 별다른 일 없이, 잠깐의 시간은 지나갔다.

김민서는 많은 심경적 변화를 겪는다. 3월. 1년이 이제 딱 되어가는 시점이었다. 다가오는 날은.

처음 홍인수를 만나고 점퍼 조직에 엮여 들어와, 참으로 다양한 경험들을 했다.

자신도 몰랐던 능력마저 알게 된 것이 신기했다.

정신파의 한 종류의 유지력에 따라서 그 강력함이 결정되는 능력이었고, 자신 역시 점퍼의 일종이었다.

흔한 말로 멍때리기, 혹은 평안한 상태. 희미한 해탈감마저 느껴지는 집중 상태를 유지함으로써 다른 점퍼들의 능력에 강제적인 개입이 가능했다.

자신을 중심으로 반경 일정 거리의 구형 범위 안으로 누군가가 도약을 해오면 상대의 도약지를 강제로 변경하는 능력이었다.

점차적으로 그 범위가 커져갔고, 의도적으로 점프 에너지, JE2와 연관이 있는 상태를 유도함으로써 능력이 강해지는데 가속도가 붙었다.

수개월이 지나고 반경 수십 미터, 수백 미터를 전전하던 영역은 종래에는 대도시 수준의 범위를 커버하기에 이르렀고, 일반적으로 겪을 수 있는 극한의 스트레스를 경험하면서 계단식 그래프처럼 범위의 거리가 급격히 커져 갔다.

그리고 민서는 문득, 자신이 감각으로 느끼지 못하지만 간접적인 정신 상태의 유도로 사용하던 일종의 능력이 어떤 수준을 넘어선 것을 느꼈다.

초월적인 감각이었다. 전능감, 따위는 아니었다. 본질적으로 여전히 그가 할 수 있는 일은 아주 적었다. 다만 어떤 분야에서, 그가 일정 경지에 다다랐다는 생각이 들었다.

그가 한 일은 별로 없었다. 그저 있는 줄도 몰랐던 어떤 능력이 삶의 안에서 시간과 함께 쌓여가다가 수면 위로 드러나듯 그 존재감이 드러났을 뿐이었다.

그 존재감은 눈에 보이지 않지만, 깨닫게 되는 것이었다. 마치 점퍼들이 처음에 자신의 능력을 제대로 인지하는 과정과 비슷했다.

깊이 들어가서 점퍼로서의 능력들을 응용하는 일은 수많은 경험과 시행 착오, 그리고 연구와 지식의 교류를 통해서 만들어가는 것이었지만 기본적인 도약 능력의 맥락 자체는 처음에 알게 된다.

마치 자신에게 손이 있는 것을 깨닫고 처음부터 그것을 쓸 수 있는 것처럼. 눈에 보이지 않는 손과도 같았다.

민서는, 자신이 무엇을 할 수 있게 되었는지 알았다. 그건 다른 의미로 말하면 세계 정세의 판도를 약간 바꿀 수 있는 힘과도 같았다.

그러니까, 세계에 있는 모든 점퍼들의 능력에 통제를 가할 수 있다면 말이다.

그리고, 세계에 있는 모든 점퍼들을 통제하기 위해 움직이고 또 막대한 에너지를 쏟던 점퍼 조직과 함께라면 말이다.

자신의 능력의 범위가 일반적인 수준을 벗어나 폭발적으로 늘어났다고 생각했다.

그야말로 일반적인 범위를 벗어난 수준이었다. 전 지구의 반절 정도가 자기가 앉은 자리에서 통제 가능한 재밍 영역의 한계라고, 그는 느껴졌으니.

약 반경 5,000km정도. 정확한 구 형태의 범위가 그가 발휘하는 재머로서의 강제력의 영향력 아래에 있었다.

눈에 보이지도 않고, 일명 JE2라고 이름이 지어져서 측정조차 되지 않는 그 에너지가 영향력을 발휘하는 건 오로지 같은 종류의 에너지인 JE 뿐이다. 현대 물리학에서, 그리고 일반적인 상식선의 물질 세계에서 그 변화와 범위는 아무런 힘도 가지고 있지 않았다.

그러나, 실제로 점퍼들은 이 현대 사회에 약 백여 명 정도가 존재한다. 파악이 된 정확한 숫자가 약 백이십여 명 정도. 그중 점퍼 조직에 속해 있는 총원이 23명이다. 그 외에 조직에는 속해 있지 않으나 '전우'라고 할만한, 우호적인 점퍼들이 약 8명 정도.

그 외에는 중립적인 태도를 고수하며 자연적으로 존재하는 점퍼들이었다. 개 중 삼십여 명 정도는 조직에서 곧바로 연락할 수 있는 라인이 있었고, 위급한 상황에서 협조나 양해를 구해볼 만하다. 그리고 점퍼 조직에서 행동을 제약하고 있던 범죄자들의 수가 또한 십 수명 정도 되었으나 지금은 그 반절도 통제하고 있지 못하다.

그러면 현재 조직에서 위치나 현황을 파악하지 못하고, 그저 존재를 짐작만 하고 있는 점퍼들이 약 삼, 사십여 명 정도. 실제로 그 족적이 조직의 수색에 닿았던 이들도 있고, 정보로서 흔적만 잡은 이들도 있고, 그 외에는 전통적으로 이어져 온 통계에 따른 숫자로서의 파악이었다.

전근대의 시기, 점퍼들이 각국의 정치와 군사계에 깊이 개입하면서 전략 자원으로 활용되었던 때에 숨어 있던 점퍼들은 거의 없었다. 전황을 획기적으로 바꾸지는 못했으나, 국지전 규모의 상황은 바꿀 수 있었고, 또 첩보 작전에는 핵이나 마찬가지로 사용될 수 있는 능력자들이었다.

점퍼는 점퍼로서 상대하는 것이 그나마 편리하다. 점퍼들의 순간이동을 완벽하게 막을 수 있는 수단이 없다면, 자국 역시 동일한 능력자를 보유해서 비슷한 혼란과 타격을 적국에 주는 수 밖에 없는 것이다.

그런 혼란스러운 상황과 정세를 지나면서 가장 거대한 규모로 단일화된 능력자들의 모임이 현재 조직의 시초였고, 지금까지 이어져 온다.

이 세상 어디에도 속하기 어려운 특질의 능력을 지닌 이단자들이, 자신들의 특이성을 빌미삼아 사회에서 벗어나지 않도록 그 길을 잡아주는 역할을 하는 것이 점퍼 조직이었다.

그리고 또한 그 특수한 능력을 가장 필요한 곳에 투입해서, 사회적인 선善을 이루는 것이 조직의 사명이자 사상이었고.

수십 수백, 그리고 수많은 장비들이 동원되어서 될까 말까한 재난 상황의 현장에 점퍼 한 명이 잘 장비를 갖추고 들어간다면 순식간에 모든 이들을 구조해낼 수도 있었다.

불의한 정치가의 선택으로 일어난 침략 전쟁 따위도 첩보 작전이나, 요충지에 대한 훈련받은 전투 요원의 직접 타격으로 멈추거나 지연시킬 수 있었고.

실제 현대 사회에서 드러나지는 않으나 수많은 영향력을 끼치고 있는 점퍼들에 대한 강제적이고, 절대적인 통제 능력이라는 건 곧 세계 정세의 조류에 직간접적인 영향을 끼칠 수 있다는 말과도 같았다.

재머는, 그 능력의 특이성과 절대성 때문에 점퍼 조직에서도 특별 취급을 받던 특질의 점퍼였고, 그의 능력이 드러났을 처음 그 시기에 제시되었던 미약한 가능성이 이제 현실의 것으로 드러나기 시작했다.

정말로 전 세계를 뒤덮는 ME의 영역이라니.

민서는 연구소에서 들었던 그 능력의 풀네임을 도저히 자신의 입으로는, 창피해서 꺼내질 못했다.

2월 28일 화요일, 아침이 되었을 때 떠오르는 해와 함께 깨달은 다양한 정보들이었다.

그리고 민서는 그대로, 조직에서 쥐어 준 발신기를 통해 연락을 취했고, 가장 빠르게 복잡한 이야기를 전달해도 이해해주리라 생각되는 요원들에게 능력의 변화에 대해 정확히 설명했다.

*

넓고, 거대한 방이었다.

인테리어는 딱히 존재하지 않았다. 굳이 말하자면, 어느 고층 빌딩의 한 층 전체를 그저 공간만으로 칸막이 없이 비워둔 곳 같았다. 그리고 실제도 그와 같았다.

가끔 특수한 목적을 가진 일에 쓰기 위해, 인적이 드문 어느 지방에 설치된 건물이었다. 단순한 철골 구조와 콘크리트로 지어진 빌딩은 강화 유리 따위로 사방이 막혀 있었고, 내부에서 칸막이를 치면 햇빛조차 들지 않아 현재의 위치를 알기 어려운 곳이었다.

그저 백색의 전등 불만이 들어오는 공간. 약 백여 명 이상이 운집해서 대대적인 회의를 벌이고, 캠핑을 한다고 해도 괜찮을 정도의 넓이였다.

비교적 넓은 평야 지대를 지니고 있는 동남아, 태국 어딘가에 지어진 건물이었고, 점퍼 조직에서 가끔 사용하고는 한다.

그리고 지금도 평범한 상식으로는 이해하기 어려운 현상을 위해서, 김민서라는 청년이 그 중앙에 잠시 서 있었다.

건물 내부는 의외로 그리 덥지도, 춥지도 않은 기온이었다. 천장에 붙여 놓은 에어컨 따위가 쉴 새 없이 돌아가며 내부 온도를 적절하게 맞추고 있다. 눈에 잘 드러나지는 않지만 카메라 렌즈 따위가 벽면과 천장 등 곳곳에 설치되어 있어서, 빌딩 내부나 근처의 다른 곳에서 상황 감시가 가능했다.

민서는, 이곳에서 잠시간의 시간을 보낼 생각을 하고 있었다. 그리 길지는 않을 것이다. 본질적으로 다른 누군가를 자신이 있는 곳으로 강제로 이동시키는 종류의 능력을 가진 그는, 때때로 이런 특수한 장소에서 혼자만의 시간을 보내게 되는 것이 어쩔 수 없는 일이었다.

약 하루 정도는, 넉넉하게 시간을 보낼 생각을 했으므로. 그는 챙겨 온 작은 책자의 책을 읽기 시작했다. 스마트폰으로는 음악을 틀어두었고.

조금 긴 시간을 혼자 있으려 했건만, 생각보다 짧은 기다림이었다. 누군가가 그를 찾아오기까지는.

옷은, 평범한 색깔의 셔츠와 가죽 재킷, 그리고 면바지를 입고 있는 것 같지만 그 피복 사이에는 방탄 섬유가 짜여서 들어간 특수 의류들이었다. 머리에 쓰고 있는 야구 모자 또한 일반적인 물건은 아니었고.

재킷의 안쪽에는 호신용 권총이 가득찬 탄창과 함께 들어 있었다. 발끝을 까딱거리면서, 책의 약 십여 페이지를 읽기도 전에 익숙한 소리와 같이 누군가가 찾아왔다.

찾아온 쪽도, 자신이 이곳으로 오리라는 생각을 못했다는 점에서 참으로 공교로운 만남이었다. 민서 역시 그를 찾아올 상대가 누구일지는 전혀 알 수 없는 상황이었고.

그리고 대부분의 상황에서, 지성인이라면 대화로 해결을 할 수가 있었다.

민서는 마음을 먹었으나 영 진정되지 않는 심장을 애써 무시하며, 갑자기 나타난 누군가를 향해 말을 걸었다.

휘이, 하고. 바람이 부는 거나 비슷한 소리였다. 멀리 떨어져 있다면 들리지 않을 것 같은 소리지만 이것은 특수한 현상에 동반되는 소음이었고, 일반적인 법칙을 초월한 듯이 굴고는 했다. JE에 민감하고 익숙한 사람이라면 가끔 거리와 상관없이 선명하게 들리고는 한다.

그런 소리가 난 다음 순간에는 여지 없이, 원래 그 자리에 있었다는 듯 사람의 형상이 완전하게 어딘가에 서 있다.

나타난 것은, 어딘가로 놀리 가려고 한 것처럼 차려 입은 여성이었다. 사교회의 파티, 보다는 클럽을 가는 차림과도 비슷했다. 지나치게 야한 복장은 아니었고, 나름대로 기준과 선을 지키는 듯 깔끔하게 차려입으면서 자신의 장점을 잘 나타내는 옷매무새다. 겨울이다 보니, 아마 사계절이 있는 곳에 사는 사람인 듯 패딩 점퍼에 검은 가죽 바지를 입었고, 약간은 굽이 있는 구두를 신었다.

검은 머리의, 흑인 여성이었다. 흑인의 나이를 대번에 짐작하는 재주는 없었으나, 왜인지 그 기척이나 표정, 그리고 조금 들여다보면 보이는 피부에서 어린 편이라고 민서는 생각했다. 자신보다도 좀 더 어릴지 모른다.

영어라면, 다행히도 그가 조금 할 줄 아는 편이었다. 민서가 먼저 상황을 짐작하지 못할 여성을 향해 입을 떼었다.

“Um··· 안녕하세요?”

헬로우, 정도는 그로서도 간단하게 생각할 수 있는 단어였다. 그리고, 기초적인 영어 회화 정도는 조직에서의 생활 때문에 억지로 배우게 되었다. 현대의 국제 사회에서 영어는 배워두면 여전히 든든한 언어였다.

그러나, 상대는 알아는 들은 눈치였으나 뱉는 말이 조금 예상 외의 종류였다.

“…Bonjour?”

…민서는, 가볍게 숨을 삼키고 주머니에 있는 통신기를 자연스럽게 꺼내들었다.

폴더를 열어 뚜둑, 하고 몇 개의 버튼을 누르니 금방 상대가 받는다. 민서가 입을 열었다.

“…프랑스인이요. 제가 알아들을 수 있는 건 봉쥬르가 한계입니다.”

전 세계의 점퍼들을 불러들이는 일이었다. 지금 민서가 하고 있는 일은. 그리고 조직과의 상관관계를 정확하게 하고, 회유를 하거나, 통제를 위해서 조치를 가하거나 말이다.

그런 일을 하면서, 전 세계에 있는 자연적인 점퍼들을 상대하는 것이었으므로 당연히 그가 모든 회화를 담당할 수는 없었다. 전 세계 각국의 언어에 능통한 조직원들이나, 혹은 초빙된 통역자들 여러 명이 대기 장소에서 그의 연락을 기다리고 있었다.

그리고 원활한 대화와, 회유를 위해서, 곧이어 한 명의 점퍼가 빌딩 내부로 도약을 해왔다. 미셸, 이라는 이름의 프랑스인 섬퍼 요원이었다. 그녀가 급하게 미소를 지으며 이야기를 시작했다.

*

꿈에서 본 것과도 비슷한 광경이었다.

그렇게까지 많은 사람들이 모여들지는 않았다. 살고 있는 곳의 국경도 인종도 다른 무작위의 자연인들이 한 자리에서 담소를 나누는 건 퍽이나 보기 드문 일이었다.

한 자리에 모인 점퍼들은, 예상과 다른 도약지에 도착했음에 쉽게 패닉에 빠지지는 않았다. 애초에 점프를 하는 일 자체가 상식과는 거리감이 있는 현상이었기에 그럴지 몰랐다.

눈을 감았다 뜨면 자신이 생각했던 다른 곳으로 순간이동을 하고 있는 상황에서, 도착지가 생각했던 것과 조금 다르다고 소름 끼치게 놀랄 이유까지는 없었다.

비상식적인 일을 이미 겪고 있는 상황이기에, 사소한 변수가 끼어든다고 해도 말이다.

대부분의 사람들은 영어로 대화가 가능했다. 몇 명은 아시아 쪽의 언어로 대화를 해야 했고. 몇 명은, 사용하고 있는 이들이 별로 없는 언어를 구사해서 전문가가 오는 데도 다소 시간이 걸렸다.

총 20여 명의 사람들이 일종의 덫에 걸려 들었다. 그야말로 덫이었다. 정해진 장소에 준비를 해두고 누군가가 걸려들기를 기다리는. 건장한 사내도 있었고, 반항을 할만한 사람도 있었으나 심각한 사태로까지 번지지는 않았다.

나름대로, 민서 역시 이곳저곳에서 경험한 일들이 많았던 탓이었다. 그러니까, 미리 정해두었던 각도로 아무 망설임 없이 권총의 실탄을 쏘아내는 정도는 가능했다. 콘크리트에 총알이 박혀 들어가고, 그 파편이 튀며 총성으로 귓전이 따가운 감각을 느끼고 나면 많은 경우 사람은 일단 대화에 대한 의지가 샘솟기 마련이었다.

두세 명 정도는, 원래는 점퍼 조직의 감옥에 수감되어 있었으나 마이클 샌더스 박사가 감옥 시설을 초토화 시킨 이후로 자유를 찾아 떠났던 인물들이었다.

그들은 오히려 이야기가 쉬웠다. 점퍼 조직에 대해서 이미 알고 있었으므로. 민서가 전하는 말은 그다지 어려운 것이 아니었다. 짧게 자신의 능력에 대해 설명하고, 앞으로 당신들이 점프를 제대로 유용하지 못할 수 있다는 말을 전하는 것이다.

사실 그 이야기 자체는, 점퍼들에게 있어서 굉장한 자유권의 상실이었다. 자칫 잘못하면 중립적인 태도를 가지던 인간이라도 눈이 돌면서 덤벼들어도 어쩔 수 없는 내용의 설명이었다. 민서는 차분하게 말했고, 그 가운데 조직의 전투 요원들은 내부 상황을 지켜보며 긴장감을 고조시켰다.

다행히, 말했듯 심각한 사태는 일어나지 않았다. 권총 한 자루와 묘하게 기백이 생긴 민서의 분위기가 상황을 원활하게 만들었다, 비교적, 다양한 임무를 경험해 온 청년은 나름의 배짱이 생겨 어지간한 인물들을 상대로는 손쉽게 협상을 진행할 수도 있었다.

전 세계에 있는 점퍼들 중, 태국을 중심으로 약 반경 5,000km의 원형 지역을 지났던 점퍼들과 대담을 마쳤다.

대부분의 사람들은 협조적으로 굴었고 내용에 납득했다. 자신들이 어찌할 수 없는 상황의 변화에 대해서, 받아들이는 것도 좋은 방법이었다.

정말로 자신이 멋대로 점프 능력을 이용해서 어떤 일을 벌이고 싶다면, 결국 눈에 보이는 방법은 민서를 암살하는 것이었다. 그러나 민서 역시 대놓고 다가오는 공격에 쉽게 당해줄 만큼 손쉬운 상대는 아니었고, 그가 잠깐이라도 시간을 벌고 있다면 결국 그와 연계되어 있는 팀이 그를 구출해 줄 테였다.

점퍼들에게는 결과적으로, 연락처 따위를 얻어냈다. 다소 비협조적인 분위기를 고수하는 자들에게는 위치 추적기 정도를 선물했고.

물론 뜯어낸다면 그만이었지만, 민서가 재밍 능력을 키워나간다면 결국 다시 만나게 되는 건 시간의 문제였다. 그게 아니라면 상대가 점프를 더 이상 하지 않는 수밖에 없는데, 불안 요소의 통제라는 점에서는 조직에게 있어서 그 역시 성공적인 결과였다.

약 하루 간의 협상이 끝나고 민서는 일정을 마쳤다.

***

5.다시, 봄 이야기

3월이 되었다. 정확하게 일 년 정도가 지나는 시점이다. 생각이나 상상으로 떠올리지 못했던 일과 마주하고 다양한 경험들을 하며 살아온 지 말이다.

"재밍 능력의 한계치는 어디라고 봅니까?"
"글쎄요."

홍인수와는 짧게 이야기를 나누고 있었다. 주기적인 트레이닝은 결국 언제나 필요한 것이었다. 그 날도 역시 마찬가지였고, 홍인수는 그의 훈련을 봐주고 있다. 기본적인 체력 단련에 여러가지 실전 상황을 상정한 전투 훈련.

민서는 훈련실 바닥에 드러누워 다리를 가능한 한 찢고, 상체를 뉘여 몸을 접는 등 스트레칭을 하고 있었다. 홍인수를 상대할 때는 늘 긴장을 하고, 대비를 해야 한다. 조금이라도 확률을 높일 수 있다면 뭐든지 하는 편이었다. 그렇지 않는다면 한 대라도 정타를 맞추기가 어려웠다.

민서가 바닥에서 이야기했다.

“생각해보면, 아무래도 지구 전 범위- 정도가 한계겠죠. 그 이상은 능력에 의미가 없습니다.”

점퍼는 점프를 통해 어디든 갈 수 있다. 그 능력에 거리의 한계 따위는 없고, 별다른 제약도 없다. 장비를 갖추고 자신이 원해서 움직인다면, 순식간에 외우주라고 해도 다다를 수 있었다.

그러나 그곳에 다다른 순간 자신의 목숨이 보장받을 수 있느냐, 하는 건 다른 문제였다. 어떤 점퍼도 결국 멋대로 우주 공간으로 점프를 하지는 않을 것이다. 알 수 없는 곳에 발을 디디는 것. 가능은 했지만, 결국 점퍼들의 활동 범위는 다른 모든 사람들이 일구어 놓는 세계라는 범위에 제한되게 마련이었다. 현실적으로는.

그럴 수는 있을 것이다. 물리학자들, 천문학자들의 정밀한 연구로 인해 정확한 좌표와 예측 데이터를 가지고, 다른 행성에 잠시 들렀다가 오는 정도는.

그러나 점프가 완벽한 자유 의사로 인해서 발동된다는 점을 들었을 때, 그렇게 할 만한 인간이 있느냐는 또 생각해 볼 문제였다.

어쨌든 그와 상관해서, 민서는 왜인지 자신도 모르게 저절로 알게 되는 것들이 있었다. 자신의 재밍 능력 또한 무한하지는 않았다. 무한할 필요도 없었고.

점퍼, 그리고 세계와 관련된 범위. 그 정도까지만 하더라도 충분하다. 그 이상은 의미가 없다. 마치 수학적인 공식의 결론을 도출해내듯이 알게 되는 결과였다.

"능력의 의미라."

홍인수는 그 말을 중얼거렸다.

"점프라는 능력에 어떤 의미가 있다고 봅니까? 모든 지성체를 관장하는 신이 있어서, 우리에게 그런 능력을 주었다고."

신론, 에 대한 이야기였다. 홍인수는 별다른 종교를 가진 인간은 아니었다. 그러나 삶의 경계선을 매번 넘나들고 특히 동료들 간의 현장에서의 문제가 생길 때면, 종교라는 것이 간절해지기도 한다. 무언가에 의지라도 하고 싶어 지는 것이다.

인간이란 본질적으로 나약한 존재였다. 같이 살게 지어졌고, 누군가를 위해서 애를 쓸 때 가장 위대한 힘을 발휘하는. 그리고 이토록 거칠고 또 험한 세상에서 홀로 서기에는 고통 앞에 너무도 연약한.

민서는 하체를 충분히 풀고 나서 일어서서 상체 여러 관절과 허리를 뒤틀면서 가동 범위의 한계를 확인했다. 그러면서 말한다.

"아마도. 세계가 지어진 것이랑도 비슷하겠죠. 물리학이나, 이과의 기본 이론만 배워도 가끔 그런 생각이 들지 않습니까? 교과서에 나와 있는 수식들을 발견한 사람들의 이야기만 보더라도. 세상의 조형미는 아름답습니다. 점프 능력 역시 마찬가지고."

아름답다, 라. 홍인수는 자주 생각해보지 않았던 것에 대해서 곱씹어보았다. 대부분 그가 겪어온 삶은 피폐한 환경에서의 것이었다. 그 안에 많은 이들의 고통이 담겨 있었고, 그것을 극복해내기 위해 부던히도 애를 쓰며 나아온 흔적들이었다.

그러나, 그만큼 지겹고 또 무언가를 내주어야만 했던 삶의 지난 트라우마들을 생각해봤을 때, 어두움이 있다면 빛이 있듯, 아름다움이나 행복에 대한 확실한 믿음이 없었다면 그렇게 고통스러울 이유도 없는 일들이었다.

더 좋은 삶, 더 좋은 하루, 더 좋은 환경, 그리고 더 좋은 행동들에 대해서 늘 언젠가부터 확신을 가지고 움직였기에 그에 미치지 못하는 모든 것들에서 부족함을 느꼈던 것이라고,

할 수 있겠다. 홍인수는 대강 그렇게 납득했다.

“세상은 아름답게 지어졌다. 그리고 그것을 느낄 수 있는 누군가가 만들었고, 그런 존재 역시 있을 것이다. 점프 능력 역시 마찬가지다.”

홍인수가 정리를 하자 민서가 고개를 끄덕였다.

“그런 점에서, 점퍼 조직은 나름대로 그 능력을 잘 활용해왔다고 봅니다.”

나름대로 감동적인 평가였다. 이 조직에 있어서는 신참자나, 외부인이라고 볼 수도 있는 민서의 말이 말이다. 홍인수를 비롯해서 이 조직에 많은 것들을 쏟아내었던 베테랑이나 선배들이 많이 있

었다. 짧게는 십 년. 길게는 그 이상의 기간 동안.

"점프 능력의 본질적인 의미에 맞게 잘 사용해 왔다고요. 우리가 옳았다고."
"뭐, 그렇죠."

몸은 다 풀었고, 슬슬 장구류를 착용한다. 김민서는. 홍인수는 상대를 도리어 보호하기 위해서 글러브나 정강이의 킥 가드 정도만 차고 있었다.

"왜냐하면… 여태까지 그렇게 정열적으로 모든 걸 쏟아왔지 않습니까. 수십 년 동안. 제가 옆에서 봐 왔으니까. 이 정도로 특수한 일을 그렇게 해왔는데 아직까지 조직이나 사회가 잘 유지되고 있는 걸 보면… 나름대로 옳은 방향으로 일을 해온 것 같습니다. 아니었으면 예전에 어디서 사고치고 와해되고 다 터져나갔겠죠. 뉴스에도 나오고."

틀린 말은 아니었다. 점프라는 특수한 능력을 그래도 잘 사용해 왔기에 여기까지 올 수 있었지. 그게 아니었다면, 마이클 샌더스의 테러 이후 전 세계에 '점퍼'에 대한 이야기가 돌았던 것처럼 예전에 공론화가 되어서 사라지거나, 통제받거나 했을지도 모른다.

특수한 능력을 가진 소수자들의 이야기를 소재로 한 어느 헐리

우드 영화처럼. 사실 그 영화조차, 결국은 사회에서 메이저리티가 아닌 소수자들의 이야기를 그저 빗대어서 말한 것뿐이었지만.

그토록 눈에 띄기 쉬운, 가죽 주머니에서 튀어나온 못 같은 능력과 정체성들을 가지고 이토록 드러나지 않으며 공동체 속에서 살아왔다면, 나름대로 속해 있는 사회에 이바지를 해왔다는 뜻으로도 들렸다.

어떤 일들이 옳았는가, 틀렸는가는 그것의 결과물이 어땠는가로 결정이 난다. 열매로 무엇인가의 정체성을 알아낸다, 라는 말이 있는 것이다. 점퍼 조직의 결과물은 안정된 사회의 유지였다. 그건, 민서가 보기에도 썩 괜찮고 또 목숨을 걸만한 가치가 있는 일이었다.

"이 세상에 히어로 같은 초능력자들은 없지만. 적어도 당신들은 그렇게 보입니다. 평범한 소방서 대원만큼은요, 적어도."

히어로 무비 속에 나오는 초능력자들은 어떠한 종류의 외압에도 쓰러지지 않고, 물리적으로도 강력한 신체들을 가지곤 한다. 점퍼들은 공간의 제약이 없이 어디에나 이동을 할 수 있었고 또 다양한 장구류들로 몸을 보호하지만, 본질적으로 평범한 사람과 다를 바 없는 신체를 가진 이들이었다.

쉽게 다치고, 꿰뚫린다. 그런 상태로 위험한 곳에 들어갔다 나오는 것. 특별한 능력이 있다고 하더라도 어느 정도의 용기가 필요한 법이었다. 그리고 그런 용기는, 이 사회의 일반성을 유지하고는 하는 다른 수많은 직종의 헌신자들과 비슷한 만큼은 영웅이라는 말을 들어도 괜찮은 용기들이었다.

"……."

홍인수는 잠시 대화 중에 말을 멎었다. 김민서는 혹시나 그가 감동을 해서 울고 있나, 슬쩍 쳐다 보았지만 그런 기색은 아니었다. 무언가를 생각하는 듯한 모습이었다.

"음… 혹시 감동 받으셨습니까?"

홍인수는 한 1초 정도, 늦게 대답을 하며 고개를 저었다.

"그럴리가요."

민서는 반면 고개를 끄덕이며 납득을 했다는 듯 말한다.

"당신들의 노고를 알아주는 신참에게, 티끌만한 고마움이라도 느낀다면 오늘은 적어도 한 대는 맞아주시죠."

킥 가드, 상체 보호대, 팔꿈치 보호대, 글러브, 헤드기어. 온갖 장구류를 다 찬 민서의 모습은 얼핏 우스꽝스러웠다. 그러나 생각보다 가볍고, 또 움직임을 해치지 않는 첨단 기술이 들어간 신제품이었다. 이런 류가 나온다면 반드시 격투기 시합에 채택이 되어서 쓰일 만큼 말이다. 조금 더 안전하게 데미지를 주고 받을 수 있고, 선수의 움직임의 속도감 역시 그대로라면 그 자체로 시합의 재미를 배가시킬 물건들이었다.

그러나 아직은 단가가 맞지 않았고, 고작해야 이런 작고 또 비밀스러운 조직 따위에서 연습용으로 몰래 쓰일 뿐이었다.

피식, 하고 홍인수가 웃었다. 그의 웃음에는 여러가지 의미가 담겨 있었다. 은근히, 자기 내면의 기척을 잘 드러내지 않는 사내였다. 그가 마음에 지고 있는 책임감만큼이나 부자유스러운 남자였다. 젊은 나이에 어떤 조직에서 중추적인 역할을 맡는다는 건 또 그런 일일지 몰랐다. 더군다나 그 조직과 업무가 사람의 생명과 밀접한 관련이 있는 종류라면 더욱이 말이다.

조직을 이끌어가는 수장과 그 곁에 있는 노년의 사내들은 홍인수를 엘리트의 한 종류로 보고 있었고, 실제로도 아마 구분을 짓는다면 그럴 것이다. 그러나 아무리 재능이 넘치고 뛰어난 젊은이나 남자라고 하더라도, 힘든 게 없는 것은 아니었다. 보통의 사람들보다 더욱 심하면 심했지.

그래서 오히려 그토록 흠집하나 나지 않을 것 같은 남정네의 마음에 더욱 쉽게 스크래치가 나고, 별다른 전조도 없이 감동이나 감흥 따위가 느껴지는지도 모른다.

"덤비십쇼."

다만 고집스러운 사내는 가끔 자신의 마음에 들어온 감정의 작용과 정반대로 굴 때가 있었다. 유하게 굴기보다, 도리어 더 확실하게 상대를 해주겠다는 마음과 표정으로 입매를 굳게 닫으며 손가락을 까딱거렸다. 민서는 그 모습에 자신의 생각과는 다른 반응이라는 기색이었다. 약간의 당황과, 승부욕이 섞인 얼굴로 그가 달려들었다.

*

눈밭으로 질척이던 거리가 말끔하게 치워졌다.

제설 작업의 부단한 노력도 있었지만, 날이 풀리면서 눈들이 녹아가는 것이었다. 어느덧 날짜가 3월이었다. 봄에까지 남아 있는 눈은 많지 않았다. 어느 그늘진 곳에 산더미처럼 쌓여 있던 눈들의 무더기나, 얼음 조각 따위가 조금 남아 있는 듯도 했지만.

어쨌든 날씨는 풀렸고, 사람들의 옷차림 역시 한결 따뜻한 온도에 걸맞는 것들이 되었다.

민서 역시 마찬가지였다. 두터운 외투보다는, 조금은 가벼운 옷차림이다. 옷을 좀 껴입고 후드 짚업 하나를 둘러 쓰고 거리로 나섰다. 그는 임무가 없는 대부분의 시간은 한국에서 지내고 있었다.

고성능의 통신기기 따위를 지니고 있어서, 거의 조금의 시차도 없이 세계 어디에서나 조직과 연락은 닿을 수 있었다. 재머로서의 능력이 필요하다거나 인력이 필요하다면, 점퍼가 중간에 경유를 해서 그를 데려가는 식이었다.

세상은 순조로웠다.

그 말은, 전 세계를 시야 범위에 넣고 일정한 의도를 가진 어떤 계획의 흐름이 순조롭다는 이야기였다. 수많은 사람들이 있고, 저마다의 계획들을 꿈꾸고 일들을 벌이겠지만. 개중에는 악한 의도와 악한 행동도 있을 것이고, 그 반대의 것들도 있을 것이다.

민서가 속한 조직, 민서가 뜻을 같이 하고 있는 공동체는 나름대로 선한 방향성의 계획들을 꾸미고 있었다. 그들의 눈에 보기에, 그래도 이전까지보다 평탄한 구석이었다.

어쨌거나 재머가 있는 이상 점퍼들이 함부로 움직이지는 못하고 있다. 어느 정도 주기적으로, 재머가 재밍 능력을 발동해서 전 세계 점퍼들의 능력을 제한하는 일을 반복해주기만 해도 충분한 경고의 의미는 될 것이고. 부지불식간에 일어나는 그 재밍에 대해서 점퍼들은 저항할 수가 없었다.

민서의 재밍 능력은 그 범위를 키워가면서 약간의 고성능의 것이 되어갔다. 특질의 능력, 이라고밖에 설명할 수가 없었다. 그 스스로가 점프를 할 수 없다는 제약이 있는 반대급부인지, 재밍 능력은 다른 종류의 점퍼들보다도 훨씬 더 압도적인 성능을 자랑하고 있었다.

전 세계에 범위를 둔 레이더망 따위가 그 첫번째였고, 두번째는 그 범위 내에서 점프를 사용하는 점퍼들을 모조리 개개의 식별이 가능하다는 것이고, 그 다음으로 일정 조건에 따라서 분류를 한 뒤 원하는 이들만 점프를 제한할 수 있다는 것이었다.

민서가 사용하는 조건은 그가 잘 알고 친숙한 이들, 점퍼 조직의 점퍼들만이 점프를 사용 가능케 한다는 것이었다. 일반적으로도 점프는 가능하다. 그러나 재밍 능력을 사용하고 있을 때 겹쳐서 사용한다면 민서의 곁으로 이동하게 될 뿐이다.

물론, 민서 역시 아직까지 재밍과 점프 유도에 대해서 완벽한 해법을 가지고 있는 건 아니었다. 전 세계에 퍼져 있는 백여 명의 인원들에 대해서 마구잡이식으로 불러들인다면, 그들 모두를 상대해야 할 수도 있었다. 충분한 대비나, 원만한 대화에 관한 준비가 필요했다. 그러니까, 예를 들면 넓은 공간과 충분한 백업, 그리고 든든하게 장탄된 권총같은 것 말이다.

누구라도 멋대로 불러들이면 기분이야 나빠할 것이다. 다만 점프라는 것이 특수한 능력이고, 일반적인 삶에 대해서 전혀 터치할 수 있는 것이 아니라는 점만이 조금 다른 변명거리였지만.

어쨌든 어느 정도의 제한은 필요한 것이 사실이었다. 아무나 점프를 통해서 이곳저곳에서 난리를 피운다면, 결국 그것을 수습하고 통제하기 위해 인력과 자원의 낭비가 될 수 밖에 없다. 가장 이상적인 것은, 모두가 일원화된 조직에 속해 있으면서 그들의 자유 의사대로 특수한 능력을 사회에 이바지하는 쪽으로 사용하는 것이었다.

큰 힘에는 큰 책임이 따른다, 라는 말처럼. 특이한 능력에는 특수한 책임이 따른다. 물론 점퍼 역시 사람이기에 강요를 할 수 없고, 희생을 강요한다는 건 문장 자체가 성립되지 않는 말이었지만.

적어도, 도의적으로. 자신에게는 아무런 힘도 들어가지 않는 잠깐의 일이었으나 다른 누군가에게는 지나치게 간절한 순간들이 있을 수 있었다. 전 세계적인 범위로 보자면, 그런 일들은 꽤나 되었다. 완벽하게 고립되어서 탈출하지 못하는 조난 상황에서, 점퍼가 있다면 별다른 체력의 소모나 생명의 위협도 없이 곧바로 구출이 가능하기도 했고 말이다.

이전에도 조직은 이와 마찬가지의 방향성을 얻기 위해 노력해왔다. 자연계에 존재하는 점퍼들을 대상으로 계속해서 회유를 반복하며, 적어도 그들이 일정 시간과 약간의 정력을 할애해서 점퍼 조직의 일을 도와주는 정도의 협조는 얻기를 바라왔다.

20여 명의 점퍼들이 있으나, 그들이 가진 JE의 총량으로는 여전히 모자란 것이 사실이었고, 적어도 그런 식으로 협조를 하면서 뒤에서 다른 꿍꿍이를 꾸미지 않는다는 것만으로도 조직의 시선이 분할되지 않는, 참으로 다행스러운 상황의 연출이었으니 말이다.

민서가 처음에 그러했듯, 계약직이나, 아르바이트, 혹은 외부인으로서 조력하는 개념으로라도 떳떳하고 건전한 방향성으로 그 점프 능력이 사용되기를 바라왔다. 조직의 수뇌부들은 말이다.

이전까지는 그만한 통제 능력이 없어서 일순간에 실현할 수 없던 일이었지만, 민서가 존재하는 순간부터 그럴싸한 가능성이 있는 일이었다.

그리고 그만큼 통제에 대한 자원이 절약될수록, 조직의 활동 역시 활성화되었다. 이전까지보다 더욱 다양한 국가의 다양한 수뇌부들과 협업을 하기 시작했고, 그건 점퍼 조직의 영향력이 이전보다 더 커졌음을 의미한다.

그들은 슬슬 '점퍼'라는 이들이 세상에 드러나는 것을 준비하고 있었다. 결국 소수의 통제된 자원이라는 것은 영 좋지 못한 꼴을 보게 마련이었다. 자원에 비해 사람의 욕심은 끝이 없었으니. 그러나 지금까지처럼만, 한다고 하더라도 대충의 정리는 가능했다. 한정된 JE를 그래도 최대한 잘 분배해서 지구촌 사회의 이바지를 위해 사용하고 있다는 것만 전달이 된다면.

오히려 이전보다 더 전폭적인 지원과 지지, 그리고 그들의 행동이 비밀스럽게 되기 위해서 써야 했던 신경들이 사라지며 임무 환경이 나아질 수도 있었다.

민서가 알고 있는 점퍼 조직과, 그에 관련된 정세와 환경은 이런 식으로 점차 변화하고 있었다. 그는 주도적으로 움직이거나 상황을 만들어내는 역할은 아니었지만, 그의 능력을 기점으로 움직이는 변화들이기는 했다.

"푸후."

별 의미없이 한숨을 내뱉었다.

그리고 김민서는 3월 3일, 금요일. 수정을 만나러 가기 위해 별 다름 없이 걸어가는 중이었다. 평소에도 늘 똑같이 걸어 다니는 길은 그에게 안정감을 주고는 했다. 일상적인 거리의 풍경. 바뀌는 것도 있었지만, 바뀌지 않는 것들도 많았다.

소란스러운 전쟁터를 지나다 보면 이런 일상적인 풍경만으로도 깊은 기쁨을 누릴 수 있고는 한다.

전쟁터와는 다른 거리를 지나, 늘 만나는 인도로 이루어진 사거리의 광장 같은 공간. 대학교 근처의 거리라 젊은 학생들이 많이 지나다니고, 십 대의 중고등학생들도 가방을 멘 채 여기저기를 쏘다니며 놀러 다니는 곳.

개중에 민서와 같은 주민들도 겸사겸사 거리를 채우고 있고, 학생들을 대상으로 한 식당가나 값싼 오락실이니, 노래방이니, 스티커 사진방이니 하는 종류의 가게들이 늘어서 있는 거리.

쭉 뻗은 길로 걸어가다 보면 저 뒤까지 시야가 뚫려있어서 나름대로 청명감이 들기도 하는 자리이다.

민서는 허리를 꼿꼿이 펴고 제대로 걸었다. 운동을 시작하고 나서는 나름대로 근육이 붙은 편이었으나, 의식적으로 굴지 않으면 예전의 자세가 나오고는 했다. 그래도 가끔 이렇게 생각을 해서라도 떳떳한 자세를 하고 아무것도 아닐 지라도 걷다 보면 기분이 제법 괜찮았다. 사람이란 자신이 어떻게 행동하느냐에 따라 내면의 기분도 자주 달라지는 생물이었다.

그리 길지 않은 길목을 그렇게 지나자 사실은, 아까 전부터 그 행색이 보여서 이미 온 것을 알고 있었던 수정의 모습이 더 자세하게 보여온다. 말을 걸어도 닿을 듯한 거리가 되자 민서가 가볍게 인사를 했다.

"요."

인기척을 내자 이쪽을 돌아보는 모습이었고, 웃는 모습이 적잖이 예뻐 보였다. 괜한 웃음기가 전염이 돼서 가까이 다가선 뒤 툭툭 건드리며 장난을 쳤고, 수정은 가끔 느끼지만 은근한 운동신경 따위가 있어서 날카로운 반격으로 민서를 쳤다.

"억."

도리어 그 팔꿈치에 옆구리를 맞은 민서가 헛숨을 내뱉었고, 수정이 말했다. 그녀 역시 겨울철에 껴입던 두터운 패딩보다는 조금 가벼운 차림이었다. 그래 보아야 여전히 패딩 외투였지만. 조금 얇고 작은 종류. 자주 입는 청바지에 운동화를 신은 차림이다.

"갈까. 영화 재밌는 거 있던가."
"응, 뭐. 요새 평점 좋은게 몰아서 나왔다고 했으니까. 아무거나 봐도 좋아."

지나치게 깐깐한 편은 아니었다. 수정의 영화에 대한 기준은 말이다. 민서는 사실 조금 깐깐한 편이었지만, 누군가와 같이 시간을 보내기 위해서 보는 영화에는 기준은 없었다. 도저히 볼 수 없는 불쾌한 내용만 아니라면야.

대학가 근처의 거리에 전철역도 가까이 있었고, 몇 정거장 지나지 않으면 상가와 영화관이 함께 들어서 있는 곳도 있었다. 오늘의 목적지는 그곳이다. 점퍼 조직에서 일하면서, 개중에서 가장 중요한 부분을 담당하고 있으면서 결국 점프는 사용하지 못한다. 그러나 그것만으로도 사실 충분했다.

*

따뜻한 봄이 왔다. 조직은, 일상이라고 할만한 것이 있었다. 대부분의 업무나 운영방식 자체가 전 세계 사회, 혹은 그 변두리에서 벌어지는 일에 대한 대응인 조직의 특성상 사실 루틴이라고 할만한 것이 있는 게 어려워 보이지만, 따져보면 또 놀랍게도 그러한 종류가 있었다.

그러니까 전 세계에서 무작위적으로, 불규칙적으로 발생하는 사건이나 사고들 따위에도 일정한 종류나 편향성이 있어서 그것들을 막기 위해 움직이는 이들의 삶에도 어느 정도 규칙성이 생긴다는 뜻이었다.

전투 요원들의 삶은 여지없이 고달프고 바빴다. 주기적으로 휴가를 가지기는 하지만 그리 길지는 못했고, 간신히 직업상의 스트레스 수치 따위를 관리하고는 있었지만 모두가 그리 푹 쉬지는 못하고 있었다.

김민서가 주기적으로 재밍을 활용하며 점퍼들을 관리하고 있었기에, 다른 점퍼로 인한 사건이 더 이상 벌어지지 않는 점은 그나마 다행이었다. 악의적으로 자신의 능력을 유용하는 점퍼가 있다면 그것만으로도 대사건이 되고 말기에.

그리고 그런 관리에 들어가는 다양한 협조 자원과 인력들이 점퍼 조직의 직접적인 임무 수행 쪽으로 돌려지기에도 또 도움이 되는 면이 있었다.

'점퍼'라는 초능력을 배제하고 나머지 일들을 민간의 것이라고 분류한다면, 일반적인 민간에서의 사건에 치중하는 나날들이었다.

그 와중에 좋은 소식들도 있었다. 한현서, 그러니까 조직의 수장인 커맨더의 딸은 리시버와 성공적인 만남을 가졌다. 서로에게 나름대로 인상적이었던 첫 만남 이후에, 주기적으로 연락을 했고 갖은 수를 써서 시간을 만들어 만났고, 또 나름대로의 호감을 느끼는데 성공했다.

최길우는 그럴 계획이나 생각은 따로 없었지만, 그게 또 나름대로 행복하다는 걸 깨달았다. 호감이 가는 좋은 이성과 함께 시간을 보내며, 다양한 방면으로 삶의 안정감들을 느끼는 생활이 말이다.

그리고 그런 것이 한형석이 조직의 수장으로서 조직원들에게 주고 싶었던 것이기도 했다. 혼자서 걸어가기에 너무 가파르고 고달픈 길은, 다른 이들과 힘을 모아서 같이 걸어가면 수월하게 마련이었다. 그리고 그런 일의 가장 큰 부분이 아무래도 배우자가 될 확률이 높았고.

기왕이면 행복하게 만나서 오래도록 잘 사는 것. 후세를 보는 것. 어른으로서 그가 후배들에게 권면하고 싶었던 일들이었다.

최길우, 리시버는 그렇게 연인으로서의 관계를 시작했다. 그보다 조금 더 나이가 많고, 더 일찍이 조직 생활에서 스트레스를 얻어왔던 홍인수의 경우에는, 공교롭게도 비슷한 시기에 상대방을 스스로 찾았다.

'옌'이라는 인물은 의외로 홍인수와 잘 맞았다. 살아온 패턴도, 국적도, 언어도 달랐지만. 의외로 옌은 홍인수와 있을 때 고분고분한 면이 있었고, 장기적인 계획을 복잡하게 세우며 살아가는 것에 어려움을 느끼던 그녀는 홍인수와 함께 어떤 일들을 해나갈 때 편안함을 느꼈다.

어눌하게나마 시작했었던 한국말도 서서히 늘어가고 있었고, 그것은 홍인수와 다양한 임무를 하고 시간을 보내면서 가속도를 얻어 더욱 능숙해졌다.

말은 아무래도 의사소통을 위해 사용하는 것이다 보니, 더 대화를 나누고자 하는 상대와 있을 때 아무래도 빨리 늘게 마련이다.

그리고 굳이 한국말을 쓰지 않더라도, 일단의 의사소통은 가능하기도 했다. 둘 다 영어로는 이야기를 할 수 있었으니.

옌은 자신의 가문을 등졌고, 어느 순간부터 여행을 하듯 뛰쳐나와 살아오던 인생이었으나 날아간 총알처럼 쉼없고 또 방향성도 주관하지 못한 채 살아가던 삶이 약간의 안정성을 얻었다. 리더,

라고 불리던 윤민혁의 팀에 속해서 일을 벌일 때도 어디까지나 건전하고 사회에 이바지 하는 종류는 아니었으니 말이다.

점퍼 조직에 헌신하며 여러가지 일을 하는 삶은 일단 합법적인 일이었고, 안정적인 급여 또한 있었다. 나름대로 의지할 대상들도 있었고. 삶의 안정감을 찾아가자 그녀는 가족을 다시금 떠올렸다.

원래 살아가던 그 집구석이 그녀에게 충분한 만큼의 행복은 아니었지만, 그럼에도 불구하고 그녀가 시작된 모든 곳이기도 했다. 변두리, 완전하게 개발이 일어나지 않은 나라, 잘 살지 못하는 가정의 어느 한 구석. 그녀가 있던 곳이었고 또 그녀에겐 공교롭게도 지구 상의 어느 곳으로나 비용도 없이 떠날 능력이 있었지만.

긴 가출을 하다가 정신이 들었다고 해도 좋으리라. 그녀는 가족들의 얼굴이 생각이 났다. 아무것도 제대로 하지 못하고 또 이루지 못하리라, 는 막연한 생각과 그에 대한 반발심처럼 뛰쳐 나온 가출이었으나 어느 정도 목적을 이루었다고 볼 수도 있었다.

그녀 혼자서는 겪지 못했을 많은 일들을 겪고 또 다양한 사람들과 함께했고, 많은 영향을 미쳤다. 그녀로 인해서 조직에서 성공적으로 완수된 임무들도 많았고, 도움을 받은 이들도 수가 많았다.

옌은 홍인수와 앞으로도 함께 걸어가는 삶을 종종 생각하고 상상했고, 그러다 보면 자신이 놓쳐 온 많은 삶의 흔적들을 정리할 시간이 필요하지 않나, 하고 자연스럽게 생각하기에 이르렀다. 그녀는 어느 날은 연락도 없이 오랜 시간 떠나온 집에 들러 가족들을 찾았다.

*

까무잡잡한 피부. 옌의 얼굴은 그녀의 어머니와 아버지를 조금씩 닮았다. 체구가 그리 크지는 않았고, 아버지는 나름대로의 건장함이 있었다. 주름이 져있고 어느새 흰머리가 늘어 있는 그녀의 부모님.

봄의 계절이었지만, 태국은 여전히 햇빛이 따사롭다 못해 뜨겁고 덥다. 태국 북부의 시골. 주변으로는 농경지나 한적한 도로와, 떠도는 개들, 그리고 무성하게 자라난 풀과 갖은 나무들 따위가 즐비한 그녀의 고향 마을.

옌 쩻 티아마는 집에 불쑥 돌아왔다.

"오, 옌……! 이럴수가."

오랜 시간 자신을 만나지 못했던 부모님의 얼굴은 약간은 야위었고, 그 눈빛에 담겨 있는 소회는 감히 짐작하기 어려운 아득한 깊이감의 것이었다.

옌은 자신을 만나자마자 무너지듯 주저앉는 아버지의 무릎을 보았고, 자신을 껴안는 어머니의 손길을 느꼈다.

다소 무정했을 지도 모른다. 아니, 확실히 무정했다. 그녀는 마침 집에 있었던 가족들과, 언니까지 모두 만나며 많은 말을 하지 못하고 그저 그 자리에 있었다.

그런 그녀를 가족들이 껴안았고, 옌 역시 그 온기에 마음이 녹듯 그리고 지난 날 바깥에서 겪어왔던 다양한 두려움과 고난들이 기억이 나는지 적극적으로 손을 뻗어 가족을 껴안았다. 더듬듯이 어머니의 등께를 만지며 마지막에는 품에 얼굴을 묻었고, 낡고 오래된 시골 구석의 담장이 넘도록 소리 높여서 다 같이 울고야 말았다.

***

인생은 뭘까. 구태의연한 질문으로부터 시작한 말은 돌부리에 걸린 발걸음처럼 생각을 잠깐 멈추게 했다.

"뭐해?"

오후, 낮, 봄의 거리. 같이 걷고 있던 수정이 어깰 치며 말을 걸었다. 그래서 그냥 머릿속으로 이어지던 질문도 멎었고, 민서는 그녀랑 같이 걸어가기로 했다.

아무튼, 그의 재밍 범위는 순조롭게 늘어나고 있었다. 그가 막연하게 상상했던 대로의 범위를 곧 가질 것 같았다. 전 지구를 뒤덮는 범위의 점프 방해 장치. 확실히… 조직 내에서 영리하게 사용하지 못한다면 언제 무슨 일이 벌어질지 모르는 능력이기도 했다.

일단은, 휴가처럼 주어진 며칠간의 임무 공백 사이의 시간에 단둘이 봄나들이를 즐기기로 했다.

"아무것도. 벚꽃 예쁘다, 그지?"
"응. 예쁘네. 물어본 건 난데 지가 다시 묻네."
"허허."

민서는 묘하게 날카로운 수정의 감을 피하며 들었던 이런 저런 생각을 다시 뒤로 묻었다.

나중 일은 나중에. 굳이 모든 걱정을 앞당겨서 할 필요는 없으리라.

쭉 뻗으며 조성된 벚꽃 거리는 긴 산책로로 이어지고, 많은 사람들이 나들이로 들러서 차나 걸음으로 광경을 구경하고 있었다. 둘도 그 사이에서, 가벼운 외투를 걸치고 걸으며 시간을 보내고 있다.

가운데에 차도가 있었고, 양옆으로 그리 비좁지만은 않은 인도가 있다. 그 인도의 옆으로 주욱 심어진 벚꽃 나무들이 있었고, 가로수처럼 심어진 나무들의 안쪽은 시내에 조성된 공원이다. 공원의 외곽 길을 따라 걷다가 내부로 들어가고, 또 정해진 장소에 마련된 나들이 장소를 구경하다가, 돗자리라도 깔고 시간을 보내는 게 일반적인 경로였다.

그저 마냥 걷는 것이 싫다면 차를 타는 수도 있겠지만, 일단 둘 다 다리가 튼튼한 편이었다. 걷는 게 부담감이 있는 사람들도 아니었고.

여기저기서 몰려온 인파들이 들어차서 인도를 비좁게 만들고 있었고, 차도에도 여러 종류의 차들이 큰 소음을 내지 않으며 저속 운행을 하고 있었다. 사람들은 천천히 자신들이 만들어내는 흐름에 따라 일정한 속도를 유지하며 걷는다.

서로가 다치지 않도록, 거대한 하나의 생물이 된 것처럼 일정한 흐름으로 다 같이 방향을 틀기도 하면서.

수정은 밝은 오후나, 사라진 추위에 어울리는 화사한 톤의 노란색으로 칠해진 후드 점퍼를 걸치고 있었다. 민서보다는 한참이나 작은 체구나 얇은 다리를 청바지나 면티가 감싸고 있었고.

민서는 밝은 톤의 면바지에 적당한 셔츠를 걸친 채다. 질릴 때까지 둘이서 벚꽃을 구경하다가, 산책의 마지막 즈음에는 조직으로부터 문자를 받고 다음 임무의 일정을 알았다.

당장 움직일 일은 아니었으나 머릿속으로 다시 깊은 생각을 해보게 되는 일이었다.

*

"여보."

푹.

하는 소리가 물기가 있는 무언가를 찌르는 소리는 아니었다. 그러니까, 약간의 응집력을 가진 무언가에서 물이 튀어나오는 소리였다.

한껏 기세좋게 한 모금 들이킨 얼음물을 최길우는 그대로 뱉어냈다.

두 사람은, 벤치에 앉아 있었다. 점심 식사를 마치고 각자의 일터로 돌아가기 전에 짧은 산책을 즐기러 공원에 온 참이었는데, 식후에 마실 것을 든 채다.

두 사람은 최길우와 한현서였다.

최길우는 이십대 중반이었고, 한현서보다는 몇 살인가 어린 나이였다.

햇살이 좋은 날 벤치에 잠시 앉아 쉬어서 음료를 들이킨 순간이었는데, 한현서의 말에 리시버가 보인 반응이었다. 한현서는 아무렇지도 않다는 듯 눈웃음을 짓고서 당황도 하지 않았다.

"푸억."

최길우는 순간 사레가 들려서 기침을 몇 번인가 하고 나서야 호흡이 되돌아와서 다시 그녀를 바라보았다. 그리고 자신이 잘못 들었나, 한 번 생각을 해보고 별다른 반응도 없는 그녀의 표정에 착각을 했던 걸로 결론을 내렸다.

한현서는 들고 있는 아이스 아메리카노를 한 입 마시며 말했다.

"음. 그렇게 놀랄 일이에요? 장난도 못 치나."

그녀의 말에 자신이 바로 들었다는 생각에 최길우는 어색하게 대답을 했다.

"아… 그럼요. 해도 되죠."

봄날에 따사로운 햇빛 아래에 벤치 옆으로 물이 토해지자 무지개가 생겨났, 을지도 모른다. 한현서는 여전히 싱긋싱긋 웃으면서 그를 처다 보았고, 최길우도 그리 싫지는 않은듯 그녀와 마주하며 담소를 나누며 업무 중 짧은 데이트를 즐겼다.

*

"구체적으로, 어느 정도가 됩니까?"

스미스Smith가 물었다. 송경태라는 이름의 한국인이었다. 20대 초반처럼 보이는 외모에, 생김새보다는 나이가 많은 동안이었다. 그는 나름대로 뛰어난 머리를 가지고 있었고, 조직의 과학 기술부의 운용을 맡고 있는 수재였다.

주로 기지에서 과학 연구소들과의 컨택은 그가 주도적으로 하고 있는 편이었고, 점퍼들에게 필요한 장비들에 대한 요구도 그의 아이디어에서 나온 것들이 많았다.

3월 중순이 넘은 시점, 민서는 송경태와 스위스의 어느 경치가 좋은 산장에서 담소를 나누고 있었다. 연구소 근처 야외에 있는 산기슭이었고, 근처에 사는 주민들이 때때로 이용하는 곳이었다. 연구소의 직원들도 가끔 스트레스를 풀며 경치 구경을 하기 위해 바깥으로 걸음을 옮길 때 사용하곤 하는 곳이다.

작은 오두막 내부는 단출하게 지어졌고, 사람의 손이 많이 탄듯 낡았으나 깔끔하게 정리된 모습이었다. 나무 테이블에 마주 앉은 채 송경태가 묻는다. 그의 물음은 민서로서도 곧잘 생각하던 것이었어서 쉽게 대답을 한다.

"어, 솔직히 말하면."

민서는 마치 꺼내지 못할 말을 꺼내는 사람처럼 잠시 뜸을 들이다가 긴 이야기를 토해냈다.

"재밍 능력은 어떤 의도대로 만들어진 것 같은 양상을 띠고 있습니다."

"의도대로요?"

송경태는 어린 나이처럼 보이는 표정과 얼굴에 장난기마저 서려 있지만, 연구하는 분야에 대해서는 진지한 눈빛을 보이는 사내다. 그에게 민서가 말했다.

"예. 구체적으로 말하자면… 한 50여 km즈음의 범위를 가졌을 때 이미 슬슬 변화하고 있었습니다. 그전까지는 그러지 않았지만, 저 스스로 재밍 범위를 파악할 수 있게 되었고요."

"호오."

확실히 주기적으로 그의 능력은 연구소에서 체크를 하고 있었지만, 그러지 않을 때도 민서는 묘하게 구체적으로 자신의 능력 범위를 아는 듯한 낌새를 보인 적이 있었다. 점프 능력은 보통 노력과 단련을 통해서 약간의 개발이 이루어질 수 있었다. 한 동작처럼 보이는 능력의 운용을 잘게 쪼개고, 과정을 이해해서 다른 방식의 효과를 보는 것이다.

거기에 점퍼들마다 약간의 이상 성질이 있을 때가 있었다. 특질의 능력을 가진 점퍼들은 계보처럼 저마다 코드 네임을 받고, 자신들만의 특별한 부분을 집중해서 개발하고는 한다.

대표적으로 쉴더가 그런 류였고, 리시버도 그런 일종에 속한다. 레이더라는 이름을 가진 옌은 확연하게 남다른 부분을 갖고 있었고.

개중에서도 타인의 점프에 직접적으로 관여를 하는 재밍 능력은 그 이상의 특수성을 자랑한다. 앉은 채로 여러 명의 점퍼들에게 강제적인 힘을 행사할 수 있다니.

그 스스로는 점프 능력을 사용하지 못하는 반대급부인 것인지, 어쩐지 상상하게 되는 여러가지 이유들을 붙여보지만 아직까지 점프 에너지는 본격적인 연구조차 활성화될 수 없는 미지의 영역이었기에 알 수 없는 부분이 지나치게 많았다.

어쨌거나, 그런 다양한 종류의 능력들 중 이런 식으로 확연한 변천사를 가지는 것은 재머가 유일했다. 보통은 초기에 가지게 된 능력이 이후의 사용과 환경에 따라 초기 능력에서 10분의 1 근처의 변화량을 보이는 게 고작이었다.

점퍼가 선천적으로 특수한 능력을 타고난 다음에, 다시 후천적으로 추가적인 효과가 능력에 나타나는 것은 처음 있는 일이었다. 그리 길지 않은 점퍼들에 대한 기록과 역사 속에서도 말이다.

"그런 식으로 능력의 방향성이 정해지는 것과도 같은 느낌이었습니다. 마치 점프 능력을 처음 쓸 때 점퍼들이 그 사용법을 아는 것처럼, 재밍 능력또한 어떤 식으로 발전하게 될 지 어렴풋이 깨달았죠."

민서의 말은, 자연적으로 존재하는 어떤 대상물에 명확한 의지와 의도가 있어 그것의 방향성을 결정한다는 말이었다. 어찌보면 과학적이기도 하고, 어떻게 보면 또 철학적이기도 한 말이었다. 아마 이런 종류의 이론과 가설에 명확한 답을 내릴 수 있는 것은 신학에서밖에 감당할 수 없는 일일지 모른다.

한없이 비과학적인 이야기는 가끔 과학자들에게 가장 중요한 논제로 다루어지기도 한다. 과학 자체도, 선두에 선 이들이 보기에는 전인미답의 지경으로 향해 나아가는 모험에 불과했으므로. 추론과 아이디어, 밝혀지지 않은 부분들에 대한 영감이 없다면 결국 아무것도 알 수 없는 학문이다.

"음……. 네. 그런 식이죠. 점차 사용할 때마나, 기하급수적으로 능력이 늘어나는 것이 느껴집니다. 능력 범위가 증가하는 속도는 가속도를 갖고 있어요. 예전의 하루에 비해 지금 하루가 지났을 때 느껴지는 증가량은 비교할 수 없을 정도입니다. 마지막으로 점퍼 조직에서 점퍼들을 불러모으기 위해서 능력을 사용했을 때가 거의 범지구적이었죠. 지금도 전 세계에 닿을 수 있는 정도로 증가하고 있습니다."

"허어."

계속해서 재밍 범위가 증가하는 방향성을 띈다는 걸 알았을 때, 애초에 연구소에서 직원들이 한번쯤은 떠올려봤던 결과가 생각보다 빨리 현실에 이르렀다. 스미스는 전혀 생각해볼 수 없었던 일은 아니었지만, 그 생경함에 한숨과도 닮은 소리를 토해냈다.

그는 이런 산책을 할 때면 늘 입는 윈드 브레이커 자켓을 입은 채 팔짱을 꼈다. 민서가 이야기를 이어갔다.

"뭐… 가설이지만. 점퍼들에 대한 일종의 통제 수단처럼 느껴지기도 하네요. 어쨌거나 이 능력의 상한은 대충 예상이 갑니다. 아마 지구 전체가 끝일 거고, 그 이상은 의미도 없겠죠. 그리고…."

"그리고?"

흠. 민서는 자기도 확실하지는 않다는 듯 고개를 갸웃거렸다.

"아마… 생각보다 조금 더 전능한 능력 같네요. 어떤 사용처에 한정한다면요."

그게 무슨 말입니까, 라는 표정으로 스미스가 처다보았다.

*

살아있는 점프 유도 장치.

생각보다 의미가 있는 말이었다. 고정된 좌표가 아닌 다른 좌표로 순간이동을 조절할 수 있다면, 그것만으로도 상당한 전략적 변화와 패러다임의 개혁이 가능한 이야기였다.

단순하게 자신이 아닌 다른 이를 옮길 수 있다는 것만으로 텔레포터와 마이클 샌더스가 거한 일을 꾸몄던 것처럼.

자유자재로 JE를 유용해서 가변적인 위치에 활용이 가능하다면 그것이야말로 말도 안되는 힘이다.

이 모든 능력들에 아귀가 맞기 위해서는, 적어도 민서 스스로는 점프를 사용할 수 없어야 했다. 그저 온전히 다른 점퍼들에 대한 카운터로서 존재해야 밸런스가 맞는 듯한 느낌.

그래서 김민서 또한 이게 맞는가, 라는 생각을 지나가듯 한 번 해보았지만 결국 자신이 해야 할 일에서 크게 벗어나지 않는다는 점에 있어서 납득을 했다. 자신에게 주어진 능력과 그것의 사용법에 대해서.

그의 재밍 범위가 7-8000km를 넘어서면서 민서는 또 다른 능력의 변화를 알 수 있었다.

텔레포터가 자신의 근처에 없는 외부 인원을 자신의 곁으로 옮겨오거나, 타인을 전송할 수 있는 것처럼 그 역시 비슷한 일이 가능했다.

모든 재밍에 걸리는 점퍼들이 그 자신의 곁으로 오는 것이 고정된 능력의 사용법이었으나, 자신으로 고정된 도착지의 좌표 변화가 가능해졌다.

고정 좌표가 풀렸고, 그는 재밍에 걸려든 이들을 미리 설정해 둔 다른 장소로 옮길 수 있었다.

그러니까, 보다 완벽해지고 견고한 함정이라 할 수 있겠다. 꼼짝없이 걸려들고 말 파리지옥.

악의를 갖고 있는 점퍼들이 도약을 했을 때, 그들이 만나게 될 건 곧 자신이 찌르려던 누군가의 품이 아니라 그를 기다릴 수많은 조직원들의 총기 조준선 위일 테였다.

능력의 변화와 타인에게 행사하는 제약으로 인해 원한을 살까 걱정을 한 적이 있었지만, 별다른 어려움없이 해결이 되어가고 있었다.

3월 말, 민서가 사용할 수 있는 재밍의 범위가 10,000km를 돌파했다. 민서는 섣부르게 재밍 능력을 사용하며 점퍼들을 자극하지 않고 최대한 기다렸다. 한 자리에 몰아 넣어서 목줄을 채우기 위해서는 한 번에 끝내는 편이 좋다.

그의 능력이 완성 단계에 이를 때까지 그는 일상을 유지하고 또 다양한 임무들을 수행했다. 이전에 수정과의 나들이 도중 받았던 문자는 홍인수로부터 받은 것이었다. 그의 재밍 능력을 사용해서 한 번쯤 다시 점퍼들을 소집하고 언질을 주자는 내용이었고, 그 역시 동의했다.

점퍼들 백여 명은 제각각의 개성을 가진 사람들이었다. 비교적 순응적인 사람도 있었고, 비교적 반발감을 나타내는 사람도 있을 것이다. 조금 더 범죄와 연루가 되어 있었고 자신의 능력을 악용하기에 거침이 없는 자도 있을 것이고, 일상적인 삶을 유지하기 원하는 시민도 있을 것이다.

어쨌든 전체에게 언질이나 알림은 가야 했다. 의사 소통 자체는 지속적으로 이루어져야 하는 것이었으니.

이전에 행했던 하루 정도의 일과와 비슷한 일을 4월 초에 한 번 더 실행했고, 그 때는 이전보다 훨씬 많은 수를 그러모을 수 있었다. 점퍼 조직에 속한 23명의 점퍼들과 그 외 조직에서 관리를 하거나 연락이 닿는 십 수명의 점퍼들을 제외하고, 한 오십여 명 정도를 만나볼 수 있었다.

조직은 순조롭게 점퍼 인원들에 대한 통제력을 늘려갔다. 조직에 대해 설명했고, 그들에게 협조를 구했다. 전면에서 그들의 협조 요청을 거부하는 이들은 없었다.

누군가는 해야 할 일이었다.

*

파티Party.

일종의 연회라고 해야 할 것이었다. 사람들이 그토록 모이는 자리는 말이다. 비록 그들 중에서 파티에 대한 참석 의사를 나타낸 이들은 아무도 없었지만. 어쨌건 그들은 한 자리에 초대가 되어서 모였다. 인종도, 국적도 연령과 성별도 모두 다른 이들이었다.

구면인 이들도 충분히 많았다. 이번에 벌어진 파티는 이전에 벌어졌던 곳과 동일한 곳에서였다.

태국의 한 빌딩. 그 빌딩 내부는 별다른 인테리어가 없는 거대한 공간이었다. 콘크리트 기둥들을 제외하고는 내부를 구분하는 어떤 벽도 없는 한 층 그대로의 빈 공간.

하얀색으로 칠해진 그곳에 사람들이 나열해 서 있다. 민서는 그 가운데 자리에 앉아 있었고, 몇 명의 점퍼 조직에서 나온 전투 요원들과 언어 전문가들이 그들이었다. 점퍼 중에서도 전투 요원들이 자리를 함께 했다. 홍인수와 쉴더, 야가미 소우타였다.

사람들을 초대하기에는 충분한 공간이었다. 한 백 수십 명 정도는 거뜬히 수용을 할만한 자리였고, 빼곡히 선 채로 있다면 그 이상도 충분히 자리할 수 있다.

전투 요원들은 눈에 보이는 무장을 하고 있었다. 지나친 위협을 가하는 것은 점퍼 조직의 취향은 아니었지만, 어떤 이가 올 지 모른다는 점에 있어서 무력을 드러내 보이는 것도 꽤나 괜찮은 수단이었다. 민서를 비롯해 다른 인원들 또한 눈에 띄지는 않지만 방탄 피복 따위와 간단한 권총 정도로 호신용 무장을 갖고는 있다.

한 명 두 명씩 사람들이 모여들었다. 이번에는 채 하루가 가기 전에, 반나절만에 약 오십여 명이 모였다. 민서는 일단 재밍 능력을 거두었다. 사람들이 쌓일 때마다 민서와 조직원들은 이야기를 시도했고, 무장한 채 나열한 여러 명의 군인들은 대화 의사를 촉진시키는데 충분한 효능을 보였다.

유라시아 대륙 전체와 아프리카 대륙의 절반, 그리고 호주 대륙을 포함한 범위에서 점프를 사용한 모든 이들이 그의 곁으로 모여들었다.

구면인 사람들은 또냐, 는 표정을 지었고, 초면인 사람들도 고분고분하게 말을 따랐다. 이미 준비된 용병들을 보고 섣부르게 무력시위를 시도할 대담한 자는 아쉽게도 없었다.

이전과 비슷한 수순으로 단체 면담이 진행되었다. 간략하게 정세현황과 점퍼 조직에 대해서 설명을 해준 뒤, 가급적 협조를 구했다. 점퍼 조직에 참여하는 것이 그들로서는 가장 좋고, 그렇지 않아도 힘을 빌려주는 쪽으로. 중립적이거나 능력이 부족하다고 여겨지는 이들은 연락망을 활성화 시키는 것으로 그쳤다.

다소 미안할 수 있는 말이었지만, 통제를 위해서 그들의 개인적인 정보를 요구했고, 신분과 주소 따위를 확인한 뒤에야 다른 곳으로의 이동을 허락했다.

일정한 거주지도 무엇도 없는 떠돌이나, 범죄 이력이 있는 자들의 경우에는 간단한 발신기를 부착했다. 구속구의 종류는 아니었고, 간단한 디자인으로 만들어진 목걸이나 팔찌였다. 헐렁한 넓이로 제작된 그것은 빼놓거나 걸치고 다니기에 편했고, 그 근처에만 두어도 괜찮다. 착용자의 생체 데이터를 가늠해서 주변에 있는지 없는지를 확인했고, 반경 수 미터 내에만 있다면 문제 없었다.

어떤 대략적인 데이터도 예측군도 없이 전 세계에서 점퍼들을 수색해서 관리하는 것보다, 핀포인트로 고작 수십에서 최대 백 명 정도를 관리하는 건 어마어마한 인력의 절약이 있는 변화다.

또한 추가로 점퍼들 모두에게 지구상 어떤 위치에서나 통신이 가능한 휴대폰 기기를 나누어주었고, 주기적인 연락으로 그들의 현황 따위를 파악한다.

앞으로 서서히 점프 능력을 개인적으로 유용하는 것은 통제가 있을 것이며, 가급적이면 점퍼 조직을 통해서 공공선을 위해 한정된 JE를 사용하라는 식으로 설득했다. 개중에는 드물게도, 이미 그런 류의 방식으로 점프 능력을 사용하고 있는 이들도 있었다. 렌시우나 쑨 핑같은 자들이었다.

아마 초기에 자신의 능력을 각성했던 점퍼들 중에서 이런 류의 사용이 더러 있지 않았을까 싶었다. 그저 자신이 속한 작은 사회와 공동체에서 사람들에게 도움이 되는 일을 위해 능력을 사용하고, 살아가는 이들.

모두가 점퍼 조직의 임무에 참여할 수 있는 것은 아니었으니, 가급적 가능한 조건 내에서의 참여가 결국 조건이었다. 아무리 어린 아이라 하더라도 작은 물건을 옮기는 것 정도는 가능했고.

그런 식으로 각자의 역할을 맡아 움직이기 시작한다면, 점퍼 조직으로서도 이제 세상에 자신들의 영향력을 공개적으로 드러낼 준비가 되어가는 셈이었다.

내부가 정리가 되지 않았는데 외부 활동으로 뻗어 나가는 것도 망설여지는 일이었다. 모든 점퍼들이 조직에 속하는 것은 아니었으나 적어도 조직이 있다면, 다른 모든 점퍼들에 대한 입장 정도는 명확히 해야 세상에 그들의 이야기를 알릴 최소한의 준비가 되는 것이다.

점퍼 조직은 민서의 능력의 완성이 가시화가 되면서 슬슬 이제 계획상으로만 준비하던 일들을 현실적인 수준에 두고 준비를 해나가기 시작했다. '점퍼'라는 존재에 대해 세상에 공식적으로 발표하는 일이었다.

이전까지는 차마 엄두도 내지 못하던 일이었지만, 어느 정도 조직에 여력이 생기고 점퍼들에 대한 통제력도 강화가 되는 시점이라면 생각해볼 수 있는 일이었다. 결국 그들이 존재를 하는 한, 언젠가는 이루어질 방향성의 일이기는 했다.

JE는 공유되어야 한다. 물론 극도로 희소한 자원이며 그 총량 역시 절대적으로 정해져 있어 인위적으로 늘릴 수는 없었지만, 계획된 사용 아래 가장 중요한 위치에 선택이 되어서 사용되어야 하는 건 어쩔 수 없는 일이었다.

여태까지는 소수의 선택에 의해서 사용되던 에너지라고 한다면 이제부터는 보다 확장된 의견에 의해 사용될 것이다. 물론 효율성을 위해서 그 논의자들의 범위가 대책없이 늘어날 수는 없겠지만.

점프 에너지는 줄곧 사용되던 것이었으나 공개적인 논의 하에서 이용된 적은 그것이 만들어진 이래 한 번도 없던 일이었다.

이러한 방향성의 공개는 그것의 새로운 지평과 발전을 열어낼 것이라고, 한형석을 비롯한 여러 수뇌부들은 확신하고 있었다.

파티, 라고 불린 그 모임은 그리 길지 않은 시간만에 이번에도 끝이 났다.

심지어 조촐한 다과나 음식물마저 준비를 했었고, 어떤 이가 어떤 상황에서 오게 될 지 몰랐으므로 응급상황에 대한 약간의 대처나 메뉴얼마저 있는 상황이었다. 점퍼가 어지간하면 그렇게 되기는 어려울 테였으나, 위급한 상황 중에 갑자기 이곳으로 이동하는 것이라면 강제로 불러들인 쪽에서 대처를 해주어야 했으니 말이다.

다행히도 어떤 조난 상태에서 점프로 탈출을 하려던 사람 따위는 없었고, 중환자도 없었다. 그리고 준비하던 조직의 경비들이 새롭게 중상자를 만들어내는 일도 없었다. 다소 반항적일 수 있었지만, 사람들은 무장을 하고 도열한 전투 요원들의 모습에 다른 생각을 품을 낌새를 보이지는 않았다.

두 번째의 파티가 끝나고, 민서는 마지막을 준비했다. 아마, 이런 속도와 방향성이라면 곧 그의 능력은 그의 상상처럼 곧 지구 전역을 덮을 테였다. 그리고 그 때가 아마 최종적 단계일 것이다.

*

미셸 베르나르.

라는 미인이 있었다. 점퍼였고, 웨이브 진 블론드 헤어를 곱게 길러 어깨 즈음까지 닿게 한 여성이다. 코드 네임은 '점퍼Jumper'였다. 별다른 특징이 없다는 게 그녀의 특징이었고, 딱 일반적인 수준의 도약 능력을 보유한 점퍼였다.

간혹 일반적인 명사로서의 점퍼와 헷갈리기도 하지만, 정확히 사람을 지칭하는 형식에 이름으로서 들어갈 때는 그다지 혼동이 없었다.

흰 피부와 깔끔한 눈매의 이목구비에, 곱게 휘는 눈웃음이 이성의 마음을 사로잡는 면이 있는 여성이었고, 뚜렷한 인상을 가지고 있었다. 전투 요원으로서의 트레이닝 역시 훌륭하게 완수를 했기에 전장에서도 그럭저럭 믿을만한 동료로서 등 뒤를 맡길 수도 있었다.

올해로 딱 서른 살이 되는 나이였고, 어느 쪽으로도 특별하게 특출난 재능은 가진 바 없는 요원이었지만 달리 말하면 어떤 종류의 현장에서도 필요로 하게 되는 재원이기도 했다. 바쁘게 조직 내부에서 다양한 일 처리를 맡으며 살아오던 그녀의 관심사 중 한 가지는, 어떤 사내에 대한 것이었다.

이성에 대한 마음은 나름대로 강력한 원동력으로서, 사람이 사명감을 갖고 앞으로 나아가고 생활을 하는 데 있어서도 깨나 도움을 주고는 하는 힘이었다.

고단한 일의 흔적들 한가운데서 동료들끼리의 사랑이 이루어지기도 하는 법이었고, 그녀 역시 그런 것들에 관심이 아주 없는 편은 아니었다.

그리고 그런 그녀가 보기에 제법 괜찮아 보이는 남자는, 조직 내에서 아주 유명한 코드 네임을 가진 동양인이었다. 인종의 차이나 문화, 언어의 차이는 나름대로 큰 장벽으로 보일 수 있었지만, 점퍼로서 누구와도 다른 종류의 일을 하는 그들끼리의 사회성에 있어서는 그다지 의미 있는 차이점은 아니었다.

또한 쉴 새 없는 업무들의 한 가운데, 전장을 오가고 또 재난 상황의 현장들을 파헤치고 다니다 보면 그 사람의 깊이감 있는 내용을 보게 된다. 그러니까, 어려움이 닥쳤을 때 그가 어떻게 대처하는가, 나 혹은 그 사람의 능력 따위 같은 것들 말이다.

그런 점에 있어서 홍인수라는 사내는 제법, 꽤나 믿음직한 사내였고 현장의 동료들로부터 큰 지지를 받고 또 인망이 있는 남자였다. 무엇보다도, 뛰어난 능력과 힘으로 많은 이들에게 도움을 주는 이였으니 말이다.

그녀 역시 현장에서 일을 할 때 홍인수에게 도움을 받은 적이 여러 번 있었고, 제법 훤칠한 태가 나는 외모나 나름대로 차려 입고 다니는 그의 스타일 역시 나쁘지 않았다.

그런 면에서, 전장에서의 사랑은 그녀의 무사 생환률에 긍정적인 영향을 미칠지 모른다.

미셸은 그런 생각을 하며 홍인수에 대한 호감을 간직해왔다.

그리고, 어느 날 점퍼 조직에서 별다를 것 없는 일과를 보내고 기지 내부를 돌아다니다 인상적인 장면을 목격했다.

어느 시점부터 외부에서 영입되어 들어온 동남아 계열의 한 작은 여성이 있었는데, 유달리 홍인수와 친한 모습으로 보이는 것이다.

묘한 분위기마저 그 사이에 감도는 듯하며 친밀하게 지내는 모습에 그녀는 그냥 지나가는 걸음을 걷다가, 자기도 모르게 걸음을 멈추고 지그시 그 장면을 바라보았다.

별다른 일은 아니었고, 단순히 본부 기지 내부의 이런저런 휴게시설들이 모여 있는 동에서 걸음을 걷다가 한 휴게실 내부에서 둘이 같이 쉬고 있는 모습을 본 것이다. 그것 자체로는 아무런 일도 아니었다. 아무런 인연도 아닌 이들끼리도 얼마든지 같이 있을 수 있었지만, 그녀는 그 순간 눈에는 보이지 않는 묘한 감정의 기류, 남녀 간에 이어지는 정情이란 것의 흔들림을 본 것 같았다.

그건 참으로 미묘한 순간이었고, 감독의 시선으로 보자면 찰나와 같은 시간을 표현한 잠깐의 신scene이었다. 긴 서사나 여기저기로 흩어지는 다양한 감정들의 묘사를 잘 끌어와서 하고자 하는 이야기를 한 번에 전달하는 정교한 연출력이 필요한 모습이었고…

미셸은 그런 장면을 눈으로 목격했다는 점에서 아주 조금쯤은 씁쓰레한 기분이었다.

우연도, 이런 씁쓸한 우연이 있을 수 있나, 싶은 생각마저 들었다.

옌, 이라 이름불린 한 점퍼와 홍인수는 아주 오랜 시간 그 장소에서 같이 있으며 서로에 대한 모든 긴장을 풀고 완전하게 쉬는 듯한 모습으로 각자의 자리에 앉아 있었다.

아주 먼 곳에 서로 떨어져 있지도 않았고, 꼭 붙어 있지도 않았지만 적당한 거리를 두고 두 걸음 즈음 사이를 둔 채 각자의 방향으로 앉아 있었다.

아무런 말도 하지 않고 쉬고 있는 두 사람은 서로에 대한 인식은 분명하게, 또 미셸의 눈에 선명하도록 하고 있는 듯했다.

길게 이어지는 밝은 복도를 지나가다 마주친 한 장면에서 그녀는 그 방 안에서 두 사람이 보냈을 많은 이전의 시간들을 순식간에 상상해서 떠올리곤 그대로 잠시 멈추었던 걸음을 옮겼다.

두 사람을 그대로 두고, 그녀는 자신이 가던 옆으로 이어지는 복도의 길을 쭉 걸어갔다.

*

"다가오지 마!"

라고 외친 건 한 흑인이었다. 아프리칸 계열의 사내였고 약간은 허름한 민소매 티와 헐렁한 반바지를 입고 있다. 무더운 날씨 때문인지, 통풍이 잘되는 샌들을 신고 있고 사내는 창 하나를 꼬나쥐고 있다.

창이라. 참으로 이 시대에 보기 어려운 무기가 아닐 수 없었다. 나이프, 혹은 총 정도일 것이다. 그리고 진지하게 호신용 무기로 무언가를 든다면 다른 선택지가 아주 많았다.

그에 비해 창은, 지나치게 눈에 띄고 또 숨기기도 어려웠다. 굳이 만들어서 그것을 숨기고 다니다가 상대의 약점을 찌르고자 한다면, 그보다 훨씬 작으면서 먼 거리까지 날아갈 수 있는 무기의 선택지가 아주 많았다.

만일 제대로 된 창을 아무렇지 않게 들고 다닌다면, 그 인간이 살아가는 사회는 곧 야만의 사회에 가까울 것이다. 현대 도시에, 치안 유지력이 존재하는 사회에서 창이란 그토록 이질적인 모양과 성질의 무기였다.

사내는, 아프리카라고 모든 지역이 첨단 도시 문명에서 거리가 먼 삶을 사는 것은 아니었으나, 개중에서도 자연에 가까운 생활을 하고 있는 부족에 속한 인물이었다.

그가 사는 곳이라고 현대 문명의 공산품들이 없는 건 아니었으나, 그래. 사내는 진지하게 생활의 중간에 사냥을 나서곤 했었다. 심지어 창을 꼬나 쥐고서. 여러 명의 건장하고 탄력이 좋은 사내들이 힘을 합쳐서 나선다면, 이빨과 발톱이 있는 야수나 맹수라고 하더라도 사냥이 가능한 것이 사실이다.

부족의 전사들, 사냥꾼들이 충분히 모인다면 그들은 투창만으로 사자도 잡을 수 있었다.

그러나, 불행히도 사내의 눈 앞에 있는 남자는 사자보다도 조금 더 까다로운 상대였다. 흑인 사내가 본인의 경험과 고향에서 느껴보지 못했던 도구와 재능을 가진 상대였다, 홍인수는.

흑인 사내는 점퍼였다. 그는 부족에서도 전사의 일원이었고, 많은 사냥에 참전을 했던 베테랑이자 증명된 사냥꾼이었다. 야수와 맞상대를 벌일 수 있는 담대한 심장을 가졌고 다른 인종이 갖지 못한 탄력적인 근육과 관절을 보유했다.

그러나 홍인수는 보기 드문 천재의 일종이었고, 그가 상대하기에 아주 어려운 다양한 최첨단의 발톱들을 여러 종류 가지고 있었다. 그가 들고 있는 창을 전력으로 던진다고 하더라도, 홍인수가 입고 있는 방어 장비인 수트를 꿰뚫을 수조차 없다. 물론 더럽게 아프겠지만, 그 고통 속에서도 그는 손가락 정도는 여유롭게 움직일 수 있었다.

홍인수는 그 정도의 타격 속에서 중거리의 사격을 한 두 치의 오차만으로 모조리 맞추어낼 수 있는 솜씨의 명사수였다.

흑인 사내, 의 이름은 '은차티'였다. 긴 성이 따로 있었으나 부족에서 그를 부르는 이름은 그렇게 간단하고 짧다.

흑색의 긴 팔다리, 뒤로 땋은 치렁한 흑발. 그는 잠시 사냥에 나서기 위해 혼자서 점프로 마을에서, 그가 잘 다니는 사냥 스팟spot으로 이동을 한 참이었는데 정신을 차리고 보니 이곳이었다.

일반적인 생물의 동작 궤적에서 벗어난 움직임을 보일 수 있는 점퍼는, 충분한 신체 능력과 경험만 받쳐준다면 이론상 혼자서 사냥 또한 가능했다.

맹수라고 하더라도 느닷없이 머리 위 허공에서 내리 꽂히는 창날을 맞는다면 꼼짝없이 목숨을 내어주어야 하고 마는 것이다. 은차티는 그런 방식의 사냥을 연습하는 젊은 청년이었다.

저녁 무렵의 태국. 아프리카에 그가 있던 곳의 시간으로는 한창 태양이 뜨겁던 낮이었으나 이곳은 저녁이었다.

물론 사방이 틀어막히고 해조차 보이지 않는 밀실인, 빌딩 내부에서는 그곳이 어디인지 짐작조차 어려웠다. 점퍼이면서도 외부 세계에 대한 모험이 적고 경험이 별로 없는 은차티가 느끼기엔 거의 별세계나 다름없는 광경이었다.

흑인의 말에, 홍인수는 쉽사리 대답을 하지는 못했다. 다만 내부의 스피커로 다른 곳에서 통역 전문가가 음성을 전달 받아 듣고는 있었다. 아프리칸 계열의 언어들 역시 전문가들은 드물게 있었고, 개중 하나가 은차티의 말을 번역해서 다시 홍인수의 귀에 꽂힌 통신기로 전달을 해주었다.

홍인수는 비교적 어눌한 발음으로, 통신기에서 전달되는 소리를 따라 뱉었다. 약간은 어색한 말투였으나, 그는 다행히 곧잘 따라했고 곧 은차티도 알아들을 수 있는 수준은 되었다.

"반갑습니다. 당신같은 사람을 기다리고 있었습니다."

은차티의 표정이 묘하게 일그러졌다. 알아는 들을 수 있었지만 영 어눌한 말투였다. 그러나 그럼에도, 처음 보는 낯선 동양인이 자신들의 말을 할 줄 안다는 건 다소 반가운 일이었다.

은차티의 표정에 약간 누그러질 기색이 보이자, 홍인수는 대화가 가능하겠다는 생각이 들었다. 그러나 점퍼 조직에서 전달해야 할 다양하고 복잡한 이야기를 그의 실력으로 정확하게 말하는 건 무리가 있었다.

그는 답답한 마음에 귀에 낀 통신기를 툭툭 두드렸고, 그 제스쳐에 내부 모습을 영상으로 전달받아 바라보던 조직의 데스크에서 다른 스피커를 이용해 음성을 직접 연결했다.

통역 전문가이 목소리가 빌딩의 벽이나, 천징 따위에 잘 보이지 않게 설치된 스피커를 통해 직접 흘러나왔다.

-경계하지 마십시오. 우리는 당신이 필요한 것들을 줄 수 있고, 또한 우리 역시 당신의 도움이 필요합니다. 당신은 분명 순간 이동을 사용할 수 있는 '점퍼'일 것이고, 우리는 그런 이들이 모여 있는 조직입니다.

우리는 세계의 다양한 국가들의 협조와 지원을 받고 있으며, 만일 당신이 동의한다면 훨씬 나은 환경의 삶을 제공해주며 기쁜 관계를 만들 수 있을 겁니다.

그런 말을 들었을 때, 은차티는 문득 입매를 위쪽으로 휘게 만들며 웃어 보였다. 젊은 흑인 사내의, 매력적인 미소였다. 그러나 홍인수는 긴장을 풀지 않았다. 어딘가 눈매가 긴장되어 있는 듯했고, 은차티의 몸에서 느껴지는 전투와 경계의 분위기가 아직 사라지지 않았던 탓이다.

은차티는, 속으로 그렇게 생각했다. 그는 알고 있는 것이나 경험하는 것이 별로 없는 부족의 젊고 또 어떻게 보면 어리기까지 한 전사였으나, 인생이 그렇게 녹록치 않다는 생각은 늘 가지고 있었다. 그리고 그 자신이 남들과 잘 비교할 수 없는 특이함을 가진 존재라는 것도.

저토록이나 사정이 잘 들어맞고 편리하며, 또 좋은 말만 해대는 연설은 은차티에게 묘한 경곗미을 더욱 불러 일으켰다. 달콤한 말로 그에게 갑작스럽게 접근하는 이들은 높은 확률로 사기꾼일 수 있었다.

사납고 또 날카로운 야성의 감각을 다져 온 은차티는 눈앞의 이들이 이해할 수 없고 또 어떤 의도를 가졌는지 알 수 없는 종자들이라고 생각했다.

그는, 젊고 또 어린 전사는. 알 수 없는 상황 속에서 자신이 해야 할 일을 결정해야 했다. 그리고, 이 젊은 전사는 기어코 움직임을 시작했다. 조금의 여유나 전조도 없이, 갑작스럽게 허점을 찌르는 공격이었다.

갑작스럽게, 그가 제 자리에서 번쩍 도약을 하며 창을 높이 치켜 올렸다. 투창이라도 하려는 듯한 모습이었고, 홍인수는 도리어 올 게 왔다는 듯한 표정을 순간 지었다.

전장에서의 감각은 아주 중요하며 또한 생명을 살려줄 때조차 있는 좋은 친구였다. 그런 홍인수의 감각이, 눈앞의 흑인 사내가 묘한 분위기를 풍기고 있다고 감지를 했고, 눈에 보이지 않는 긴장만큼은 풀지 않게 하고 있었다.

그리고 은차티가 움직이자마자, 홍인수 역시 대응을 위해 발을 박찼다.

*

짧은 대결은 금세 결과가 나왔다. 은차티와 홍인수. 소드마스터는 그 이름답게, 이번에는 짧은 단검을 사용했다. 총상을 입히자니 적당히 손대중을 하는 것이 지나치게 어려운 일이었다.

그는 익숙하게, 은차티의 움직임을 바라보며 카운터를 날렸고, 약 두세 번의 점프를 사용하며 수 싸움을 벌이다가 손쉽게 제압을 했다. 간단하게 어깨의 관절을 빼는 정도로 날뛰는 은차티를 멈추게 만들었다. 물론 목에 가깝게 댄 나이프의 서늘한 날 역시도 필요했다.

정력이 넘치는 젊고, 활기찬 사냥꾼은 기어코 자신이 알 수 없었던 미지의 세계와 대상에게 덤벼들었고, 자신의 온 힘을 부딪히고 나서야 제대로 된 대화를 할 의지를 가졌다.

그러고도 이 젊은이를 납득시키고 이해시키는 데는 상당한 수고가 들었다. 여기저기를 옮겨 다니며, 점퍼 조직의 실체를 보여주고 나서야 그의 협조를 구하는데 성공을 했다. 의외로 다혈질처럼 보였던 전사는 순박한 구석이 있었고, 여행과 모험을 바라기까지 했던 그의 마음에 따라 점퍼 조직의 임무에 참여해보고자 하는 의지까지 내비쳤다.

급작스러운 만남의 마무리가 잘 이어졌고, 피를 보는 일 없이 대담이 끝났다.

이런 식으로, 민서는 재밍 영역을 활성화 시켜놓기 시작했다. 그의 능력의 변화에 따라, 영역 내에서 점프를 사용하는 점퍼가 그의 곁이 아닌 점퍼 조직의 요원들이 모여 있는 빌딩 내부로 이동하게 도약지를 맞추어 놓았고, 그곳에서 정해진 인원들이 다양한 방식으로 교류와 커뮤니케이션을 가졌다.

전 세계에 있는 점퍼들을 다 만나게 되는 것과 민서의 재머로서의 능력이 온전히 성장하는 것은 꼭 같은 순간에 일어나지만은 않는 일이었으나, 결국 비슷한 시점에 모든 일정이 끝이 났다.

3월을 지나, 4월의 끝 무렵이 올 때 즈음 민서는 완벽하게 전 세계를 능력 범위 내에 두게 되었고, 조직에서 파악하고 있던 대략적인 현대의 점퍼들의 총 계와 비슷한 수가 조직과의 면담을 하게 되었다.

4월이 지났고,

5월이 오기 전에 미리 준비해 두었던 일이 벌어졌다.

점퍼 조직은 각국의 정부와 긴밀한 협력 관계 속에서 계획적으로 자신들의 존재를 공개했고, 세상에 그런 특수한 능력자들이 존재하며 기이한 일들이 벌어지고 있음을 공론화시켰다.

*

4월 29일은 나름대로 특별한 날이었다.

토요일. 주말의 시작. 약간은 어수선한 분위기 속에서 국제 사회가 굴렀다.

금리는 계속해서 인상을 하고 있었고, 유럽의 끄트머리에서 발발했던 전쟁은 이후로도 세계 정세에 적잖은 부담과 영향을 주었다.

공존하지 못하는 삶의 발버둥은 때로는 최악의 수로 구성원들 전체에게 어려움을 선사하고는 한다. 그렇게 되기 전에, 일찍이 이야기를 좀 더 해보고 서로의 필요를 채워주며 미래를 도모해 보았다면 더 좋았었을지 모른다. 그러니까, 정치라는 것을 해보았다면.

거대한 몸뚱이를 가진 개발도상, 그리고 빈국의 기로에 놓인 국가의 몸부림은 세계적인 여파를 미쳤다.

단지 그것 때문만은 아니겠으나, 전 세계적으로 실은 비슷한 고

민거리를 떠안은 나라들이 많은 게 사실이었다. 발전은 결국 균형 발전의 형태를 띄어야 한다.

물이 아래로 내려가고 그 수위가 맞게 되듯이. 기술- 발전- 혜택과 복지, 필수적인 자원들은 결국 다른 이들에게도 그 효용이 돌아가야 한다.

단순히 그것을 사용하고 누리는 측면에서만이 아니라, 그 다음 과정의 개발을 바라보는 시선에서도 그렇다. 어떤 분야의 최첨단의 각성과 개발은, 결국 그 분야 전체적인 저변의 크기와 다양성에서 나오게 마련이었다.

100명 중 1명의 천재보다 10,000명 중 한 명의 엘리트가 더 뛰어날 수 있는 것처럼. 전반적인 사회의 수준이 올라가고, 혜택이 돌아 갔을 때 전 세계적이고 또 지구적인 이익을 끼칠 수 있는 발전이 가능한 것이다.

이전 세대, 19-20세기의 어마어마하고 또 거대한 변혁과 연구 개발의 바람은 결국 그다음 세기 사회들의 전체적인 수준 향상을 만들어내었다. 한 사람이 만들어 낸 좋은 이득은 꼭 다른 모든 이들의 삶에 유익을 주어야만, 그 기술의 최대 실현 가치를 만들어내며 역사의 걸음에 조금이라도 힘을 보태게 되는 것이다.

그래, 그런 면에서.

JE라는 에너지의 발견과 사용 역시 어느 정도 그렇게 쓰여야 할 지 모른다.

누구라도 그것이 있다는 것 정도는 알 필요가 있었다.

JE의 본질이 점퍼라는 사람에 속한 것이니만큼, 무분별하게 나누어지고 남용될 수는 없겠지만. 적어도 그것에 대한 앎과 논의가 전 세계적으로 이루어질 때 다음 세대를 위한 발전에 기여를 할 수 있을지 모른다. 사람의 아이디어란 그야말로 사람이 재단할 수 없는 면이 있으니까. 사람의 창조성이란 것은 결국 개인이 이 세상을 지으신 주 하나님에 대한 지식을 간접적으로든, 직접적으로든 더듬어 깨닫고 알게 될 때 빛이 나게 발현이 되는 것이었다. 사람은, 본질적으로는 무에서 유를 만들 수 없고 다만 이미 만들어진 법칙의 발견자가 될 수 있을 뿐이었다.

자신의 진리 앞에서의 능력의 한계를 깨달을 때 무엇보다도 가장 큰 영향력을 미칠 수 있는 것. 낮아질 때 높아지는 것. 어떤 분야의 정점에 오르려면 결국 가장 겸손해야 한다는, 어떤 기독교적 교리와도 일맥상통하는 것이 결국 세상의 법칙이었다.

그래 어쨌든.

4월 말의 하루는 많은 사람들의 인식에 해머를 내리치듯 큰 충격을 준 날이었다.

각국의 가장 신용도 높은 거대한 공영 미디어들이 하나같이 사실을 전달했다. '점퍼'. '점프'. '순간이동'. '점프 에너지'. '점퍼 조직'.

가장 극한의 상황을 오가는 사회의 뒷면에서, 그야말로 딱- 성실하고 헌신적인 소방관이나 경찰, 사회 전반에서 직접적인 구조 활동을 펼치는 직업인들 정도의 노력을 기울여왔던 이들의 존재가 드러났다.

점퍼 조직에 관한 이야기다.

물론 조직이 드러나면서 그것의 내부 사정 자체가 훤히 알려졌다는 이야기는 아니다. 다만 그 대략적인 규모와 활동의 방식 정도.

조직이 일을 하는 것이 이전까지와 달라지는 일은 일어나지 않았다. 애초에 점퍼 조직에 관해서 알고 있던 이들이 꽤 있었고, 그들과 협업을 하던 방식을 이어나갔다. 소수의 특별한 재화인 점퍼들에 대한 운용과 관리는 결국 그리 많지 않은 수의 직접 논의자들에 의해서 결정되어야 했다.

지나치게 방대한 규모의 조직과 논의자들은 아무것도 못하게 만들 뿐인, 의미 없는 비대화였다.

그러나 그 직접 논의자들의 그룹에 참여가, 어떤 국가라도 가능하게 되었다는 점이 있었다. 필요하다면 이전보다 훨씬 개방적으로 그들에게 도움이나 협조를 요청할 수 있게 되었다. 이전까지는 점퍼 조직이 잘 알고 또 연을 가져온 국가의 수뇌부나 조직을 거쳐서 간접적으로 도움을 구했다면.

일정 위치 이상의 조직, 그러니까 나라로 인정받는 집단의 수뇌부나 그에 준하는 연결 조직들은 점퍼 조직에 모두 직접 협조를 구할 수 있게끔 통신 라인을 오픈한 것이다.

약간의 혼란이 있을 수 있겠으나, 어차피 점퍼 조직이라는 조직의 공고함이나 단결력이 유지된다면 JE가 함부로 남용되거나 사용처를 혼동하는 일은 대부분 통제할 수 있었다.

그러기 위해서 재머가 필요했고, 민서의 능력이 그런 정세적 변화에 영향을 끼쳤다.

사람들은 이전에 한 번 예방 접종으로 열을 앓듯이, 테러로 인해 비공식적으로 순간 이동자들에 대한 이야기를 웅성대고 있었는데, 그날을 기점으로 세계에 대한 새로운 사실을 알아 많은 동요를 보였다.

점퍼 조직이 처리를 해야 하는 어떤 거대하고, 반사회적인 종류의 급진적 사태가 일어나지는 않았으나.

단적으로 인터넷 통신망이 잘 갖추어진 나라들의 디지털 공간에서는 한동안 온통, 현존하는 공간이동자들에 대한 키워드와 이야기로 모든 서버가 가득 차게 되었다.

*

사람들이 웅성거리고 있을 때.

민서는 인터넷도 하지 않고 한가롭게 거리를 거닐고 있었다.

주변의 소란과는 상관이 없다는 듯 걷는 와중에도 사람들의 목소리는 계속해서 들려온다. 번화가를 지나가는데, 모두가 마치 비슷한 이야기를 하고 있는 것 같았다.

세상에서 가장 유명한 대중문화 스타가 놀라운 행보를 보였다는 것처럼, 모두가 유행을 따르듯이 연관된 주제를 가지고 시끄럽게 떠든다. 거대한 도시 사회에서 그런 일을 경험하는 건 쉬운 일은 아니었다. 어지간히 유명하지 않고서야. 또 어지간히 놀라운 행보를 보이고 영향력을 떨치는 사람이 아니고서야.

그러나 점퍼 조직의 존재는 다양한 사람들의 분화된 관심사를 하나로 모을 정도로 충격적이었고 또 이질적인 것이었다.

모든 점퍼들은 조직의 관할 아래 들어가게 되었다. 그들이 지나친 행동을 벌이지만 않는다면 별다른 통제가 있지는 않았다. 그들이 갖고 있는 힘에 비례해 다소 협조를 강권하기는 했지만.

점프를 쓰는 것이 사람인만큼 사람의 체력의 한계에 따라, 어느 정도를 지켜야 할 일이었다. 점퍼들의 임무라는 것도.

민서는 계속해서 조직에서 임무를 맡는다. 젊은 날의 체력은 이럴 때 쓰라고 있는 것인양, 여전히 끊이지 않고 벌어지는 세계의 다양한 사건 사고의 현장에 찾아가 자신이 할 수 있는 일을 하며 도왔다.

'재머'로서의 역량을 발휘하는 건 전 세계 어디에 있든 가능한 일이었고 그 자신은 도약 능력이 없었지만, 다른 이들과 함께 움직이면서 현장을 뛰는 건 여전히 가능했다.

의외로, 몸을 움직이고 구르는 데도 나름의 재주가 있었던 모양이었다. 굼벵이는 아니었지만, 민서는 시간이 지나면서 점점 익숙해져 갔다. 점퍼 조직에서 훈련시키는 다양한 육체적 트레이닝과 전투법에 말이다.

수많은 실전은 젊은이를 베테랑으로 만든다. 그는 점퍼가 아니라고 하더라도 제법 쓸만한 조직의 현장 요원이 되어가고 있었다.

점퍼 조직에 있어서 현장과 개인의 관점에서 그는 미약한 존재감을 나타내고 있었지만, 조직과 정세 전체로 보았을 때는 거대한 영향력을 끼치는 능력을 가진 요원이었다, 재머는.

그런 중요도에 따라 지나치게 현장에서 구르는 것도 자제해야 할 필요가 있었지만, 어쨌든 나름의 규율과 가이드 라인 내에서 그는 일 다운 일들을 해나갔다.

나름의 보금자리가 되어주었다, 조직은. 무엇을 해야 할 지도 제대로 알 수 없었던 그의 인생에 어찌 되었든 할 일을 주었고, 또 마침 그 일들이 다른 이들에게 도움이 되는 종류라면 망설임없이 열정을 쏟아낼 수 있으니 바람직했다.

끝까지 해볼만한 일이었고 또 장소였다. 점퍼 조직이라는 단체에서 일을 하는 것은.

4월 30일은, 주일(기독교회의 성일, Lord's Day, 일요일)이어서 수정을 만나고 교회에 다녀 왔다. 지방에 계시는 부모님 대신, 수정의 부모님과 더 자주 만나는 것도 같았다.

그녀의 집에서 대접해주시는 식사를 먹고, 집에 돌아와 잠시 쉬고 또 호출을 받아 간단한 임무에 참여했다.

조직에 새롭게 참여한 신참 점퍼 요원들에 대한 훈련이었다. 그가 그런 분야의 전문가는 아니었지만 받은 만큼, 연습법을 알려줄 수는 있었다. 홍인수나 코치에게 배운 것의 아주 일부를 아직 제대로 운동을 해보지 않은 참여자들한테 알려주었다.

그렇게 점퍼 조직에서 밤을 지내고, 5월 1일이 되어서 한국에 돌아와 거리를 걷던 참이었다. 그가 별다른 신경을 쓰지 않고 지날 동안 언론을 통해 공개가 되었던 점퍼 조직과 다양한 사실들은 사람들의 거대한 흥미를 끌었고 모두가 그런 이야기를 하고 있었다.

이처럼 거리를 걸으면서도 요즘 시대의 유행과 주제가 무엇인지 알 수 있을만큼, 눈에 띄도록 웅성댄다. 사람들은.

점퍼는 무엇일까.

결국 아무도 아는 자가 없었다. 따지고 보면, 과학도처럼 파고든다면. 과학적인 최첨단에 선 연구자들도 그 근원에 대해서 설명할 수 있는 것이 아무것도 없는 것과 마찬가지일지 모른다. 과학적인 최소 단위 이전의 무언가가, 어떻게 생겨났는가에 대한 이야기는 이미 과학의 한계를 벗어난 사념의 영역이었다.

그렇게 바라본다면 점프, 나 순간이동 또한 그렇게 받아들이지 못할 이야기는 아니인지도 모른다.

4월이 지나고 5월이 왔다. 이전 계절의 추위가 완전히 자취를 감추었고 어딘가에 나들이라도 떠나기 좋은 날씨였다.

민서는 이제, 다음의 할 일들을 떠올렸다.

생각을 정리할 때 거리를 무작정 걷는 건 그리 나쁘지 않은 선택이었다. 어쨌거나 사람들을 보고 또 외부 자극을 받으면서 새로운 생각들이 떠오르고는 한다. 무질서하게 난립한 아이디어들은, 적당히 걷고 또 땀을 빼면서 쓸데없는 것들이 가라앉고 더 깊이 파볼만한 것들이 남기도 하고 그러는 일이다.

띠리리, 하고 걷고 있는 바지춤에서 진동이 느껴졌다. 조식의 연락을 받는데 사용하는 통신기였다. 기능이 많지 않은 대신에, 지독하게 튼튼하고 또 배터리도 오래가는 편이다.

민서는 거리에서 걸음을 멈추지 않고 그대로 통신기를 꺼내 들었다. 꼭, 구형 피처 폰Feature phone처럼 생긴 물건이다. 기능은 제한되어 있지만, 성능은 예전에 쓰던 그것에 비할 바가 못 된다. 지구상 어디에 있던지 딜레이 없이 음성과 텍스트 통신이 가능했고 극한의 야전 상황에서도 버틸 수 있다.

기계 외부로 못을 박아도 흠집 하나 나지 않았고, 충전을 하지 않아도 2주일 정도는 사용이 가능했다. 태양열 충전 기능이 있어서 낮 시간에 들고 다니면 반영구적인 사용이 가능했고. 거의 노 딜레이에 가까운 조작감과 반응을 보였고, 텍스트만이라면 어마어마한 양의 정보 저장과 전달이 가능했다.

다양한 모드가 있어 여러 전용 기기에 접속 후 리모컨으로 사용 또한 가능했고.

아무튼 민서는 피처폰처럼 생긴, 조직의 통신기를 열었다. 텍스트 메시지였다.

야가미 소우타
-실험해볼 게 있어. 내일 넘어오면 연구소에서 바로 시작할듯.

-Okay.

라고 짧게 그가 텍스트를 보내며 답장했다. 무슨 일일지는 몰라도, 할 것이 있다는 건 좋은 일이었다. 무료하고 목적없는 삶은 이제 충분하다. 너무 오래 그렇게 살았다.

그래 봐야, 그런 무료함을 뼈저리게 느낀 것은 스무 살이 넘어서 고작 몇 년간의 일이었지만. 가장 활발하게 뛰어다니고 싶은 그때 느낀 무력감과 무료함이란 아무래도 가슴 깊이 남는 것이었다.

*

23년 5월 2일, 화요일이었다.

김민서는 언제나와 같이 조직의 본부 기지에 출근을 했다.

매일, 혹은 주5일제 따위의 법칙이 있어서 정기적인 정시 출퇴근은 아니었지만, 노동량은 대충 비슷했다.

별다른 고강도의 임무가 없다면 본부 기지에 출근을 한다. 점퍼 조직의 점퍼들 중 한 명이 서울에 들를 일이 있을 때 움직여서 그를 본부로 데려오는 식이었다.

민서의 재밍 능력은 편리하고, 또 고사양의 것이었다. 개별적으로 마크가 가능해서 그가 알고 있는 점퍼 조직의 점퍼들, 그리고 조직에서 원활한 연락을 교류하며 불법적인 일을 일삼지 않는 자들은 재밍 능력에 걸려들지 않게 체크해둔다.

그리고 그 외의 인물들에 대해서는 여전히, 점프 능력을 사용하면 임시적으로 유치장처럼 사용하고 있는 태국의 빌딩 내부로 이동하게 되어 있었다. 거기도 또한 교대로 인력이 들어가서 대기하고 언제 올 지 모르는 인원들에 대한 관리를 하고 있었다.

점프 능력에 대한 온전한 통제만 본다면, 민서는 근대 문학에 등장하는 '빅 브라더'라는 별명이 어울릴지도 모른다. 다만 약점 역시 명확했다. 그 스스로는 그렇게 강력하지 않은 평범한 청년이었다. 눈이 돌아서 양아치 몇 명만 달려들어도 쉽게 다칠 것이다.

그의 존재 자체를 비밀로 하거나, 쓸데없는 신상을 드러내지 않는 게 가장 유효한 전략이었다. 그도 아니라면 늘 근처에 점퍼 조직의 요원이 경호조로 붙는 수가 있었고.

어쨌든 최근의 일상은 별다른 일은 없다. 다만 연구소에서 그를 불렀는데, 계속해서 특이점을 드러내고 있는 재머로서의 능력 때문이었다.

재밍 능력은 막대한 범위를 자랑한다. 그리고 동시에 백 명이 넘는 점퍼들의 능력 사용에 관여를 한다. 그 스스로가 도약을 하지 못한다, 는 제약이나 한계가 그의 특질을 더욱 거대하게 만드는 지도 몰랐다.

JE2는 JE와 다른 에너지였지만, 어쨌든 미지의 에너지이며 점프에 관여한다. 그것을 다룰 수 있고 민서가 자신의 능력의 다른 사용법을 깨달으면, 보다 더 신기한 일들이 가능할 지도 모른다.

민서가 다양한 임무 중에 보였던 행태와 가설, 추측들이 모여서 새로운 이론을 제시했다. 민서는 기지에 출근을 했다가 바로 연구소로 이동하는 점퍼의 손에 이끌려 베른 근처의 연구소로 이동했다.

서울의 아침은 베른의 밤이었다. 그러나 시차와 상관없이, 늘 연구에 매진하고는 하는 연구원들을 만날 수 있었다. 민서는.

그들이 제시하는 이론은 간단한 것이었다. 거대한 역장을 설치하고 다른 이들의 능력에 관여하는 재머. 그가 다른 점퍼들이 하는 것처럼 능력 사용의 과정을 분절해서 이해하고 사용할 수 있다면 어떤 일이 가능해질 것인가.

다양한 시도 끝에 몇 가지 유용한 사용법을 발견했다. JE2는 거대한 범위 속에서 마치 매질처럼 작용했다. 현대 물리학 기술로는 직접 관측할 수 있는 힘도 아니었고, 그것의 움직임을 증명할 방법도 제어할 힘도 없었지만 민서의 정신력에 따라 움직였고 실제 물질 세계에 영향을 미쳤다.

공기나 물 같은, 보이지도 않고 관측도 안되지만 존재하는 거대한 매질인 그것은 다른 이들의 점프에 동시에 관여할 수 있었다. 그렇다면 도약이 아닌 그 중간 지점에서 사용하는 '예측'에 관해서는 어떻게 작용할 것인가.

여러 명의 조직의 점퍼들이 모여서 점프를 시동했다가 도중에 취소했다. 점프는 해당 위치에 도약자의 신체를 가로막을 물질이 없어야만 정상적으로 발동되므로, 그에 관한 부가적인 능력으로 해당 좌표에 어떤 물질이 있는지 알 수 있는 면이 있었다.

움직이지 않는 고체류의 것이라면 해당 장소로 도약 자체가 불가능하다. 점퍼는 도약을 통해 해당 위치에 어떤 종류의 물질이 있는지 관찰할 수 있다. 이것을 빠르게 반복해서 사용한다면, 아주 화질이 낮고 또 저사양의 카메라로 넓은 장소를 관찰하는 것과 비슷한 일을 할 수 있었다.

저화질이었고, 단순히 시각 데이터만 얻을 수 있지만 그래도 새로운 가능성이라는 데는 변함이 없었다. 공간의 제약을 받지 않는다니. 과학적인 좌표 데이터만 있으면 거리를 넘어서 그곳을 직접 관찰할 수 있는 것이다.

해당 장소의 위치 데이터는 점퍼의 뇌로 받아들인다. 한 사람의 개인 경험을 다른 이들이 공유할 수 있는 방법은 아니었으나, 점퍼 조직의 여러 선진국들이 모여 만들어내는 최첨단 이상의 기술들에는 근미래 과학 기술에도 닿아 있는 것들이 있었다.

개중에 하나가, 사람이 머리에서 이미지를 상상하면 그것을 높은 유사도로 그려내는 모니터가 있었다.

사람의 뇌파 정보에 직접적으로 접속해서 내부 정보를 뽑아내는 출력 기계였다. 그야말로, 근미래 기술이라고 할 만한 것들 중 하나였다. 시각 정보에 제한하지만 사람의 내면을 그대로 물리적으로 표현할 수 있는 초현실적인 인화 장치였다.

다만 점퍼 조직이나, 그에 연관된 여러 과학자와 연구 자원 속에서도 그것을 만들어내는 건 다소 까다롭고 또 어려운 일이었다. 한 번에 운용이 가능한 건 한 대에 불과했고, 다소 비대한 크기의 물건이다.

과학자들은 그것을 통해서라도, 점퍼들을 이용자로 삼아서 볼 수 없는 장소의 정보를 얻기 원했다.

점퍼들이 예측으로 얻는 정보를 표현하자면 색깔이 없는 뿌연 시각 정보, 에 불과하고 거기다가 면적도 고작 인간 하나의 체면적 수준이다. 방대한 넓이를 관찰하는 방법으로는 택도 없는 것이었으나, 그럼에도 불구하고 그 작은 모니터의 렌즈로 먼 우주를 관찰하려는 과학자들의 집념과 의지는 간절한 것이었다.

그런 와중에 민서의 능력은 하나의 활로를 제시했다. 마치 단체 도약을 하듯 여러 명이 한꺼번에 손을 얹고 '예측'을 사용한다. 원래 도약이 시행된 것이 아니기도 하거니와, 예측에 대한 정보는 각 개인에게 돌아간다. JE는 점퍼 각 개인에게 적용되며 그것이 연결되어서 일을 하는 때는 점프 능력에 포함되어 있는 단체 도약이 이루어질 때 뿐이었다.

양 손에 한 명씩, 1명의 점퍼가 영향력을 미칠 수 있는 건 자신을 포함한 세명 뿐.

이론상 그러면 단체 도약을 사용한다면 3명분의 체면적까지는 자신이 확인을 할 수 있었으나, 무언가 프로그래밍된 방화벽에 막히기라도 하는 듯 그런 식의 예측 범위의 확장은 올바로 이루어지지 않았다.

점퍼 역시 점프 능력과 에너지의 작동 원리를 모르고 사용하는 무지한 수혜자에 불과할 뿐, 진정한 의미의 컨트롤러는 아니었기 때문에.

반면 재머는 누구와도 다른 능력을 가졌기에 혹시 다른 종류의 특질의 사용법이 있는가 궁금해졌을 뿐이다. 과학자들의 근거는 그토록 빈약했다.

그리고 운이 좋게도, 그 빈약한 상상과 추론은 제법 잘 맞아떨어졌다. 그들의 상상보다도 훨씬.

원형으로 대열을 이루어서 여러 명이 서로에게 손을 얹고 단체 도약을 한다. 정확히는 시도를 하다가 취소하는, 예측을 발동한다. 원래대로라면 1명 당 자신의 몸만한 크기의 시각 정보를 얻을 뿐이었지만. 재머가 끼자 상황이 달라졌다. 재머가 그 사이에서 JE를 다른 이들의 요령처럼 조작할 때, 예측이라는 능력의 작용이 서로에게 확대되었다.

10명이서 단체 예측을 시행하자, 재머를 포함한 10명 분의 체면적이 곧 공간을 넘은 미지의 장소를 관찰 가능한 카메라가 되어 공간 너머를 관측했다.

그리고 재머가 뇌내 비쥬얼 데이터 출력 장치의 일부를 머리에 끼고 있자, 그 영상이 그대로 모니터에 출력이 되었다.

그래봐야 고작 사람 10명 분의 체면적이지만, 과학자들은 앓던 이가 빠지고 속이 시원해지는 느낌을 받았다. 어쨌거나 이전보다는 나아진 것이 사실이다.

천문학적인 데이터로 추측했던 우주 공간 너머의 행성 정보들, 추리했던 예측들을 아무런 과학적 경제적 비용 없이 확인해볼 수 있는 길이 조금 더 열린 것이다.

단순한 시각 정보만으로, 그리고 현재로서는 도달할 수도 없는 미지의 우주 너머의 정보들이 현대 과학과 물리학계, 그 외 과학 내 다양한 분야에 어떤 영향을 미치고 시너지를 낼 지 알 수는 없었다.

그러나 미지수로 남겨두었던 정보값을 얻어낼 수 있다는 것만으로도, 과학자들은 흥분을 감추지 못했다. '어두움'으로 남겨두고 끙끙대며 풀어내야 했던 과학적 계산 수식에 한 줄기 빛이 든 것이나 마찬가지였다.

대단한 육체 능력이 필요한 일도 아니었고, 단순하게 JE만 소모하면 될 일이었다. 마침 다행히도, 세계에 JE는 있지만 육체적 강도가 부족해서 재난 구조 임무 따위에 적극적으로 참여하지 못하는 점퍼들이 많이 있었다.

처음에 민서가 연구소에서 실험의 대상이 되며 아르바이트 따위를 했던 것처럼, 천문학적인 연구비 지원을 받는 연구소들에서는 그런 점퍼들을 고용했다. 천문학적인 비용으로 고용하는 것은 아니었지만, 적어도 집구석에서 놀고 있는 백수가 사회에 당장 나와서는 도저히 벌기 어려운 액수의 금액들이기는 했다.

민서는 과학자들의 곁에서, 졸지에 제자리에 앉아 우주를 탐험하는 무인 카메라의 조종자가 되어 그들의 연구 과정을 한없이 지켜보는 일정이 추가가 되었다.

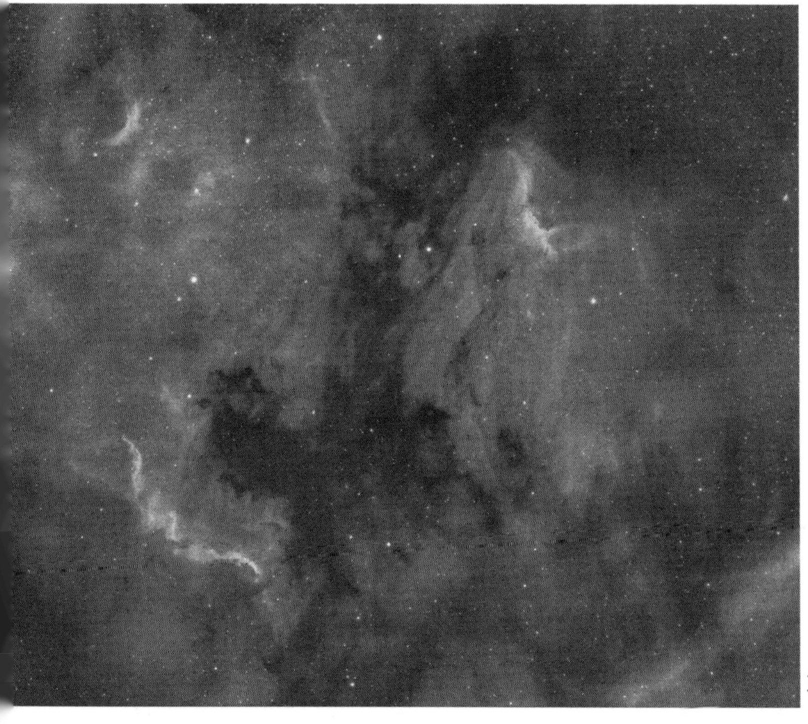

***

점퍼 조직의 결집력이 강화되고, 다른 미지의 점퍼로 인한 자원 낭비가 줄어들자, 곧 현존하는 모든 JE를 가장 효율적으로 공공선을 위해 사용할 수 있게 되었다.

공공신을 위해 사용한다, 는 것이 그것들을 기계적으로 뽑아낸다는 의미는 아니었다. 어쨌건 JE는 사람에게 포함된 에너지이고 힘이었으니.

20여 명이었던 점퍼 조직은 약 40여 명까지 늘어났다. 그 외에도, 여타의 일이 있으면 자연스럽게 협조를 하는 이들이 대부분이었다. 비정규 인원을 생각한다면, 100여 명의 점퍼들 대부분이 일원화된 조직 내에서 힘을 모았다.

그 외에는 신체나 정신이 유달리 유약한 자들, 혹은 끝까지 조직화 된 생활에 참여하기를 꺼려 하는 자들이었고. 개들 중 급진적으로 행동하며 반사회적 행동을 벌일 듯해 보이는 자의 경우에는 점프 능력을 제약해 발휘하지 못하도록 해 두었다.

점퍼 조직이 모든 범죄 행위에 제약을 가하거나 편집증적인 행태를 보이는 건 아니었다. 다만 그들이 할 수 있는 일, 점프 능력을 사용한 일들에 대해서만 반응할 뿐이다. 그것이 그들의 일차적인 존재 의의이기도 했으니.

점퍼들이 공개적으로 활동을 하기 시작한 이후로, 그들이 어떤 연예인들은 아니었으므로 조직원 개인이 유명세를 얻는 경우는 별로 없었다. 점퍼 조직이 세계에서 가장 유명한 키워드 중 하나가 된 것일뿐.

그러나 어찌 되었든 대외적인 활동을 조직 역시 하게 마련이었고, 이전보다 보안 유지와 미디어 조작을 통한 정보 제한에 힘을 쏟지 않았으므로 자연스레 임무 경과에 따라서 조직원들에 대한 정보가 다소는 퍼지기도 했다.

개중에서 가장 활발하게 대외 활동과, 극한 상황에서의 조난 구조 임무 따위를 맡는 이들 중
'소드 마스터'가 예외적인 인기를 얻었다. 그의 신상명세 따위를 다른 이들이 알 수는 없었으나 적어도 인상착의나 이목구비 정도는 인터넷 상에서 떠돌며 유명세를 얻는다.

점퍼 조직이 활발하게 활동을 하기 시작하고, 이전보다 더 본격적으로 거대한 범죄 조직 따위의 소탕 작전에 심혈을 기울이자 세계 전역에 그 소식이 들리도록 활개치는 조직들은 많이 사라져갔다.

지나치게 눈에 띄면 언제 순간이동자와 함께하는 군단의 심판을 받을지 모른다, 라는 생각이 악인들의 뇌리에 퍼지면서 은연중에 행동을 조심케 만들었다.

그런 면에서, 가장 전투적인 활동을 이어가는 소드 마스터가 시민들의 인기를 얻는 것도 정해진 수순이라 할 수 있었다. 홍인수 그 자체도 별달리 특별한 인간은 아니었고, 누군가의 기대 그대로의 인간이 될 수는 없었지만. 적어도 남들이 하는 만큼. 그러니까 평범하게 목숨을 걸고 일을 하는 구조 분야의 직업 종사자 정도로는 굴 수 있었다.

실제로 홍인수는 몸이 부서져라, 조직 내의 여러 임무와 사회 질서를 위해서 자신의 몸을 투신하는 편이었다.

민서의 이후 주 업무는 지나친 피격 위험이 없는 선에서 현장 보조 임무를 맡고, 연구소 따위에서 재밍 능력의 특이성을 이용해 연구를 돕는 일이었다. 그것만 하더라도 스케쥴이 빠듯했다.

어찌 되었든 취업할 길조차 막막했던 20대 초반의 백수로서, 긍정적인 변화들이 아닐 수 없었다.

그 외에는 이전에 '코치'와 그 계통을 잇는 이들이 그랬던 것처럼 조직 내부의 일을 맡았다. 그러니까, 신참 점퍼에 대한 교육 따위였다. 민서라고 하더라도 많은 것들을 알지는 못했지만. 적어도 그가 지난 시간들 동안 몸으로 체험한 흔적들은 있었고, 그것들을 알려주는 건 그다지 어려운 일이 아니었다.

그런 인수인계가 어쨌든, 조직의 형체를 유지하게 만들고 돌아가게 하는 법이었다.

어쨌든 이 이야기는, 김민서라는 한 날백수 20대 청년이 우연한 계기로 새로운 사람들을 만나고, 자신이 있을 자리나- 일할 곳을 찾아 취업도 하고, 사람도 잘 만나서 연애를 잘 하고 결혼을 해서 행복하게 산다는 이야기다.

그리고 그리하야.

우리네 삶이 여전한 고통에 신음하는 이웃들로 인해 눈물 자국이 깨끗해질 일이 없지만,

그럼에도 불구하고 슬픔이 확실한 것만큼이나 곁에 있는 기쁨이 분명해서

멀리서 바라보면 그래도 바라 볼만한 긍정적인 색채의 무언가로 칠해진

그런 인생을 그려낸 드라마이다.

차마 제 입으로는 스스로 말할 수 없지만, 이것은 그런 이야기이다.

그것 안에 있는 화자는 그것을 말할 수 없다. 어떤 명배우도 자신이 담겨져 있는 앵글과 영화를 말하지 못하는 것처럼.

때로, 작품적 조류를 거스르는 새로운 시도로, 제4의 벽을 깨는 캐릭터들이 간혹 등장하고는 한다. 헐리우드, 마블의 유명한 쫄쫄이 검객- 좀 잔인한 무드의 비관적이고 블랙 유머를 즐기는 히어로 무비가 그런 류이다.

김민서는, 자신의 삶에서 만난 연인과 충실한 연애를 즐기다가 이후 알맞은 시기에 결혼을 한다.

그 전에는 군대를 가게 되고, 점퍼 조직과의 연계를 통해 정부 당국과 국방부에서는 그가 받아온 트레이닝의 특수성을 인정해주고 적당한 자리에 들어가서, 누구보다도 빡센 군생활을 보내게 된다.

다른 이들보다 물리적으로 조금 고된 면이 있었지만, 나름의 즐거움이 있었다. 자신이 조직에서 배워 온 다양한 기술과 받아온 트레이닝들이 나라를 위해서 쓰인다는 것도 제법 새로운 즐거움이었다.

남자란 존재는 본디 누군가에게 인정을 받으며 그것을 생명처럼 삼아 살아가고는 하는 존재들이었다. 보다 큰 존재, 자신이 속한 정당한 공동체, 조국에게 나름의 인증을 받는다는 건 그럭저럭 나쁘지 않은 기분이었다. 도리어, 상당히 좋기도 하다.

그런 면에서 홍인수라는 사내가, 그 외 여러 점퍼들이 각국 혹은 세계 곳곳의 문제들을 해결하기 위해 자신들의 한 몸을 삐걱거리도록 굴려가며 열심히 일하는 이유를 찾을 수 있을지 모른다.

사람은, 누군가에게 도움이 될 때 사실은 굉장히 행복한 법이었다. 존재의 의미란, 그저 아무렇지도 않게 누군가에게 사랑을 주거나 그 존재의 귀중함을 인정해줄 때 자신에게도 생겨나는 법이었다.

사실 원래 감추어져 있다가, 그럴 때에야 비로소 드러나는 것인지도 모른다.

우리 곁에 있는 누군가에게 감사한 마음을 갖다가 낯간지러움을 이겨내고 한 마디 말로 사랑을 전할때 그 고마움이 기어코 드러나고 감동적인 순간을 겪게 되는 것처럼 말이다.

그럴 때의 생경함과 새로운 즐거움은 남다른 것이다. 당신도 오늘 할 일이 없다면 늘 옆에 있는 친구나 존재에게 굳이 한 번 말을 걸어보라. 내 옆에 있어 주어서 고맙다고. 그러면 마치 없었던 자리에서 무언가가 생겨나듯 행복함을 느끼며 그대의 하루가 조금 더 나아질 거라고 장담할 수 있다.

이 소설도 그런 것이다.

굳이 더하지 않았어도, 뭐 괜찮았을지 모른다. 그러나 내 인생에 조금의 시간을 더해 이런 이야기를 적어 내려가고, 또 당신이 골라 이 책장을 넘기면서 아주 약간의 즐거움이라도 느꼈다면.

그것만으로도 가장 창조적인 역할을 해낸 셈이 아니겠는가.

홍인수는, 그대로 조직에 헌신하면서 세상 곳곳을 쏘다닌다. 그의 육체적인 활력과 그 정력의 정점은 30대가 넘어서도 유지가 된다. 그가 현역으로서 현장의 재난 상황을 타파하며 돌아다니는 것은 거의 40이 가까이 될 때 까지였고, 그 이후에 코치와 커맨더가 은퇴를 한다. 길게까지 조직에 남아있던 경우였다. 보통의 수뇌부가 그렇게까지 일을 하지는 않는다.

말했듯, 최악의 경우에 코치와 커맨더 둘 다 전투 상황에 참여할 수 있는 최소한의 전투력이 있어야만 한다. 그래야만 마치 용병 조직과도 같이 활동하는 점퍼 조직이 최후의 안정성을 가질 수 있을 테니까.

홍인수는 새롭게 커맨더의 자리에 앉기 전에, 잠시 그 보좌관으로서 일을 하게 된다. 소드 마스터라는 이명은 그때까지 그대로이다. 커맨더의 자리에 임시로 앉아 약간의 인수 인계를 도운 멤버는, '쉴더'인 야가미 소우타였다.

가장 오랜 시간 커맨더의 곁에서 일을 하고 또 조직의 운영 상황을 바라본 존재이기도 했다. 이곳이나 저곳에, 어디로나 떠돌며 잡다한 일을 맡았던 그는 곧 조직에 대해 가장 잘 아는 자이기도 하다.

야가미 소우타가 7대 커맨더, 한형석의 자리를 이어 8대의 자리를 몇 년간 역임하고, 이후 홍인수가 수뇌부의 업무에 완전히 익숙해지자 자리를 양보한다.

그 때까지도, 조직은 여전한 건재함을 자랑한다. 물론 이렇게 점퍼 조직이 안정된 조직성을 확보하는데 가장 큰 역할을 기여한 건 '재머'의 존재이다.

재머, 김민서.

이 멍청하고 수더분한, 참을성이 좋고 또 요령이 없는 백수 청년 역시 나이를 먹었다. 홍인수가 나이를 먹었듯 말이다. 그와는 다소 나이에 차이가 있었으므로, 선대 커맨더와 코치가 은퇴를 했을 때 재머가 30대 초반이었다.

홍인수가 9대 커맨더로서 조직의 수장직에 오를 때에 30대 중반이었고.

수정과는, 20대 후반 무렵 결혼을 해서 행복한 생활을 이어가던 중이었다. 도중에 갑작스레 다니게 된 개신교회에서는, 어떤 성실함이 조건이라도 되는 듯 신앙적인 경험과 나름의 깊이 있는 감동을 받아서, 내면적으로도 개신교인으로서 개종을 해서 신앙적 도덕 교리를 따라 깨나 건전하고 도덕적인 인간이 되기도 했고.

아무튼 행복한 결혼 생활을 이어가고 있었다. 조직에서 나름의 중견이자 베테랑으로서 일을 하고 있을 때, 는 남자 아이를 슬하에 하나 두고 잘 키우고 있었다.

세계의 변천사는 급격한 것은 없었다. 2023년이 지나고, 30년대가 왔을 때도 거대한 정세의 구도가 확연하게 달라지지는 않았다. 여전히 거대한 몸뚱이를 자랑하고 있는 개발도상국 같은 처지의 나라들이 있었고, 서구 문명으로 대변되는 자유주의 체제의 나라들이 경제 개발을 위해 하루하루 일상을 거듭하고 있었다.

삶은 여전한 문제가 만연해 있었고, 나름대로 유명해진 점퍼 조직 역시 사회 속에 녹아들었다. JE의 총량은 나름대로 안정적으로 사회 각지의 위기 상황에 분포되어 사용되었고, 정말로 급박한 재난 상황들 따위가 어느 정도 타개 될 여지가 보이자 전 세계적으로 약간의 안정감이 생기는 것도 같았다.

또한, 사실 점퍼라는 존재들이 모여있는 조직은 일종의 전략 무기와도 같았다. 일정한 협정이 있기는 하지만, 최후의 보루로서 움직인다면 '핵'과도 달리 어떤 장소든 타격이 가능하면서, 그 외에는 일절 불필요한 파괴 행위를 일삼지 않는 무기가 될 수 있는 것이다.

자연스럽게 각국의 정부와 수반들은 자신들의 행동이 세계 각국의 다른 이들과 일반 정서를 지나치게 거스르지 않는가 다시금 생각해보게 되었다.

그러니까, 그런 것이다.

문명인은 야만인보다 예의가 없다. 싸가지가 없는 말을 해도 머리 위에 도끼가 날아들지 않기 때문이다, 라는 어느 말처럼. 이전까지 과격한 수단이었던 전쟁, 전략무기, 핵 따위는 존재하며 거대한 세계 대전을 막고 있었지만 그 사이의 외교적 급발진에 별다른 유효 수단으로서 작용하기는 힘들었다.

그러나 점퍼들이 조직적으로 있으며 또한 그들이 상식적이거나 정치적인 협의 아래 최후의 수단으로 움직일 가능성이 있는 한, 어떤 지도자라도 한번쯤 상상해보는 것이다. 자신이 어떤 자리에 있든 아무런 상관도 없이 장애물을 뛰어넘어 들어오는 은밀한 칼의 존재를.

그리고 그런 존재나 상상력은, 의외로 제법, 사람이 정치적으로 또 국제 관계에서 상식적으로 구는 데 도움이 되기도 했다.

어떤 지도자도 자신의 죽음 이후를 위해서 누가 보기에도 지탄받을만한 짓을 하지는 못했다. 그것에는, 어떠한 소망도 가능성도 없었으니 말이다. 보통 그런 일을 자행하는 대담한 시도들은 현세의 야욕과 욕망의 실천을 위해서인데. 누구에게나 공평한 칼날이 세계에 존재한다면 아무래도 행동이 망설여지게 되는게 사실인 것이다.

그와 더불어서 전체적으로 강력 범죄율이 다소 줄어들었다. 전 세계에 존재하는 범죄 발생 빈도에 터무니 없이 적은 영향이었지만. 그럼에도 불구하고 '거대한' 범죄 조직들이 대놓고 활개를 치는 것은 다소 자중해야 하는 방향으로 분위기가 흘러갔던 것이다.

지나치게 눈에 띈다면, 곧바로 각국의 정보들은 이전과 달리 정확히 필요한 양의 자원만 가지고 산개되어 있는 범죄 조직들의 요충지에 타격을 할 수 있었다. 순간이동이 가능한, 훈련된 점퍼 전투 요원들의 존재가 그것을 가능케 했으니.

객관적으로 과도하게 눈에 띄지는 말자, 라는 것이 그런 일을 일삼는 범죄 조직들의 풍토이자 유행이 되어갔다.

점퍼들 역시, 커맨더와 코치가 은퇴를 했듯 새롭게 나타나는 젊은 점퍼들이 있었고 또 그들이 조직에 들어왔다. 새롭게 발생하는 점퍼들 역시 김민서가 유지하고 있는 재밍 영역에 의해, 조직의 안전망 내로 이동을 하게 되었고, 그들은 정해진 교재와도 같이 정리된 정보들과 함께 자신이 가진 특수한 능력을 어떻게 사용해야 하는지 가르침을 받았다.

점프 능력을 가진 점퍼라고 하더라도, 특별한 인간은 아니었다. 다만 사회 속에서 살아가야 할 존재일 뿐이었지. 그러한 특수성을 가진 능력이, 일반적인 상식을 무시해야 할 이유는 세상의 어떤 궤변을 가져다 대더라도 맞는 이야기가 될 수 없었다.

결국 조직에서 사춘기 아이들에게 가르치는 것은, 일반적인 상식 교육들이었다. 도덕률을 포함하고 있는.

어떻게 건전하게 삶을 살아가야 하는가. 그리고 특질의 능력을 타고난 것으로 인해 어느 정도 전체 사회와 공동체에 부채감을 지니고, 그것을 최대의 효율로 사용하며 상당한 보상을 물리적으로도 받을 수 있는 길이 있다는 것을 들었다.

그리고 그런 길을 들은 어린아이들은, 자신에게 바로 취업을 하고 무언가 보상을 얻을 수 있는 재능이 있다는 것으로 이해하고 조직에 참여하기를 망설이지 않았다.

그렇게 시간이 흐른다.

재머, 김민서가 가지고 있는 능력이 시간에 따라 계승이 될 지는 알 수 없었다. 다양한 점퍼들이 있었고 코드 네임이 있었으며 개들중에 갖고 있는 특질 역시 새로운 세대에서 발현이 될 때도 있었고, 아닐 때도 있었다.

재머라는 전대미문의 능력 또한 계승이 될 것인가, 에 대해서는 연구진들 역시 의견이 분분했다. 대개는 약간은 부정적인 의견이 우세했고, 그런 점에서 김민서가 자신들과 동시대에 살아 있을 때에 가능한한 다양한 실험들을 빠르게 자행해보자는 의견으로 귀결이 되었다.

물론 쉬는 시간은 있었으나, 김민서는 나름대로 바쁜 일상을 보내며 점퍼 조직의 안정적인 유지와 확장을 위해 애를 써나갔다.

*

홍인수와 옌은, 30이 넘어서야 서로를 향한 마음을 인정하고 공식적인 연인이 되었고, 그러고 얼마 지나지 않아 결혼을 했다. 홍인수는 애초에 30이 가까운 나이였고, 옌이 그 나이를 넘었을 때의 일이었다.

커맨더와 코치는 자신들이 은퇴하기 전에 가장 아끼는 수제자나 다름 없었던 홍인수의 결혼을 보며 마치 꼭 봐야 했던 것을 봤다는 것처럼, 흡족한 웃음과 만족감을 드러내보이며 말년을 마무리했다.

*

"…결론적으로, 신랑은 아내만을 반려자로서 평생토록 사랑하며 든든한 기댈 곳이 되어줄 것을 맹세하십니까?"

"…예."

"……신부는, 마찬가지로 신랑만을 반려자로서 평생 사랑하며 그가 지칠 땐 따스한 위로와 격려를 아끼지 않을 것을 맹세하십니까?"

"…예."

두 사람은 적당히 행복했다.

적당히라는 말은, 사실 그 무엇보다도 가장, 이라는 말과도 같았다. 나름대로 화려한 예식장이었다. 수백여 명은 그래도 수용이 가능한 곳이었고, 불러야 할 사람들이 꽤나 있었기에 기어코 작은 규모로 열지는 못했다.

가족, 친척, 친구, 직장의 동료들. 각자의 연이 닿은 관계성 내의 많은 사람들이 와서 이들의 결혼을 축하해주었고, 기독교적인 짧막한 예배와 형식에 따라 진행이 된 결혼은 그리 길지 않은 시간만에 끝맺었다.

신랑과 신부는 서로를 바라보는 눈에서 깊은 행복과 신뢰를 느꼈고, 앞으로 같이 걸어갈 길고 긴 세월에 대한 기대감을 가져볼 수 있었다.

많은 사람들의 축하를 받으며, 으레 그렇듯 입을 맞추고 또 서로를 향해 인사를 하고, 축가를 받고 주례를 듣고….

다 같이 모여 화목한 사진을 찍으며 그 날의 결혼식이 마무리가 되었다.

밝은 낮. 대부분의 결혼식이 그러하듯, 점심 무렵. 따뜻한 봄 날의 일이었다.

***

점퍼Jumper, 순간이동자.

끝.

작가의 말, 후기.

5권, 마무리입니다. 여기까지 읽으시느라, 고생 많으셨습니다. 이전 페이지 사진의 인물이 민서와, 수정은 아닐 겁니다. …애초에 한국인도 아니고.

음. 자체 제작이 아니라. 상업적 이용이 가능한 일러스트를 골라와 넣다 보니 다소 제한적이긴 하군요. 저런 분위기에, 저런 인상의, 누구라고 적당히 생각해주시면 감사하겠습니다.

여러분.

재미있으셨습니까?

적어도 저는 쓰면서 재미있었습니다.

이 긴 글을 5권까지 읽어주셨다는 건,

그래도 나름대로 재미와 흥미를 느끼셨다는 거겠지요. 일단은, 그거면 충분하고. 그것도 참 위대한 일이라고 생각을 합니다. 감사합니다. 저는, 이만. 다른 글을 적으러 또 떠나보겠습니다.

-24.3.17.日

***

(:**이하**는 종이책 편집 과정이 아닌, 이전에 연재 시 적어두었던 작가의 말을 넣습니다.

지인분들을 향한 말이 적혀 있는데, 특징적인 말들은 넘어가시고, 그 외 이야기들만 눈여겨 봐주셔도 좋습니다.)

소설가는 이 순간을 위해서 글을 적는다고 말을 해도 과언이 아닙니다.

다들 작가의 말을 적고 후기를 적고 싶어서 사실 장편을 쓰는 겁니다.

아무것도 없이 그냥 작가의 말을 쓰면 아무도 안 봐주니까.

…… 아마도?

음.

어차피 제 사변과 사담에 가까운 나열인 위의 소설을 읽느라 고생하셨습니다. 당신은 대단히 인내심이 필요한 일을 완수한 것이나 다름 없습니다.

복잡하고 정리가 되어 있지 않은 누군가의, 약 7-80만자에 달하는 생각이라니.

어지간한 공부를 해도 암기 과목이라면 꽤 좋은 성적을 받을지 모르는 분량의 공부량인 거 같습니다.

저와 함께해주셔서 감사하고, 이 글을 읽어주시니 감사합니다. 사랑합니다.

네 뭐. 지인분들한테 드리는 버젼에 들어가는 작가의 말이니 아무런 부담이나 저항이 없으리라 생각하고 말을 하자면

다들 하나님 잘 믿으시고... 오늘도 주님 안에서 동행하시고... 위의 주인공들처럼 인생이 늘 해피엔딩을 맞으시기 바랍니다.

삶의 고난은 늘 있지만 기독교인의 존재가 그렇듯이, 해피한 엔딩을 맞으시기 바라고요. 과정중에도 매일매일 해피엔딩으로 자신의 삶을 끌고 가서 거기서 끝내시기 바랍니다.

소설이란 저에게 그런 의미입니다. 길고 긴, 부정적이고 어두운 감정과 그것들을 기어이 끄집어 내어 긴 여정을 마치고, 긍정적인 부분의 한 자락에라도 닿아서 웃고서 끝내는, 그런 감정의 정화와 같은 일입니다.

나는 그 일을 하는 과정에서 예수님을 만났고, 하나님을 보았다고 해도 과언이 아닐 겁니다. 하나님께서, 그 해를 죄인에게도 비추시는 것처럼. 하나님을 모르던 이 한국의 방구석, 신림동 어딘가에서 아버지와 함께 살던 저, 그리고 오류동에서 어머니나 누나와 시간을 보내던 저, 아무도 모르게 방구석에서 소설을 읽고 생각을 정리해나가던 저의 머릿속에도 햇빛을 비춰주셨겠죠.

그러지 않았으면 그 시간들을 버티지 못했을 거고,

하나님을 만나게 된 이후로 든 생각으로는

인간에게 하나님은 필수적인 부분이고, 하나님은 곧 사랑이며 빛이라고 치환해보았을 때,

사람은 빛이 없는 곳에서 살 수 없습니다. '어듭다'라는 말은 '빛이 적다'라는 말이지 '빛이 없다'라는 말이 아닙니다(과학적 용어가 아닌, 사람의 심리적 용어입니다).

완전한 무정無情의 상태라면, 그게 곧 죽음의 순간일 겁니다. 비참한 죽음이요.

그러므로... 언제나 어두운 긴 터널을 지나더라도 하나님으로의, 긍정성으로의 회복을 늘 꿈꾸고 도약하시는 하루와 삶이 되시기를 제 온 마음과 신령을 다해서 기도하겠습니다. 늘 행복하시고, 힘든 일이 있어도 이겨내실 수 있으실 겁니다. 하나님이 계시잖아요.

우리가 너무 절망에 빠져 의지하는 것만 잊지 않는다면요.

좋은 하루 되셨길 바라며, 글을 마칩니다.

2023.4월 어느 날, 글쓴이 올림